中国近现代针灸文献研究集成

教材卷

王富春
杨克卫／主编

针灸基础分卷

江浙闽篇（下）

北京科学技术出版社

U0215839

针灸歌括汇编（承淡安）

提 要

一、作者小传

承淡安（1899—1957），字启桐，初名澹盦，一名澹庵、淡庵，江苏江阴（古称澄江）人。我国近现代著名的针灸学家、针灸教育家，澄江针灸学派创始人、中国近现代针灸学科奠基人、近现代中国针灸事业的宗师。承淡安出身于中医世家，其祖父承凤岗精于中医儿科，父亲承乃盈擅长针灸、儿科、外科。他自幼受父辈熏陶，立志学医，以解患者病痛，他曾说："既抱定鞠躬尽瘁于中医学术，死亦无恨矣。"承淡安青少年时期即随父学医，尽得真传；又师从同邑名医瞿简庄学习内科。

1925年，承淡安开始独立行医。1929年，"废止中医案"使中医的发展面临困境。承淡安不受环境影响，毅然坚持带徒授业，以实际行动继承和发扬中医针灸学。1931年，承淡安创办了我国近代中医教育史上第一个针灸研究、函授教育机构——中国针灸学研究社，并担任社长。

为了更好地推动针灸的函授教育，承淡安于1933年10月10日创办了中国医学史上最早的针灸专业刊物——《针灸杂志》。1934—1935年，承淡安游学日本，收获颇丰。归国后，他创立了中国针灸学讲习所（1937年2月扩建为中国针灸医学专门学校）以传授针灸技术，同时又创设中国针灸医学图书馆。1937年7月，承淡安因战乱被迫离开自己创办的学校，前往四川地区。1938年，他在成都创建中国针灸讲习所、成都国医学校和针灸函授学校，在德阳创办德阳国医讲习所。1941年，他编著了《伤寒针方浅解》一书；1942年，承淡安任四川医学院针灸科教授，并在四川广安县开办国医内科训练班；1948年，他于苏州创办怀安诊疗院；1951年初，他在苏州司前街复建了中国针灸学研究社，并复刊《针灸杂志》。1954年，他出版《中国针灸学讲义（新编本）》，并于同年10月30日被江苏省人民政府任命为江苏省中医进修学校（今南京中医药大学）的首任校长。

承淡安长期从事针灸理论和临床研究，著作甚丰。著有《中国针灸治疗学》《中国针灸学讲义》《子午流注针法》《伤寒论新注（附针灸治疗法）》等15部著作，编修针灸经络图多册。承淡安一生致力于针灸医术的复兴与普及，为促进针灸学发展和培养针灸人才付出了艰辛努力，在他的努力之下，承门弟子程莘农（中国工程院院士）、邓铁涛（国医大师）、邱茂良、杨甲三、陈应龙等人在海内外孜孜以求，引领针灸学科发展前沿，逐步形成了以融通中西医学为特色的现代针灸学术研究群体——澄江针灸学派。

二、版本说明

约出版于1938年，白纸铅印本。

三、内容与特色

该书选取有临床价值的历代针灸歌括汇编成册。第一部分为十四经经穴分寸歌，该部分收录手太阴肺经经穴分寸歌、手阳明大肠经经穴分寸歌等。第二部分为十四经经穴摘要主治歌括，该部分选取十四经各经经穴，以七言歌诀记录各经经穴的定位及主治等。同时，该书还收录以下歌赋：“《百症赋》笺注”，收录《百症赋》全文及承淡安注解，介绍常见疾病的治法及穴位；“《杂病穴法歌》”，由承淡安注，讲述歌诀的临床应用价值；“《席弘赋》浅注”，为夏少泉所编，收录《席弘赋》原文及相关注解；“《肘后歌》浅注”，选录歌诀，并由淮阴秦振飞注解；“配穴精义”，由“河北束鹿县西城街村第1352号社员陈源顺”编纂，论述“气海、关元、中极、子宫”“中脘、三里”等穴组的主要功效。

现将该书特色介绍如下。

（一）重视基础，语言凝练

该书详列每一个经穴的具体定位，有参照，有比较，语言精简，便于记忆。该书对个别穴位的定位有别于教材中的穴位定位，如曰“膝下六寸上廉至，膝下七寸条口位”“膝下五寸地机朝”等。第二部分为十四经经穴主要穴位摘要歌诀，每篇开篇均强调熟识穴位和经脉的重要性，将作者的学术思想体现得淋漓尽致。

（二）篇章独立，环环相扣

该书第二部分为凝练的穴位主治歌诀及临床治验注释，包括“《百症赋》笺注”“《杂病穴法歌》”“《席弘赋》浅注”“《肘后歌》浅注”“配穴精义”五部分。该书并非简单地对摘录内容进行诠释，而是结合作者的临床经验，对临床不适用的部分提出了更适宜的针灸疗法。五部分内容独立成篇，向读者诠释了建立针灸思维在临床中的重要性。

（三）择优选穴，针灸并施

纵览临床治验，诸篇选择的腧穴皆为临床常用基础穴。“《杂病穴法歌》”虽以杂病杂穴命名，但选取穴位时仍以基础、常见为原则，并将常见穴与奇穴相配伍。篇章伊始，作者摘录经穴分寸歌及每条经脉的主要腧穴，与后续临床治验的治疗取穴相呼应。除此之外，书中还提及了呼吸迎随补泻，九六数补泻及上病取下和左病刺右、右病刺左的刺法，灸法。针灸并施，通过穴位配伍、补或泻、针或灸来求其阴阳平衡，疾病乃愈。分篇为多位作者著述，但中心一致，均强调临床治疗需明其理，辨其证，择其优，针与灸相结合，则阴阳和合。

鍼灸歌括彙編

王海仙置

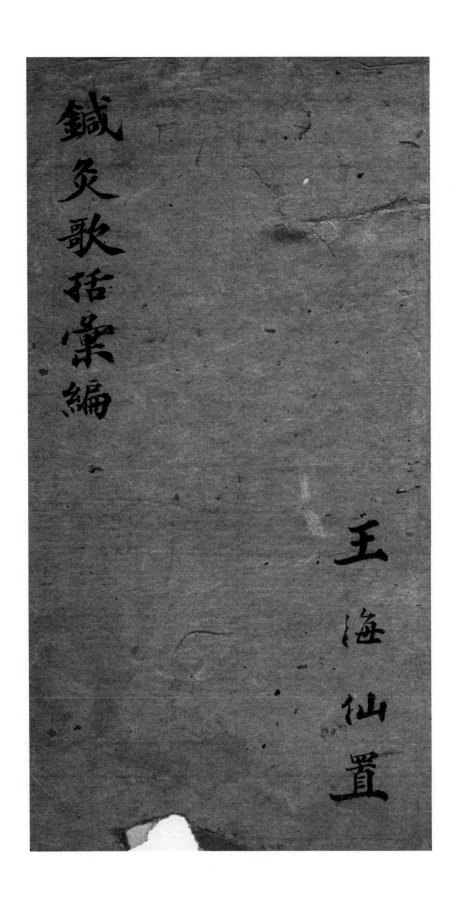

鍼灸謌括彙編刋誤表

頁	行	字	誤	正
一	四	四	申	中
	十四	十六	關	闕
二	一	二九	虛	靈
	十	二十	顖會	上星
三	六	二四	申	中
	十六	二三	踝	節
	二五	二六	二	三
五	七	十五	風頭	頭風

頁	行	字	誤	正
一	十三	十六	向	白
	二十	九	間	關
二	九	十三	晴	睛
	十六	二十	網	綱
三	十三	十七	液	腋
	二一	十	牘	犢
	三二	十二	臑	腰
	十六	三	啇	商
五	[illegible]	[illegible]	[illegible]	[illegible]

六	五	二	兎	兔
	二七	十四	鹽	齒
七	四	六	帶	下
八	二	一	青	靑
	七	十一	盲	肓
	三二	本條之肓皆誤盲		
九	二三	五	顖	頭
	二九	十	脈	衇
十一	三三	十六	亦	赤
十三	二七	一	魚	陽
十五	十四	一	皆	者
二十	二	八	宜	且
二一	一	二六	光	先
二二	九	十九	辦	辨
二三	三	三一	敷	數
二七	十五	二	多一「數」字	
二八	十三	二三	加	如
二九	七	十三	孕字下少一「姙」字	

六	二	七
	三一	五
六	四	十二
八	二	本条
	十七	十一
九	十四	十三
	二五	十三
十	三三	八
十三	三三	一
十五	十三	二五
十八	十七	七
二十	十八	十六
二二	六	十八
	十一	一
二三	十三	四
二七	三一	十六
二八	十六	二
三十	五	二七

三二	十三	四	[illegible]	[illegible]
	十四	十八	炎	炎
	三十	十	處	補
三三	五	五	賢	腎
	十七	十三	陽	陰
	十九	五	痰	疾
三四	六	十一	·中樞	中樞·
	一三	四	禁字下少一「關」字	
三五	六	六	多下少一「時」字	
	十五	三一	住字下少一「時」字	
三六	十七	十七	註	注
	三一	二九	胏	肝
三七	二五	二三	未	末
三八	九	二六	肋	助
	二三	十一	往	住
	二八	七	鳥	烏
三九	五	二六	悉下少一「繫」字	
	八	十五	熱	熱
	十八	十三	肋	助
四十	六	十六	筋	胸
四一	六	十八	不	亦
	十二	十一	尸	戶

三[illegible]	十四	四	[illegible]	[illegible]
三二	十六	一	睛	睛
三三	三	三十	辦	辨
	九	四	次	穴
	二五	十七	多一「之」字	
三四	一	七	據	臑
	九	二二	惑	感
三五	一	三十	涇	淫
	十二	二三	褱	裏
三六	三	二五	過	遇
	二七	二四	放	效
三七	二一	二十	和	知
	二九	二三	推	椎
三八	二十	九	良	良
	二五	七	瘀	瘖
三九	三	十八	汙	汗
	六	二五	二	三
	十七	十四	宣	宜
	十九	二六	極	枉
四十	六	二二	但	其
	七	二九	者	有
四一	二二	三二	郎	經

	八	十五	熱	熱
	十八	十三	肋	助
四十	六	十六	筋	胸
四一	六	十八	不	亦
	十二	十一	尸	戶
	二六	十二	勢	熱
四二	四	七	耶	耳
	十四	十一	陰	陽
四三	二三	九	督	腎
	二八	二五	骨	谷
四四	七	二七	目字下少「目有疾「配」四字	
	十五	八	法	當
四五	一	二九	脈	脹
	二八	七	頂	腦
	十七	十四	宜	宜
	十九	二六	極	枉
四十	六	二三	但	其
四一	七	二九	者	有
	二二	三三	郎	經
	二七	九	若	在
四二	九	二	推	椎
	二一	九	燥	肺
四三	二六	二一	之理能	能之理
四四	七	十五	經	徑
	一一	六	府	穴
	一九	五	配泉	泉配
四五	十	三一	號	虛
	三十	六	更	便

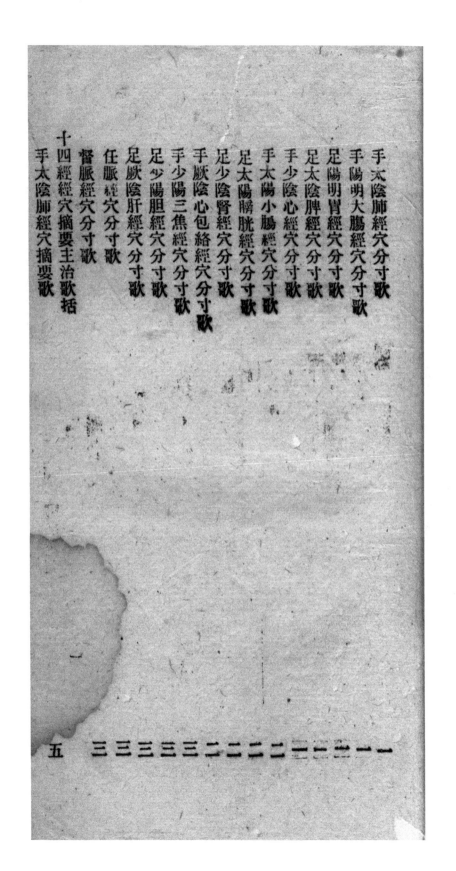

鍼灸歌括彙編講義

目錄

肘後歌淺註
配穴精義

三六
四一

鍼灸歌括彙編講義 目錄

二

鍼灸歌括彙編

手太陰經穴分寸歌

太陰中府三肋間。上行雲門寸六許。雲在璇璣旁六寸。天府腋三動脈求。俠白肘上五寸主。
尺澤肘中約紋是。孔最腕側七寸擬。列缺腕上一寸半。經渠寸口陷中取。太淵掌後橫紋頭。
魚際節後散脈裏。少商大指內側端。鼻衄喉痺刺可已。

手陽明大腸經穴分寸歌

商陽食指內側邊。二間尋來本節前。三間節後陷中取。合谷虎口歧骨間。陽谿腕上筋間是。
偏歷交叉中指端。溫溜腕後去五寸。池前四寸下廉看。池前三寸上廉中。池前二寸三里逢。
曲池曲肘紋頭盡。肘髎大骨外廉近。大筋中央尋五里。肘上三寸行向裏。臂臑肘上七寸量。
肩髃肩端舉臂取。巨骨肩尖端上行。天鼎扶下一寸眞。扶突人迎後寸五。禾髎水溝旁五分。
迎香禾髎上一寸。大腸經穴是分明。

足陽明胃經穴分寸歌

胃之經兮足陽明。承泣目下七分尋。四白目下方一寸。巨髎鼻孔旁八分。地倉俠吻四分近。
大迎頷前寸三分。頰車耳下曲頰陷。下關耳前動脈行。頭維神庭旁四五。人迎喉旁寸五眞。
水突筋前迎下在。氣舍突外穴相乘。缺盆舍外橫骨內。相去中行四寸明。氣戶璇璣旁四寸。

鍼灸歌括彙編

鍼灸歌括彙編

至乳六寸又分明。庫房屋翳膺窗近。乳中正在乳頭心。次有乳根出乳下。各一寸六不相侵。却去中行須四寸。以前穴道爲君陳。不容巨闕旁二寸。却近幽門寸五新。其下承滿與梁門。關門太乙滑肉門。上下一寸無多少。共去中行二寸尋。天樞臍旁二寸間。樞下一寸外陵安。樞下二寸大巨穴。樞下三寸水道全。水下一寸歸來好。共去中行二寸邊。氣衝鼠鼷上一寸。又在曲骨二寸間。髀關膝上有尺二。伏兎膝上六寸是。陰市膝上方三寸。梁邱膝上二寸記。膝臏陷中犢鼻存。膝下三寸三里穴。膝下六寸上廉至。膝下七寸條口位。膝下八寸下廉看。下廉之旁豐隆係。却是踝上八寸量。解谿跗上繫鞋處。衝陽跗上五寸喚。陷谷庭後二寸間。內庭次指外間陷。厲兌大次指外端。

足太陰脾經穴分寸歌

大趾內側端隱白。節前陷中求大都。大白核後白肉際。節後二寸公孫呼。商邱踝前陷中遺。踝上三寸三陰交。踝上六寸漏谷是。膝下五寸地機朝。膝下內側陰陵泉。血海膝臏上內廉。箕門穴在魚腹取。動脈應手越筋間。衝門橫骨兩端同。去腹中行三寸半。衝上七分府舍求。舍上三寸腹結算。結上寸三是大橫。却與臍平莫胡亂。中脘之旁四寸取。便是腹哀分一段。中庭旁五食竇穴。膻中去六是天谿。再上寸六胸鄉穴。周榮相去亦同然。大包腋下有六寸。淵腋之下三寸絆。

手少陰心經穴分寸歌

少陰心起極泉中。腋下筋間動引胸。青靈肘上三寸覓。少海肘後五分充。靈道掌後一寸半。通里腕後一寸同。陰郄去腕五分的。神門掌後銳骨逢。少府小指本節末。小指內側是少衝。

手太陽小腸經穴分寸歌

小指端外為少澤。前谷外側節前覓。節後捏拳取後谿。腕骨腕前骨陷側。兌骨下陷陽谷討。腕後銳上覓養老。支正腕後五寸量。小海肘端五分好。肩貞胛下兩筋解。臑俞大骨下陷保。天宗秉風後骨中。秉風髎外舉有空。曲垣肩中曲肩陷。外俞去脊三寸從。中俞二寸大椎旁。天窗扶突後陷詳。天容耳下曲頰後。顴髎面鳩銳端量。聽宮耳中大如菽。此為小腸手太陽。

足太陽膀胱經穴分寸歌

足太陽是膀胱經。目內眥角始睛明。眉頭頭中攢竹取。眉冲直上旁神庭。曲差入髮五分際。神庭旁開寸五分。五處旁開亦寸半。細算却與顖會平。承光通天絡却穴。相去寸五調勻看。玉枕夾腦一寸三。入髮三寸枕骨取。天柱項後髮際中。大筋外廉陷中獻。自此夾脊開寸五。第一大杼二風門。三椎肺俞厥陰四。心五督六椎下論。膈七肝九十胆俞。十一脾俞十二胃。十三三焦十四腎。氣海俞在十五椎。大腸十六椎之下。十七關元俞穴椎。小腸十八胱十九。中膂穴俞二十椎。白環念一椎下當。以上諸穴可推之。更有上次中下髎。一二三四腰空好。會陽陰尾尻骨旁。背部第二諸穴了。又從脊上開三寸。第二椎下為附分。三椎魄戶四膏肓。第五椎下神堂尊。第六譩譆膈關七。第九魂門陽綱十。十一意舍之穴存。十二胃倉穴已分。

十三肓門端正在。十四志室不須論。十九胞肓廿一秩。背部三行諸穴匀。又從臀下横紋取。承扶居下陷中央。殷門扶下方六寸。委陽膕外兩筋鄉。浮郄實居委陽上。相去只有一寸長。委中在膕約紋裏。此下三寸尋合陽。承筋合陽之下直。穴在腨腸之中央。承山腨下分肉間。外踝七寸上飛揚。附陽外踝上三寸。崑崙後跟陷中央。僕參跟下脚邊上。申脈踝下五分張。金門申前墟後取。京骨外側骨際量。束骨本節後肉際。通谷節前陷中强。至陰却在小指側。太陽之穴始週詳。

足少陰腎經穴分寸歌

足掌心中是湧泉。然谷踝前大骨邊。太谿踝後跟骨上。大鍾跟後踵筋間。水泉谿下一寸覔。照海踝下四分安。復溜踝上方二寸。交信溜後五分連。二穴止隔筋前後。太陰之後少陰前。築賓内踝上腨分。陰谷膝下内輔邊。横骨大赫並氣穴。四滿中注亦相連。五穴上行皆一寸。中行旁開半寸邊。肓俞上行亦一寸。俱在臍旁半寸間。商曲石關陰都穴。通谷幽門五穴纏。下上俱是一寸取。各開中行半寸前。步廊神封靈墟穴。神藏彧中俞府安。上行寸六旁二寸。俞府璇璣二寸觀。

手厥陰心包絡經穴分寸歌

心包穴起天池間。乳後旁一腋下三。天泉曲腋下二寸。曲澤肘内横紋中。郄門去腕方五寸。間使腕後三寸安。内關去腕止二寸。大陵掌後兩筋間。勞宫屈中名指取。中冲中指之末端。

手少陽三焦經穴分寸歌

無名指外端關衝。液門小次指陷中。中渚液上止一寸。陽池手表腕陷中。外關腕後方二寸。腕後三寸支溝容。支溝橫外取會宗。空中一寸用心攻。腕後四寸三陽絡。四瀆肘前五寸着。天井肘外大骨後。骨罅中間一寸膜。肘後二寸清冷淵。消濼對腋臂外落。（臑會下二寸）臑會肩前三寸量。肩髎臑上陷中央。天髎毖骨陷內上。天牖天容之後旁。翳風耳後尖角陷。瘈脈耳後雞足張。（在翳風上一寸）顱息亦在青絡上。角孫耳廓上中央。耳門耳缺前起肉。和髎耳前銳髮鄉。欲知絲竹空何在。眉後陷中仔細量。

足少陽胆經穴分寸歌

外眥五分瞳子髎。耳前陷中聽會繞。上關上行一寸是。內斜缺角頷厭照。後行顱中釐下廉。曲鬢耳前髮際看。入髮寸半率角穴。天冲率後斜三分。浮白下行一寸間。竅陰穴在枕骨上。完骨耳後入髮際。量得四分須用記。本神神庭旁三寸。入髮五分耳上繫。陽白眉上一寸許。入髮五分是臨泣。臨後寸半目窗穴。正營承靈及腦空。後行相去寸半同。風池耳後髮際陷。肩井肩後陷解中。大骨之前寸半取。淵液液下三寸逢。輒筋復前一寸行。日月乳下二肋逢。期門之下五分存。髀上五分旁九五。季肋俠脊是京門。季下寸八尋帶脈。帶下三寸五樞眞。維道章下五三定。章下八三居髎名。環跳髀樞宛中陷。風市垂手中指尋。膝上五寸是中瀆。陽關陽陵上三寸。陽陵膝下一寸任。陽交外踝上七寸。外踝外踝七寸分。此係斜屬三陽絡。

鍼灸歌括彙編

踝上五寸定光明。踝上四寸陽輔地。踝上三寸是懸鍾。邱墟踝下陷中立。邱下三寸臨泣存。
臨下五分地五會。會下一寸俠谿呈。欲覓竅陰歸何處。小趾次趾外側尋。

足厥陰肝經穴分寸歌

足大趾端名大敦。行間大趾縫中存。太衝本節後寸半。踝前一寸號中封。蠡溝踝上五寸是。
中都踝上七寸中。膝關犢鼻下二寸。曲泉曲膝盡橫紋。陰包膝上方四寸。氣衝三寸下五里。
陰廉衝下有二寸。急脈陰旁二寸半。章門直臍季肋端。肘尖盡處側臥取。期門又在乳直下。
四寸之間無差矣。

任脈經穴分寸歌

任脈會陰兩陰間。曲骨毛際陷中安。中極臍下四寸取。關元臍下三寸連。臍下二寸石門是。
臍下寸半氣海全。臍下一寸陰交穴。臍之中央即神闕。臍上一寸爲水分。臍上二寸下脘列。
臍上三寸名建里。臍上四寸中脘許。臍上五寸上脘在。巨闕臍上六寸步。鳩尾蔽骨下五分。
中庭膻下寸六取。膻中却在兩乳間。膻上寸六玉堂主。膻上紫宮三寸二。膻上四八華蓋舉。
膻上璇璣六寸四。璣上一寸天突取。天突結喉下四寸。廉泉頷下結上己。承漿頤前下唇中。
齦交齒下齦縫裏。

督脈經穴分寸歌

尾閭骨端是長强。二十一椎腰俞當。十六陽關十四命。十三懸樞脊中央。十椎中樞筋縮九。

七椎之下乃至陽。六靈五神三身柱。陶道一椎之下鄉。一椎之上大椎穴。上至髮際啞門行。
風府一寸宛中取。腦戶二五枕之方。再上四寸强間位。五寸五分後頂强。七寸百會頂中取。
耳尖直上髮中央。前頂前行八寸半。前行一尺顖會量。一尺一寸上星會。入髮五分神庭當。
鼻端準頭素髎穴。水溝鼻下人中藏。兌端唇尖端上取。齦交囪上齦縫鄉。

鍼灸歌括彙編

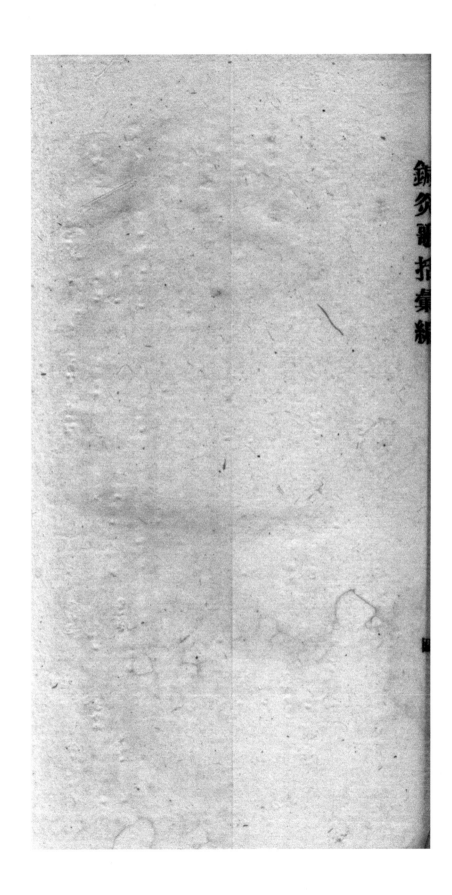

十四經經穴摘要主治歌括

江蘇江陰承澹盦撰

手太陰肺經穴摘要歌

中府　中府乳上三肋間。喘逆胸滿復氣塞。瀉除胸熱術非艱。上氣咳嗽治能兼。

尺澤　尺澤肘中約紋心。驚風痧穢傷寒瘧。筋急肘痛吐血靈。四肢腫痛汗不清。

列缺　列缺腕側骨罅中。尿血精出陰中痛。善治寒嗽偏風頭。氣刺乳中針有功。

經渠　經渠主治瘧綿綿。喉痺咳逆氣數欠。胸背拘急脹滿堅。嘔吐心痛亦堪痓。

太淵　太淵齒痛最宜針。並刺咳嗽風痰急。腕肘無力痛難伸。偏正頭疼效如神。

少商　少商大指內側邊。昏沉猝暴風初中。專刺驚風腫其咽。急救回生此穴先。

手陽明大腸經穴摘要歌

商陽　商陽主治病非輕。傷寒中風乘痎瘧。湧痰暴仆致昏沉。三稜針刺立回生。

三間　鼻衄熱病三間闢。喉痺咽塞氣喘多。下齒齲痛目背急。腸鳴洞泄瘧寒熱。

合谷　合谷傷風易治平。兼針頭面諸般痛。痺痛遠兼患急筋。水腫產難小兒驚。

手三里　手三里治舌風舞。頭風目眩臂頑痲。腰背連臍痛殊苦。齒痛項强手難舉。

曲池　曲池取得治中風。喉痺傷寒兼癮疾。手攣筋急滿胸中。遍身風癬灸多功。

肩髃　肩髃專療癱瘓疾。精神憔悴灸還宜。手攣肩腫四肢熱。更防癭氣加瘰癧。

迎香　迎香主治鼻不通。多涕有瘡生息肉。兼治面癢苦虫行。此穴須知禁火攻。

足陽明胃經穴摘要歌

頭維　頭風疼痛刺頭維。目痛不明淚多出。三分刺入祗沿皮。針之則愈灸不宜。

頰車　頰車主灸牙不開。牙風面腫亦可刺。口眼歪斜出語難。偏正頭痛何憂哉。

地倉　口眼喎斜灸地倉。牙關不開目不閉。唇弛頰腫失音吭。瞤動視物目䀮䀮。

乳根

膺腫乳癰灸乳根。噎嗌膈氣舌難下。小兒龜胸有名稱。胸悶背痛治尤能。

天樞

天樞主灸脾胃傷。兼治膨脹癥瘕病。泄瀉痢疾甚相當。艾火多加體必康。

（女子月经不调气逆呕血或下血块及霍乱等灸之兼能化脾胃之湿泄脾胃之热）

伏兎

膝冷須尋伏兎中。若逢穴處生瘡癤。並愈脚氣痛痺風。說與醫人莫用功。

（导滞积）

陰市

陰市堪愈痿痺深。兼刺兩足拘攣症。腰膝多寒似水侵。寒疝少腹痛難禁。

足三里　合

足三里治氣上攻。噎膈膨脹水腫喘。諸虛牙痛及耳聾。寒濕脚氣兼痺風。

（并降调和中气泻胃热温胃言之腰冷驱风除湿祛痰止吐血咳逆气能补脾益气血）

豐隆　络

豐隆可治病顛狂。婦人心痛哮喘急。頭痛面腫鍼即痊。腿膝痠疼步履艱。

（能嗽喘泄泻气能通便利痰清降肺胃之热）

解谿　经

解谿治療風水氣。氣逆發噎頭目眩。腹足腫虛目生翳。悲泣顛狂兼驚癎。

（能清胃热）

衝陽　原

衝陽主治病在胃。鍼刺之時須留神。足痿跗腫難進退。不教出血斯爲貴。

（毫针刺血泄退热但宜审动脉免致流不止）

陷谷　俞

何病最宜刺陷谷。無汗振寒水氣腫。腸鳴疝痛兼及腹。面腫善噫痎瘧作。

針灸歌括彙編

內庭（滎）
內庭堪瀉痞滿堅。并瀉婦人石癥脹。
腹鳴振寒痛其咽。行經頭暈腹痛痊。
（能清胃及疏通腸胃之气，并止齒鼻衄）

厲兌（井）
噣爲須尋厲兌穴。喉痺足寒膝臏中。
驚狂面腫兼尸厥。隱白同消夢魘惡。
（能清胃热）

足太陰脾經穴摘要歌

隱白（井）
隱白原治脾病科。尸厥足寒兒驚忤。
腹脹喘滿不得和。並治婦人天癸多。
（升陽止嘔，理中下兩焦寒邪，兼能益脾氣，壮脾陽，補陰精）

大都（滎）
大都主治溫熱病。厥逆傷寒嘔煩悶。
骨痛痿躄臥不定。胎產百日靈弛禁。
（清脾热）

太白（俞）
太白治腰痛不安。痔漏腹脹食不化。
瀉痢膿血大便難。身重骨痛膝胻痠。
（地機穴：能補益陰精，疏脾气又调和婦人月经）

公孫（絡）
癥疾積塊取公孫。兼治始人氣蠱病。
下血腸風寒熱蒸。隨機補瀉顯功能。
（能止嘔，降脾胃之气上逆，並能脾胃腸中之寒，兼能補中）
（腹哀穴：治大腸濃血）

商丘（經）
脾虛須向商丘記。腹脹胃痛腳背疼。
寒瘧疸黃兼痞氣。嘔吐腸鳴還瀉痢。
（能瀉脾補脾）
（漏谷穴：能益精生）

三陰交
三陰交治痞滿堅。婦人不孕及難產。
痛冷疝氣腳氣纏。帶下遺精淋濁安。
（能通经平肝活血，補能治三陰虛損，生血益精气，兼温中下二功气血虚冷）

陰陵泉

陰陵泉治氣成淋。小便諸疾足膝腫。水腫腹堅臥不寧。遺尿泄瀉或遺精。「瀉針能脾热利小便」「補能温中焦」

血海

血海堪醫精不調。崩漏帶帶婦人疾。腎風腹脹未能消。熱瘡温痺癢須搔。「瀉能清血热」「補能治月经不调」

手少陰心經穴摘要歌

少（合）**海**

少海主治腋下瘰。心痛手顫臂頑痲。羊癇痺痛肩風漏。目眩發狂也可退。

靈（经）**道**

治愈心痛取靈道。戀瘂暴瘖不能言。骨寒髓冷火燒到。此穴施針甚爲妙。

通（络）**里**

温熱堪除通里記。喉痺苦嘔暴瘖啞。無汗懊憹心驚悸。婦人崩漏經多費。「能瀉心热」

神（俞）**門**

怔忡心悸扣神門。並治小兒驚癇症。癡呆中惡遽狂奔。或時惡寒欲就温。「能瀉心热」

少（荥）**府**

久瘧宜尋少府針。婦人陰挺癢而痛。肘腋拘攣痛引胸。男子遺尿治亦同。「清心热」

少（井）**冲**

少冲主治心胆寒。上氣寒熱心煩滿。怔忡顛狂復嘶酸。眼赤火炎不一端。「刺出血能去血热生津液通心氣」

手太陽小腸經穴摘要歌

少澤　少澤堪治心中煩。耳聾不眠項臂強。喉痺舌強目翳攣。婦女生瘍得乳難。

前谷　前谷治愈癎與癲。更治產後不生乳。頭項肩臂痛難痊。目翳鼻塞咳聲連。

後谿　尋得後谿瘧自平。頸項難顧肘腕痛。癲癎從此漸心清。脇肋腿疼亦告輕。

腕骨　腕骨能療臂腕痛。脾疾翻胃食常吐。五指諸痛分淺深。疸黃瘧疾亦堪針。

陽谷　頭面之疾刺陽谷。癲狂痔漏陰痿疾。脇痛項腫病手膊。小兒瘈瘲治尤速。

支正　七情六鬱支正探。兼治消渴飲不止。肘臂十指盡皆攣。補瀉分明自可安。

小海　小海肘尖五分陷。肘臂肩臑頸項痛。齒根腫痛刺為便。風眩瘈瘲五癎歛。

聽宮　耳內蟬鳴取聽宮。癲疾失音心腹滿。並治腎虛耳暴聾。心下悲悽俱可攻。

足太陽膀胱經穴摘要歌

睛明 睛明專治目不明。目赤睛痛火炎上。雀目生翳或攀睛。背癢流淚怕風迎。

攢竹 眉頭陷處是攢竹。腦昏目赤瞳子癢。眉間疼痛難張目。腿臉瞤動治可決。

通天 通天頭旋神恍惚。衄血偏風口喎斜。耳鳴項強難轉側。青盲內障鼻還塞。

大杼 取得大杼治瘧疾。頭疼腰脊項背強。喉痺咳嗽身發熱。痿厥風痺疼其膝。

能驅風及表熱

風門 風門主治易感風。兼治一切鼻中病。痰嗽風寒吐血紅。艾火多加嗅自通。

能治一切風及咽逆上氣喘 明不出兼治胸背之熱 及止鼻血

肺俞 肺俞內傷嗽吐紅。小兒龜背亦堪灸。兼灸肺痿及肺癰。止嗽須教肺氣通。

能治肺喘逆咳嗽及肺中 風寒之邪均可驅除

膈俞 膈俞治痛在胸脇。一切失血總宜針。翻胃吐食兼痃癖。膈胃寒痰並吐逆。

肝俞 肝俞主瀉藏熱清。更向命門同用灸。兼灸氣短語無聲。能令瞽目倍功明。

能平肝氣橫逆及肺咳 血兼清五臟之熱

膽俞　尋得胆俞胸腹寬。翻胃酒疸目黃色。更防驚悸臥不安。面發赤斑口苦乾。（平肝胆之氣上逆兼治翻胃食不下）

脾俞　脾俞治瘵食過多。尤患嬰兒脾風症。吐瀉瘫痢積未磨。喘急吐血治同科。（補脾胃助消化兼瀉五臟之熱）

胃俞　胃俞堪治黃疸病。瘫疾善饑不能食。食畢頭目即眩暈。腹脹翻胃均能定。（散寒濕醒脾快胃）

三焦俞　三焦俞治多積聚。積塊堅硬痛不甯。脹滿膈塞不通利。更防赤白休息痢。

腎俞　下元虛敗腎俞醫。精滑耳聾脇腰痛。令人有子效多奇。女疸婦帶不能遺。（補大陽陰溫下元所以灸更吐陽益精水得法能法五臟之煩熱）（中膂俞）

大腸俞　大腸俞治大腸鳴。腹脹腰痠兼瀉痢。大小便難食積停。先補後瀉要分明。（寬腸理氣）（補腎虛　清腎熱　治消渴）

膀胱俞　膀胱俞治小便澀。腰脊强痛脚膝寒。少腹脹滿遺尿濕。女子癥瘕可消脫。（補能助膀胱氣化通利小便）

膏肓　膏肓一穴灸勞傷。上氣咳逆健忘症。百損諸虛罔不良。夢遺痰火發癲狂。（補能益精實虛損及）（治夢遺）（小腸俞　清小腸之熱）

譩譆　譩譆主治久瘫疾。大風熱病汗不出。胸腹脹悶兼氣嗌。肩背脇肋均痛急。

意　　舍　胸脇滿痛刺意舍。惡寒嘔吐立時甯。小便黃而大便濇。消渴目黃食不下。

委合中　腰脊疼痛取委中。衄血脊强狂熱疾。熱病汗稀便不通。眉髮脫落遇大風。（能瀉血中之毒解四肢热）（能除腫腿風湿）

承　　山　痔漏須尋承山穴。轉筋脚氣復腰疼。心胸痞滿還衄血。膝腫胻痠便流血。（能除脾胃湿而助消化）

飛絡陽　欲寬飛陽步不前。歷節風疼難伸屈。濕熱痔漏起坐艱。頭目眩兮效如仙。

崑經崙　足腿紅腫崑崙寬。霍亂轉筋腰尻痛。鼽衄頭疼肩背急。喘咳目眩難步立。

申　　脈　晝發痓症治若何。上牙疼兮下足腫。速鍼申脈起沉疴。頭風偏正盡平和。

金郄門　金門不患瘧難平。膝痠疝氣頭風痛。尸厥癲癇又轉筋。小兒反析成急驚。

京原骨　太陽原穴是京骨。項强難顧背難灣。能治腰脊痛如折。痎瘧癲狂目眥赤。

東俞骨　東骨仍是太陽經。項强耳聾腰膝痛。風熱背紅可治平。頭疼發背與癰疔。

鍼灸歌摘彙編

通谷　滎　項痛目眩尋通谷。胃有留飲食不消。心臟善驚加衄衂。藏氣逆亂東垣訣。

至陰　井　至陰穴在小指端。並針顖面諸般痛。能灸婦人橫產難。寒瘧轉筋心內煩。

足少陰腎經穴摘要歌

俞府穴

湧泉　井　欲療熱厥湧泉針。血淋氣痛殊難忍。兼刺奔豚疝氣痛。男疾如蟲女如妊。

能添陰益精解腎虛热及痛谷餘热

能關肺氣之治喉逆之衝嘔吐不食

然谷　滎　然谷主瀉腎臟熱。疝氣溫瘧月經差。欬血遺精喉痺疾。撮口臍風遂洞泄。

能燥濕温下元助腎火

太谿　俞　尋得太谿治消渴，婦人水膨胸脇滿、嘔吐房勞眠不得，脈血吐血溺色赤。

能養陰瀉热益腎氣

照海　夜間發痙照海攻。月事不調胞難下。消渴咽乾便不通。疝氣噤口並喉風。

能促氣下行滋腎虛瘖灸調月经

復溜　經　復溜血淋宜乎灸。傷寒無汗尤當瀉。氣滯腰痛貫在針。六脈沉浮亦宜升。

補腎添陰專除湿

交信　交信能醫疝氣淩。女人漏血陰生挺。五淋瀉痢腹痛頻。腰膝强痛亦可憑。

能添陰補腎治女子漏下不止

陰谷 合

陰谷舌縱涎流唇。腹脹煩滿膝難伸。
疝痛痿痺陰股痛。婦人漏下及鮮娠。

大赫

曷尋大赫病遺精。女人赤帶亦能清。
陰痿下縮莖中痛。病屬虛勞總可輕。

手厥陰心包絡經穴摘要歌

曲 合 澤

病從曲澤可離身。嘔吐傷寒氣上升。能瀉心胞之熱
心痛善驚身煩熱。肘臂掣痛不能伸。

間 經 使

欲治脾寒間使宜。癲狂瘰癧並堪醫。能治瘧疾盜汗及除心包之熱
九種心疼五種瘧。咽中如鯁心如飢。

內 絡 關

欲消氣塊內關攻。肚痛脇疼悶心胸。能除濕痰滯胸及肺胃熱並能肺胃氣上呃逆氣衝
纏綿久瘧兼勞熱。支滿肘掣及中風。

太 俞 陵

穴號大陵治目赤。嘔血瘧來兼喘咳。能治喘咳嘔吐瀉心包之熱
胸中疼與痛瘡疥。附骨癰疽均可脫。

勞 滎 宮

胸疼痰火刺勞宮。小兒口瘡驚掌風。能退力熱清心包
滿手生瘡兼黃疸。大便小便血流紅。

中 井 衝

中衝能止夜兒號。頭痛如刺身如燒。能清血熱行氣血均刺出血
心中煩滿舌腫痛。熱病中風俱易消。

手少陽三焦經穴摘要歌

關〔井〕衝　無名指側關冲穴。脣乾難調心煩熱。三焦積熱脣焦涸。刺取金針刺出血。〔刺出血能行气血泻血热〕

液〔滎〕門　液門可治腫喉艱。目眩耳聾難得睡。手臂紅腫出血靈。刺入三分始可寗。

中〔俞〕渚　中渚善治四肢痲。肘臂連肩紅腫痛。戰振踡攣力不加。手背生癰亦易瘥。

陽〔原〕池　病名消渴取陽池。兼治折傷手腕痛。煩悶口渴痺有時。不能舉臂力難持。

外〔絡〕關　外關主治臟腑熱。吐衄不止血妄行。指臂俱疼兼脇肋。胸頭瘰癧成結核。〔能泻一切外感热及泻三焦火〕

支〔經〕溝　中惡心痛取支溝。大便不通脇肋痛。三焦相火盛難收。產後血暈亦可瘳。〔能生津液润大便〕

天〔合〕井　瘰癧瘡疹天井間。臂腕難運肘種痛。治愈驚悸及癲癇。吐膿寒熱治還兼。

翳風　翳風善治耳聾病。牙車頰腫急痛兮。中風暴瘖口還噤。項下瘰癧俱平定。

角孫　目翳生成取角孫。脣吻燥裂頸項强。齒齦腫痛緣火升。此穴宜灸不宜鍼。

耳門　牙痛傷寒鍼耳門。聤耳流膿生瘡痏。耳中諸疾聽不聞。此間手術有異功。

絲竹空　絲竹空中治頭風。若從此穴針流血。目痛難安腫又紅。目眩頭疼盡可鬆。「亦能治头目之風热」

足少陽胆經穴摘要歌

聽會　聽會主治耳鳴聾。中風瘛瘲喎斜病。兼刺迎香患更輕。牙車脫臼痛牙齦。

臨泣　臨泣堪療鼻不利。日晡發瘧脇下疼。驚癇反視目生翳。暴厥眵䁾流冷淚。

風池　風池腦後四陷間。頭項如拔痛難顧。偏正頭風治不難。傴僂項急四肢癱。「亦能散外感風邪」

肩井　肩井由來治仆傷。脚氣痿疼宜速灸。肘臂不舉亦無妨。墮胎厥冷刺尤良。

帶脈　帶脈能愈一切疝。婦人急痛小腹寒。偏墜木腎均堪散。經水不調赤白帶。

環跳　環跳專消風濕病。委中刺血亦同功。股膝筋攣腰痛甚。經絡開通見憑證。（能擾經絡之冷風濕痺）

風市　風市堪治腿中風。兼治渾身頻搔痒。兩膝無力脚氣衝。艾火燒鍼皆就功。

陽陵泉　陽陵泉治偏風症。霍亂轉筋俱見效。腰痠膝腫濕寒攻。冷風脚痛可調融。（能行气導濕舒經絡擾四肢之風湿痺肝胆之热）

陽輔　兩膝痠疼陽輔尋。膚腫筋攣諸痿痺。腰冷溶溶似水侵。偏風不遂灸功深。

懸鐘　胃熱不食刺懸鐘。脚脛須防濕痺痒。腹脹肋痛脚氣逢。足趾疼痛亦宜攻。（達三陽及膝热驅湿邪）

坵墟　胸脇滿痛取坵墟。足脛轉筋小腹硬。腿腰痠痛及髀樞。跗痛足腫亦能除。

足臨泣　頸漏腋下馬刀瘍。婦人月水不調暢。井連胸脇乳癰瘡。足臨泣穴有奇方。（平肝氣瀉胆热止喘寬胸滿）

俠谿　胸脅痛滿俠谿追。頷腫口噤不能言。傷寒熱病汗難出。耳痛且聾目還亦。

竅陰　治療脅痛竅陰儕。癰疽疼痛耳仍聾。煩熱咳逆不得息。喉痺舌强宛如結。（能瀉肝胆热）

足厥陰肝經穴摘要歌

章门 消臟中寒積

大敦（井）
陰囊腫痛尋大敦。小兒急慢驚風病。腦衄傷風復血崩。七疝五淋治亦能。
能溫肝治寒疝止崩漏

行間（滎）
行間木治小兒驚。渾身腫浮單腹脹。婦人血蠱恐留停。善施手術自然平。
能行瘀破血積養陰 益肝瀉胃實

太衝（俞）
取得太衝治溏泄。霍亂吐瀉小腹痛。步履艱難腫股膝。手足轉筋及遺溺。
能通經行瘀瀉肝養肝生血凉血

中封（經）
中封主治病遺精。鼓脹癭氣隨年灸。陰縮便難及五淋。寒疝痿厥及攣筋。

曲泉（合）
曲泉癩疝四肢強。兼治女子血癥瘕。風勞失精膝脛冷。少腹冷疼陰挺痒。
能凉血補血養肝溫血去腹中寒冷

期門
期門穴主傷寒患。胸滿痞結脅積痛。又治女人生產難。熱入血室不可慢。
能瀉肝

任經穴摘要歌

天突穴 治咳嗽止氣喘

中極
陽氣大虛取中極。小便赤澀五淋加。無子失精腹塊結。婦人虛冷惡露積。
能治婦人血崩不止下元虛冷月經不通

鍼灸歌括彙編

曲骨 補真元益精水

關元　關元臍下三寸量。遺精淋濁疝瘕聚。諸虛百損灸之良。經水不行亦有方。

能治婦崩血不止產後血塊 暖子宮溫下元壯元陽

氣海　氣海總治諸般氣。七疝奔豚臍下寒。陽虛不足灸尤利。傷寒卵縮功非細。

補胃壯陽固下元溫腹中寒冷

神闕　神闕宜灸不宜刺。虛瀉虛脹兒脫肛。堪治中風不省事。納鹽臍中灸百壯。

能灸治陰陽脫為霍亂

水分　水分臍上一寸量。水氣不消腸鳴瀉。善治腹堅浮腫膨。亦不宜鍼灸乃良。

灸利小便滲泄及水腫 宜注意

上中脘　上脘奔豚與伏梁。兼療脾痛癨痰暈。中脘主治脾胃傷。痞滿翻胃盡安康。

理腸補胃助消化健脾 胃湯散溫中暖腑利胸膈

陰交穴 治婦人月經不通血崩不止產後惡血成塊

巨闕　巨闕九種病心疼。霍亂腹脹黃疸病。痰飲吐水兼息賁。須經此穴灸而鍼。

治胸滿氣痛喉氣上逆

膻中　膈痛飲蓄灸膻中。咳嗽哮喘氣癭病。嘔吐膿血成肺癰。艾燃七壯自成功。

能治翻胃隔食兼降氣

承漿　承漿主治兒緊唇。女子瘕聚男七疝。半身不遂偏風生。牙疳消渴灸功深。

督脈經穴摘要歌

大椎穴 解表要穴 清裡熱

長强
長强專治去腸風。腰脊强急難俯仰。
小兒脫肛痢尤凶。小腸氣痛即堪攻。

腰俞
腰俞治痛腰脊間。腰下至足不仁冷。
冷痺强急動作難。月經熱赤並能痊。

命門
十四椎下是命門。兼療脫肛痔腸風。
腎虛腰痛防其肆。弱冠灸之恐乏嗣。補腎火益精 及治骨蒸潮熱

至陽
腰脊强痛胃中寒。痞滿喘促身黃疸。
胸脅支滿脛骨痠。取得至陽身便安。

神道
身患傷寒更痛頭。痎瘧顛來身寒熱。
風癇常發或悲愁。須由神道乃能瘳。

身柱
癲癎狂走取身柱。身熱瘈瘲多妄言。
咳嗽痰喘均能治。肺癆腰痛何難去。

啞門
啞門髮際五分測。中風尸厥陽熱張。
衄血脊强致反折。頸項疼痛語難出。

風府
傷寒百病尋風府。頸項强急瘈瘲急。
腦後髮中一寸許。中風舌緩不能語。此穴治風中風風邪等症 宜灸治之

百會
百會專醫神恍惚。中風偏風及癲癇。
鼻衄耳聾兼鼻塞。兒病驚風肛久脫。又能治下陷之陽 及頭痛 及是中風

鍼灸歌括彙編

開通
解表寒
退身熱

上星

上星通天主鼻淵。兼治頭風諸目疾。
瘜肉鼻塞亦能蠲。三稜刺血即安然。

水溝

水溝中風噤齒牙。刺治風水頭面腫。
中惡癲癇口眼斜。灸治兒驚亦不差。
治暴中風及頭面風邪

陽際

魚際主灸齒牙疼。更刺傷寒汗不出。
灸其所在左右分。並治癰發勢防增。
治吐血咳血肺熱外感風
邪實邪

二間

刺到二間止牙疼。不思飲食身寒慄。
頷腫喉風頭痛加。三壯灸之乃可瘥。
瀉陽明之熱及退身熱

魚谿

陽谿主治熱如蒸。頭痛齒痛咽喉痛。
癮疹痂疥概宜鍼。狂妄驚惶見鬼神。

各種主要穴統計如下

手三陰 肺6 心6 包6
手三陽 小8 大7 焦11
足三陰 脾8 腎8 肝6
足三陽 膀28 胃14 胆14

任脈之主要9 督脈之主要穴14

百症賦箋註

澄江承澹盦註

百症俞穴。再三用心。

昔賢謂穴之在於背者名俞穴，俞者注也，輸也，言經絡之氣，輸注於此也，故人身之穴，皆得名之曰俞穴，不必專指背部而言，經凡十二，絡凡十五，奇經凡八，穴有三百六十餘，縱橫貫注，宜熟誌之。

顖會連於玉枕。頭風療以金鍼。

頭頂重痛，當刺以針，若屬血虛眩暈，則非灸肝俞腰俞不可，顖會與玉枕，宜灸不宜針，本條之頭風指慢性頭痛宜改鍼爲灸。

懸顱頷厭之中。偏頭痛止。

偏頭痛書稱肝膽風熱，懸顱頷厭宜刺之微出血，更刺風池其效更佳。

强間豐隆之際。頭痛難禁。

此係後頭痛，由於痰火上擾使然，宜刺豐隆以降其痰火，强間不如易風府代。

原夫面腫虛浮。須仗水溝前頂

脾虛面浮腫或風水面浮腫，刺水溝流泄其浮腫之水（針宜稍粗）頗效，前頂則宜灸，屬脾

虛腫者，加灸脾俞三里等，屬風水病者，則大椎風門等穴加刺爲不可少，

耳聾氣閉。全憑聽會翳風。

肝膽之火，挾風而上擾，則耳鳴聾。刺聽會翳風以泄之

面上虫行有驗。迎香可取。

面上如虫行面痒，係血中有熱且兼風氣，當刺迎香以泄之

耳中蟬鳴有聲。聽會可攻。

耳鳴爲痰火上擾清竅者，針聽會外，宜再刺豐隆風池等穴，如爲風熱所擾者，則加刺風池翳風等穴，爲腎虛耳鳴者，當灸腎俞氣海以固腎元

目眩兮。支正飛揚。

手太陽經脉，與足太陽經脉，具縈繞於目，故支正飛揚能治目眩，且二穴皆屬絡脉，刺絡脉，即所以瀉其血以去炎上之熱考本條目眩，當屬於三焦血熱上攻者

目黃兮。陽綱胆俞。

目黃肌膚黃，黃而深者名陽黃宜針之，淡而晦暗者爲陰黃宜灸治之，至陽一穴爲治疸不可少者，宜加針之或灸之，收效更捷

攀睛攻肝俞少澤之所。

如瘀肉攀睛，知係心肝之火上炎，可刺肝俞與少澤，若攀睛已久，火炎已平，宜灸治之，於刺灸之外，當點消翳藥品，否則不易收全功也

淚出刺臨泣頭維之處。

淚出即迎風流淚，淚而覺熱，能粘手者屬熱，宜刺之。冷而不粘手者爲寒則灸之，並須取大小骨空以各灸七大壯。避風三日，常戒腥酒辛辣自愈

目中漠漠。即尋攢竹三間。

漠漠者，視物不明，翳膜上似有白膜遮蓋，近代眼科界名之曰氣膜，攢竹宜針，三間宜灸，初起者，一二三診即可退盡，久遠者，非多次不可也

目覺䀮䀮。急取養老天柱。

目䀮䀮無所見，即不明之意，俗名大眼瞎子屬於內障，屬於花柳性者不治，如屬腎虛者可療。宜加針肝俞命門腎俞

觀其雀目肝氣。睛明行間而細推。

雀目者似雀之目，至晚不見物，大都由於肝熱腎虛之所致，睛明行間針刺外，肝俞湧泉背宜刺

審他項强傷寒。溫溜期門而主之。

鍼灸歌指彙編

傷寒太陽病，項强几几，刺溫溜期門外當刺風府大椎風門

廉泉中衝。舌下腫疼可取。

舌爲心苗，舌下腫痛，屬於心熱，亦有屬脾熱者，刺廉泉中冲，以退心熱，確有特效

天府合谷。鼻中衄血宜走。

此症屬於肺熱，陽明經火逼血妄行，上穴針刺，頗具特效，如仍不止，刺上星或灸風府之部，以粗紙摺疊成六七頁浸濕置於項部，以大艾燃之必可收效。

耳門絲竹空。住牙疼於頃刻。

斯症之牙疼係指裏側之臼齒痛

頰車地倉穴。正口喎於片時。

中風而致口喎，喎左者灸右，喎右者灸左，灸較針爲愈也

喉痛兮。液門魚際去療

此症指三焦邪熱上攻喉中紅痛之症

轉筋兮。金門邱墟來醫

轉筋者，即小腿肚腓腸筋肉攣急，刺金門邱墟之前，當先刺承山尤效

陽谷俠谿。頷腫口噤並治

頷腫而口噤，兼有生外瘍者，除針刺外宜加合谷頰車與局部針之，則易收功

少商曲澤。血虛口渴同施

口渴而由於血虛，亦屬於邪熱津枯所致，刺少商清熱生津，復刺曲澤外當再刺舌下絡出少許血

通天治鼻內無聞之苦

通天宜用灸治，再刺迎香一穴以疏其氣

復溜去舌乾口燥之悲

腎陰虛而有熱，則舌乾而口燥，復溜可治之

啞門關冲。舌緩不語而要緊。

舌緩不語。舌根無力鼓動也，由於邪熱傷津，取上穴外宜加灸心俞七壯以助心氣

天鼎間使。失音囁嚅而休遲。

囁嚅者，欲言不能猝言也，屬於風痰纏繞清道所致，加天突以降其痰合谷以解驅風，其效倍速

太冲瀉唇喎以速愈。承漿瀉牙疼而即移

太冲能治肝陽暴逆之唇喎，針時宜先針頰車地倉列缺而後及於太冲

鍼灸歌括彙編

承槳之治牙疼，乃屬下門齒痛之症

項强多惡風。束骨相連於天柱。

項强惡風乃太陽經病，束骨天柱之外宜加針腕骨，天柱代以風池府二穴

熱病汗不出。大都更接於經渠。

熱病無汗，大都經渠針刺外，再刺間使合谷三陰交效更速。

且如兩臂頑痲。少海就傍於三里。

少海與手三里，當針灸並施。

半身不遂。陽陵遠達於曲池。

半身不遂之症以肩顒曲池環跳陽陵爲主穴，必溫針。故除陽陵曲池外宜加環跳肩顒，用針由上及下

建里內關。袪殘心下之悲悽。

心下悲悽，即悲愁不樂，精神不快，心下痠楚背間惡寒，灸脾兪聽宮外宜加尺澤針之

從知脇肋疼痛。氣戶華蓋有靈。

針氣戶華蓋係直接刺，不及遠道刺法之靈效，遠道刺則取陽陵一穴，或加刺期門

腹內腸鳴。下脘陷谷能平。

腹內脇鳴，中有水氣，下脘宜針灸並施，更宜加灸天樞，夾熱者則針刺之

胸脇支滿何療。章門不容細尋。

胸脅支滿宜多灸章門，亦當取膈俞陽陵泉以針之

膈痛飲蓄難禁。膻中巨闕便鍼。

膈下飲蓄作痛膻中巨闕針之，宜再灸脾俞與中脘，期門亦不可少，鍼膻中沿皮向下

胸滿更加噎塞。中府意舍所行。

肺氣失於肅降，即胃氣得以上逆而爲噎塞胸滿，中府意舍針取之外，宜加針三里以降胃氣而平胸滿。

胸膈停留瘀血。腎俞巨髎宜徵。

胸膈停留瘀血而取巨髎，理不可得，亦未經實驗，恐係巨闕之誤，如遇斯症，當留意以試之按病論膈俞尺澤等爲不可少者，

胸滿項强。神藏璇璣宜試

胸滿項强取上穴外，大椎風池不可少

背連腰痛。白環委中曾經。

背連腰痛，針白環委中外，加取後谿人中

鍼灸歌括彙編

脊强兮。水道筋縮。

脊强轉側不利，取上穴外加人中

目瞤兮。顴髎大迎

原書作目眩兮句，惟上文已有目眩句，似屬重複，即目眩之病因不同，而顴髎爲治目瞤之穴，非治目眩者，因改眩爲瞤

痙病非顱顖而不愈。

痙病刺顱顖宜出血，當針風府大椎曲池合谷中脘崑崙等穴

臍風須然谷而易醒。

臍風然谷一穴針刺外，宜於臍之四週各灸一壯，少商頰車人中湧泉各灸一壯。

委陽天池。腋腫鍼而速散。

腋下腫脹或生外瘍，委陽天池鍼之能消腫散瘀而收偉效

後谿環跳。腿疼刺而即輕。

腿疼針上穴而不愈，當針陽陵與崑崙

夢魘不安。厲兌相諧於隱白。

經曰胃不和則臥不安，厲兌隱白殆泄胃經之熱以安其胃歟，屢針屢效，其眞理實不可得

發狂奔走。上脘同起於神門。

神門治發狂奔走，上脘降上冲之痰熱，

驚悸怔忡。取陽交解谿勿誤。

驚悸怔忡不甯，陽明少陽經火上擾心陰，陽交解谿，所以瀉其火也。

反張悲哭。仗天冲大橫須精。

反張悲哭，具爲一二三歲內之小孩有之，其症多屬臟寒，與驚癇之反張不同，本病宜加針中脘脊中氣海足三里

癲病必身柱本神之令。

本病除上穴外須加大陵間使神門鳩尾後谿其效乃彰，且必經長時期之針治方收全功。

發熱仗少冲曲池之津。

普通內熱，即口微渴心微煩表無大熱者，上穴確可收效，如熱較重者委中合谷後谿間使等穴爲不可少者

歲熱時行。陶道復從肺兪理。

流行性之時病，往往直犯上焦而見發熱咳嗽等病，陶道爲解外感之熱，肺兪清宣肺氣亦所以解透外感也，加外關合谷治時病初起，其效益彰

風癇常發。神道還須心俞寧。

此症宜灸，再加問使後谿更可收效，然非亟切可愈，

濕寒濕熱下髎定。

濕寒濕熱之症，範圍頗廣，下髎之濕寒濕熱，乃指小溲不清腸風痔漏之症

厥寒厥熱湧泉清。

厥寒厥熱之刺湧泉，專指熱厥而言，如屬寒厥須加灸關元，

寒慄惡寒。二間疎通陰郄諳

此症所取二穴，須用溫針加針灸大椎爲愈

煩心嘔吐。幽門開徹玉堂明

二穴近胃脘，故治煩心嘔吐、但不及針內關足三里中脘之有捷效

行間湧泉。去消渴之腎渴

消渴分上中下三消，本條二穴係治下消

陰陵水分。治水腫之臍盈。

水腫之症，小溲多不利，刺灸陰陵疎肝而利小便，灸水分溫脾陽分水道而消水腫。

癆瘵傳尸。趨魄戶膏肓之路。

魄戶膏肓治傳尸癆瘵，宜治之早，且宜灸。並加灸足三里

中邪霍亂。尋陰谷三里之程。

霍亂之症取上穴外宜加中脘尺澤委中承山

治疸消黃。諸後谿勞宮而看。

治黃疸刺灸勞宮後谿外，當再刺灸至陽

倦言嗜臥。往通里大鍾而明。

二穴治倦臥，宜加刺灸脾俞，嗜臥者多脾困也。

咳嗽連聲。肺俞須迎天突穴。

此指頓咳，前賢謂風伏肺底，每欲冲出而不得也

小便赤澀。兌端獨瀉太陽經。

小便赤澀不利，乃屬小腸膀胱結熱

刺長強與承山。善主腸風新下血。

腸風下血，乃腸出血，前賢謂之濕熱下注，長強承山有特效。

鍼三陰與氣海。專司白濁從遺精。

三陰交與氣海，治白濁遺精等症如兼有濕熱者，加陰陵下髎如年久者加腎俞志室

且如肓俞橫骨。瀉五淋之久積。

五淋症針上穴初用針治，繼用温針，續用灸治，濕熱未清，未可即用灸治也

陰郄後谿。治盜汗之多出。

盜汗鍼後谿陰郄，須有兼潮熱之症，如無潮熱應加大椎肺俞

脾虛穀兮不消。脾俞膀胱俞覓。

脾虛少運，穀不易化，二穴當多灸之

胃冷食而難化。魂門胃俞堪責。

胃寒不化，灸魂門胃俞可以振胃陽而健運，中脘亦不可少

鼻痔必取齦交。

初起者效，日久者加針迎香灸上星，數數診治方效

癭氣須求浮白。

癭生於頸項間，取浮白散其鬱，多鍼始效，并就其所生之部位而推定屬於何經，鍼取其經，終穴或始穴以助之，收效即可迅速

大敦照海。患寒疝而善蠲。

二穴善治疝氣之冲痛，凡疝之屬上冲性者必須此穴

五里臂臑。生瘡癧而能治。

二穴治瘰癧宜灸。宜灸肩井與天井。

至陰屋翳。療癢疾之疼多。

鍼刺二穴外須灸曲池膈俞血海以助之乃收捷效

肩髃陽谿。消癮風之熱極。

癮風血熱病也，多發於四肢面部，皮下紅色，如錦如雲，抓之則墳起，針上穴外加曲池血海，則立可收效

抑又論婦人經事改常。自有地機血海。

地機血海，於經之愆期者頗效。

女子少氣漏血。不無交信合陽。

氣不攝血淋漓不淨是謂漏血取上穴宜再加灸至陰，如年在四十歲以上而兼有少腹痛者，其子宮或發生岩腫，上穴無效，宜灸下髎中極三陰交，須積月累年乃可收功

帶下產崩。衝門氣衝宜審。

衝門屬脾，氣冲屬胃，二穴能止帶固崩，蓋脾能統血，衝隸陽明，針此可以固衝也。

月潮違限。天樞水泉須詳。

鍼灸歌括彙編

月潮前期，宜刺宜瀉，後期宜補宜灸，

肩井乳癰而極效。

乳癰都肝胆鬱熱，初起針肩井，再加刺加尺澤，立可消散；惟已有膿核者，必須解刃，

商丘痔瘻而最良

痔疾取商丘外，須加承山長強

脫肛取百會尾翳之所

大氣陷下脫肛久不愈，百會宜灸之，長強宜刺

無子搜陰交石關之鄉。

無子之原因有多種，陰交石關不過灸子宮之虛寒不孕。

中脘主乎積痢。外坵收乎大陽。

中脘外丘治痢疾脫肛，當加灸天樞氣海大腸俞數穴。

寒瘧兮。商陽太谿驗。

寒瘧針商陽太谿外須加針灸大椎間使。

痃癖兮。衝門血海強。

痃癖之成，都爲血瘀氣聚。冲門血海宜多灸。於局部必加以刺灸，乃易消散。

夫醫乃人之司命。非志力而莫爲。鍼乃理之淵微。須至人之指教。先究其病原。後攷其穴道。隨手見功。應鍼取效。方知玄理之玄。始識妙中之妙。此篇不盡。畧知其要。

百症賦出於鍼灸聚英書，此書爲明嘉靖時浙江鄞縣人高武所編，武字梅孤，文章武事無不精，晚年以不得志乃專攻醫學，尤精於針術，其著作有痘疹正宗鍼灸節要，鍼灸聚英，發揮直指等書，有明一代之明醫也。

百症賦完

鍼灸歌括彙編

二

雜病穴法歌

澄江承澹盦淺註　於湘桃旅次

雜病隨症選雜穴。仍兼原合與八脈。經絡原會別論詳。臟腑俞募當謹始。根結標本理玄微。四關三部識其處。

原合十二經之原穴（臟經則爲俞穴）與合穴。依古鍼法補瀉臟腑之經，必取其經之原穴或俞穴補之或取合穴瀉之。八脉即奇經八脉之主穴如公孫（衝）內關（陰維）後谿（督）申脉（陽蹻）足臨泣（帶）外關（陽維）列缺（任）照海（陰蹻）等以所病之臟腑與部位而擇取其主穴。經指十二經，絡指十五絡原指經之本經而直行者，會指兩經或三經交會處之穴，有謂指五會而言：如血會膈俞氣會膻中筋會陽陵骨會大杼髓會絕骨之五會云別指別絡經之別出者凡此須熟而詳之可以辨病之在何經何絡也。俞穴都在背，有心肺俞大小腸俞等五臟六府之俞能直通其臟腑，募爲臟氣結聚之處其穴悉在胸腹之部俞，如心之募爲巨闕，肝之募爲期門脾之募爲章門肺之募爲中府腎之募爲京門，俞可常刺募不可常針，當謹其始也，根結指足經絡之終始，如太陽根於至陰結於睛明陽明根於厲兌結於頭維少陽根於竅陰結於耳中聽宮太陰根於隱白結於中脘少陰根於湧泉結於廉泉厥陰根於大敦結於玉堂，手經則不以，根結名以標本名，太陽本在養老標在睛明陽明本在曲池標在上星少陽本在液門標在角孫太陰本在太淵標在中府少陰本在神門標在心俞厥陰本在內關標在天池等其理玄微不可不識，四關者四大關節也，三部者上中下三部也，有謂四關爲太衝合谷三部爲膻中中脘氣海，其處不可不知也，總言之關於經絡之分佈，孔穴之部位，禁鍼禁灸之處所，在隨症選穴之前，不可不先瞭然於胸中也。

傷寒一日刺風府。陰陽分經次第取。

傷寒一日見太陽症頭痛項强惡寒發熱先刺風府繼刺他穴，二日見陽明症頭痛發熱自汗不惡寒反惡熱先刺陽明之滎穴內庭，再刺他穴，三日見少陽症口苦咽乾目眩胸脇寒熱往來，先刺少陽之俞臨泣再刺他穴四日見太陰症腹滿而疼食不下時腹自痛自利滿不渴先刺太陰之井穴隱白再刺他穴，五曰少陰症脈微細但欲寐身重惡寒，先刺少陰之俞太谿，再刺他穴，六日見厥陰經症腹中拘急下痢清谷嘔吐酸苦，甚則吐蚘先刺厥陰之經中封再刺他穴 一日二日三日者計數也，非一日必見太陽症 二日 必見陽明少陽等症也，但見太陽症狀不拘其日數之多寡，病尚未傳，則刺其風府可也，病見少陽，則刺其俞臨泣病見陽明則刺其滎內庭切不可以日數爲限，其他同，總之，在表之病，則刺陽經之穴在裏之病則刺陰經之穴，所謂在表刺三陽經，在裏刺三陰經，病經六日未汗當刺期門三里，惟陰經病久宜灸關元爲妙

汗吐下法非有他。合谷內關陰交杵

汗法 鍼合谷，行九九數，得汗行瀉法，汗止身温出針，如汗不止針陰市補合谷

瀉法 針三陰交行六陰數，一方使病者口鼻閉氣吞鼓腹中即泄，泄不止補合谷行九陽數

吐法 針內關先補六次瀉三次，一方使病者作欲吐之狀即吐，吐不止補九陽數使其調勻呼吸即止

汗吐下三法，非行於平人能得效者必病在表而無汗，有汗之資而無汗之機針上穴始發生汗之效力而蒸蒸出矣，吐亦須胸間悶閉不堪欲吐不得者，依法針上穴乃效，瀉亦必具有合於瀉之狀徵，如腹滿矢氣大解欲解而不得，依法針上穴立可生效　如狀證未具備而欲行汗吐下三法，則未有不失敗者。

一切風寒暑濕邪。頭疼發熱外關起

頭痛發熱形寒，病屬外感，不論其爲風寒暑濕　之所中概先針外關以疏解三焦之氣化，往往一針可解，如依其症狀之頭疼發熱而加刺風府風池太陽大椎則可取效於俄頃

頭面耳目口鼻病。曲池合谷爲之主。

頭面耳目口鼻之病，其紅腫痛者，大都爲陽經氣火血熱而發合谷曲池可以引降上升之火與清血熱故此二穴，爲面前下部之主穴，其次視證狀而加佐使諸穴以助之

偏正頭疼左右針。列缺太淵不用補。

鍼灸歌括彙編

二穴之治偏頭痛，宜左取右右取左之法且須屬於外感風邪所致者，先取風池或太陽而後及此二穴，每見立刻痛止神爽苟屬於肝胆之火熱上炎或血虛而寒邪不散，則非此穴所能愈者，臨針之前，首當辨明

頭風目眩項捩强。申脈金門手三里。

頭痛在前頭部兩眉壓重項部强不靈活目則昏眩，名曰雷頭風症，申脈爲治斯病之主穴，取此三穴之前，先針攢竹風府，可收立效，

赤眼迎香出血奇。臨泣太冲合谷侶。

目腫而痛如欲脫目赤如血如火，太陽與胆經之風火鴟張，治必於內迎香出血，其手術未諳者，於太陽部分之血絡或耳翼之紫絡與以出血，委中亦可出血，臨泣太冲合谷則與劇烈針刺則目內立覺清凉而快適

耳聾臨泣與金門。合谷針後聽人語。

耳聾之因有多端，此條爲風火所擾之暴聾，當先取聽宮翳風再取臨泣「足」金門合谷

鼻塞鼻痔及鼻淵。合谷太冲隨手取。

鼻塞應取迎香上星二穴針之，如延久者則灸上星針合谷太冲，如屬外感之鼻塞則應取風門列缺，非合谷太冲所能愈也，鼻痔之初起者，必先取齦交迎香上星，而後及合谷太冲，若年深月久者必屢灸上星，鼻淵初起當先取迎香上星後及合谷太冲，年

久者則屢灸上星

口噤喎斜流涎多。地倉頰車仍可舉。

本病多屬中風症，地倉頰車二穴，視其喎左者取其右，右者取其左，以灸較愈於針，當取灸法，灸正後宜以毛巾捆縛，勿再受風，休養旬日

口舌生瘡舌下竅。三稜出血非粗魯。

舌部面發生碎裂或糜爛，或紅腫，係舌部充血所致前賢每謂心脾之熱以三稜鋒針刺其舌下兩邊之紫絡放出鬱血，其病即愈，如舌面生瘡久不愈，其舌質不紅絳者則此法萬不可輕試

舌裂出血尋內關。太冲陰交走上部。

前賢有言曰，舌爲心之苗，脾脉絡舌本，舌裂出血，爲心肝脾三經之熱，以心脾之熱，非挾肝火不得上僭，太冲內關三陰交三穴正所以平三經之氣火，引血下行而衄自止，

舌上生苔合谷當。手三里治舌風舞。

陽明有濁熱則生厚濁苔，取合谷之外當取足三里豐隆以助之，或取支溝承山以通腸濁，治療較爲從本，舌風舞症如起於熱病之中，手三里之外當取大陵間使少澤少冲，如無發熱脈數及爲神經系病，中醫名之風痰入心經之絡，手三里不能作主穴治，

當以啞門爲主穴廉泉內關爲助穴，久久針治方收全功，編者曾遇二人，皆經十餘診而癒，

牙風面腫頰車神。合谷〔足〕臨泣瀉不數。

牙風爲牙痛之重者，痛連頭部頰爲之腫，方書爲陽明經火挾風而熾張，三穴宜用强烈刺激，

二陵二蹻與二交。頭項手足互相與。

二陵爲陰陵泉陽陵泉，專治手足關節之疾偏重於足腿膝部筋骨風濕腫痛之症，二蹻爲中脉照海，中脉治頭項之症，照海治目疾咽喉面部之病二交爲陽交三陰交，爲治足腿之症之主穴。

兩井兩商二三間。手上諸風得其所。

兩井爲天井肩井，兩商爲少商商陽二三間即二間與三間也，凡此數穴，統治上肢因風寒溼所起之疾患，綜上二條，係指取穴之大綱

手指連肩相引疼合谷太冲能救苦

此痛屬大腸經與三焦經病，合谷太冲之外，再取曲池肩髃外關中渚，即生偉效，病之初起者一診可愈，日久者必用溫針

手三里治肩連臍。肩脊心後稱中渚

由肩痛而引起臍腹痛，或臍腹痛引起肩肘痛，其臍腹部與臑臂部份必發生攣急，手三里乃得治之，肩部與脊部當心之後而發生痺痛者病屬三焦小腸，中渚之外應取後谿，易收捷效

冷嗽則宜補合谷。三陰交瀉即時佳。

冷嗽之症，都屬痰飲，其原由於脾失溫運，肺失肅降，補合谷以助肺之降固可，而瀉三陰交似有不合，此症之根本治療，當灸肺兪脾兪天突中脘足三里，

霍亂中脘可入深三里內庭瀉幾許。

霍亂上吐下瀉中宮清濁混淆揮霍撩亂胃腸神經起劇烈之反射作用，中脘一穴頗具安定胃神經之特效，但必須深透胃壁故針此穴可深入至三四寸之多三里內庭平胃氣也，

心痛翻胃刺勞宮。寒者少澤灸手指。

前賢云，心爲君主之官，不可受邪之侵襲，以心不能病，所病者每屬於心包絡，心不可瀉，瀉心必瀉包絡，古法瀉必針原，包絡之原爲勞宮，心痛翻胃故取勞宮，如屬寒者，加灸手指，少澤以助心陽。編者治斯症注重於胃，每取大陵內關以寬胸理氣中脘三里和胃降氣，甚者佐以公孫加灸中魁，每收捷效，

心痛手顫少海求。若要除根陰市覷。

鍼灸歌指彙編

手顫而取少海直接制止其部神經，心痛因誘導關係亦能收效，陰市而能治斯疾，理不可解，倘待研究，就經驗言，心痛之症，每取大陵或內關或間使以治之，手顫症，以天井少海外關用直接治療法止之，心痛兼手顫針陰市或許有特效，惜未遇見斯症，竟無法實驗，讀者遇有斯症，幸留意焉

太淵列缺穴相連。能住氣痛刺兩乳

兩乳亦爲肺經分野之所及，太淵列缺，確有特效，須注意者，爲氣攻刺痛，與紅腫或有核塊而痛者不同，未可混視，

脇痛只須陽陵泉。腹痛公孫內關爾。

脇爲肝胆經之分野，脇痛刺陽陵有偉效，甚者先刺期門後針陽陵，腹痛取內關公孫，正如摧枯拉朽，立見奇功

瘧疾素問分各經。危氏刺指舌紅紫。

足太陽瘧先寒後熱汗出不已刺金門，

足少陽瘧，寒熱，心惕，汗多，刺俠谿，

足陽明瘧，寒久乃熱，汗出惡見日月光火氣，刺冲陽，

足太陰瘧，寒熱善嘔，嘔已乃衰，刺公孫，

足少陰瘧，嘔吐甚，欲閉戶而居，刺大申，（大鍾）

足厥陰瘧，少腹滿，小便不利，刺太衝，

心瘧 令人煩心甚欲得清水，反寒多不甚熱，刺神門，

肺瘧，令人心寒，寒甚熱，夜間善驚，如有所見，刺列缺，

肝瘧，令人色蒼蒼然，善太息，其狀若死者，刺中封，

脾瘧，令人寒腹中痛，熱則腸中鳴，鳴已汗出刺商邱，

腎瘧，令人洒洒然，腰脊痛宛轉大便難，手足寒刺太谿，

胃瘧令人善饑而不能食，食則支滿腹大，刺厲兌，

危氏復刺十指尖出血及舌下紫腫筋出血

又按刺瘧之法於瘧發前一小時左右刺之方有效，過遠則稍遜

痢疾合谷三里宜。甚者必須兼中膂

方書名白痢病在氣刺合谷，赤痢病在血刺小腸俞，赤白痢氣血皆病，刺足三里中膂俞，實則白者僅腸壁爲寒食所傷，所下者爲腸液故白色，腸因傷而炎腫，腸壁血管破裂，所下者爲血液故赤色，兩者互雜，乃爲赤白色，其有胆液滲入者，則爲綠色，如間赤白色則名曰五色痢，爲痢之最重者，宜加刺三焦俞灸脾俞與天樞，久痢不止宜灸百會與久瀉同

心胸痞滿陰陵泉。針到承山飲食美。

鍼灸歌括彙編

胸痞之症悉屬濕熱壅遏中上二焦，其原由於脾失健運肝失疏化，陰陵承山爲健運疏化之良穴，視其舌質紅者則針之，淡者則用温針或針後灸之

泄瀉肚腹諸般疾。三里內庭功無比。

三里內庭爲治肚腹諸疾之要穴，挾熱者用針，因傷生冷或寒凉者用温針或用灸，天樞一穴亦爲不可少之佐穴

水腫水分與復溜

水腫之症，其根本原因由於腎失分泌三焦失疏，水分能分利水道，復溜助腎利水，兩穴宜灸不宜針，如兼灸腎俞，其效更彰　按原文下註　水分先用小針，次用大針，以鷄翎管透之，水出濁者死，清者生，急服緊皮丸斂之此鄉村無藥粗人體實者針之若虛體則禁針，取血法先用針補入地部，少停瀉出人部，少停復補入地部，少停瀉出針，其瘀血自出，虛者只有黃水出，若腳上腫大欲放水者仍用此法，於復溜穴上取之

脹滿中脘三里揣。

附　內經針腹，以布纏徼，針家另有盤法，先針入二寸五分，退出二寸，只留五分，在內盤之如要取上焦包絡之病，用針頭迎向上刺入二分補之，使氣攻上，若臍下有病，針頭向下，退出二分瀉之，此特備古法，初學不可輕用

脹滿之症都屬胃失化和，胃氣主降，不降則濁熱留於中焦而爲脹爲滿，中脘運胃氣，三里降胃氣，二穴可謂治脘腹病之主穴

腰痛環跳委中神。若連背痛崑崙式。

腰痛之症，皆屬該部經絡之血行不暢，神經受阻而發生痠痛，針環跳即疏通上部之血行，用鍼必深，否則不達其經委中亦如是，如痛之劇而起之猝者，且須於委中放血，如爲慢性（腎虛）之症則刺法又不同矣，其痛之連背者，加針崑崙，如在背之上部者加取人中，立見偉效，

腰連腿疼腕骨升。三里降下隨拜跪。補腕骨，瀉足三里

三里治腿疼係局部刺激，不用詳研，腕骨治腰疼不得其解，曾試治數人，皆告失敗，恐腕骨係錯簡，

腰連脚痛怎生醫補**環跳**瀉**行間與風市。**

直接疏通經絡，初起者宜鍼，日久者用温鍼，

脚膝諸痛羡行間。三里申脉金門侈。

亦屬直接鍼治之法，既取申脈，可省金門，取金門則申脈可省却，陽輔一穴，於斯類數疾苦，則不可少初病但鍼久則用温鍼

脚若轉筋眼發花。然谷承山法自古。

轉筋而兼眼花，多起於霍亂之後，或大熱病熱退之後，或起於老年腎虛之人，然谷承山亦爲直接鍼治，於轉筋一症，立可收功，眼花一症，應取腎兪光明，或湧泉，

兩足難移先懸鍾。條口後鍼能步履。

此症必須審其難移之病灶安在，就取懸鍾條口論，病屬下腿無力，如足不能提者病在髀樞環跳爲不可少，足不能伸者，病在膝關，陽陵爲不可少，足不能動者，病在踝跗之間，崑崙爲不可少，

兩足痠麻補太谿。僕參內庭盤根楚。

脚痠麻，太谿之外絕骨三陰交皆不可少，應用溫鍼，脚盤痛瀉內庭脚根痛瀉僕參

脚連脅腋痛難當。環跳陽陵泉內杵。

脚痛取環跳脇痛取陽陵，俱用强烈刺激，提插要足，否則旋止旋痛

冷風濕痺鍼環跳。陽陵三里燒鍼尾。

此屬腿股痠痛之症，故用溫針，按註，燒三五壯知痛而止，最要內部覺熱而止，不計壯數，

七疝大敦與太衝。

衝疝，狐疝，癩疝，厥疝，疝瘕，癀疝，㿗疝，爲毛疝、大敦太衝，針可治衝疝，以

灸可治厥疝，餘者須助他穴，參觀治療學，於茲不贅

五淋血海男女通。

勞淋氣淋血淋砂淋膏淋謂之五淋血海祇可治血淋，餘必佐他穴，參觀鍼灸治療學

大便虛閉補支溝。瀉足三里效可擬。

瀉三里可降胃氣而通腸胃，補支溝助三焦而促進腸運疏通三焦之氣化，腸胃傳送之呆滯者因此而活潑，故大便之虛閉得通

熱閉氣閉先長強。大敦陽陵堪調護。

本條承接上條，大便之熱閉者，刺長强可泄直腸之熱而鼓動腸之傳送，氣閉者針大敦陽陵助肝之疏泄促進腸之蠕動，大敦可用灸法

小便不通陰陵泉。三里瀉下溺如注。

膀胱氣結，小便不通，應先取氣海或關元，而後針陰陵與三里，小便即暢

內傷食積針三里。璇璣相應塊亦消。

內傷食積，致脘腹結塊，在初起取三里璇璣固可立消加成形日久，非用特殊針法或灸法不可

脾病氣痛針合谷。後刺三陰針用燒。

脘腸發生氣痛，目為脾痛，實屬病在腸膜之間，合谷疏腸部之氣化，三陰交温腸部

之血塞，正規治法，宜以章門天樞氣海爲主穴

一切內傷內關穴。痰火積塊退煩潮。

內關善治胸中病，內傷都爲情志之火鬱結，其病灶都在胸腔，故內關一穴能治之

吐血尺澤功無比。衄血上星與禾髎。

肺與胃之氣化，宜降不宜升，升則血逆而爲吐血咳血，尺澤可以降肺氣之冲逆，不特胃氣平而血亦降，不治血而血自止，衄血爲前額部血管充血破裂而致鼻出血，上星禾髎即直接疏通其血絡也

喘急列缺足三里。嘔噎陰交不可饒。

喘急分虛實，列缺足三里，一開肺氣，一降胃氣，乃治實喘與虛喘未可混視，嘔噎之取三陰交，亦爲降中宮之氣，其甚者天突內關中脘足三里皆可取以助之，取穴如用藥，當分其輕重虛實隨機而應變之

勞宮能治五般癇。更刺湧泉疾若挑。

五癇分猪羊鷄馬牛癇五種都爲痰涎阻塞咽喉聲帶所發出各種之類似聲音，即取以名之，此症在發時，刺勞宮湧泉，立可使之清醒，

神門專治心癡呆。人中間使祛癲妖。

癡呆癲狂之疾，有遺傳者，有精神上受劇烈之刺激或所欲不遂致神經起變化，喜笑

怒罵，呆木不靈，如失魂魄如附鬼神形態種種，各呈特相，神門開心竅人中清腦系間使退痰熱，刺此三穴初病者立見奇功，日久者亦可使之逐漸清醒，故此數穴，爲治神經病之主穴

尸厥百會一穴美。更鍼隱白效昭昭。

尸厥爲猝然昏亂不知人事四肢逆冷，其狀若死者，百會醒腦，不及人中中衝等穴，隱白回陽，不如灸治關元，或針各井穴，效益較宏

婦人通經瀉合谷。三里至陰催孕。

婦女經阻不通，瀉合谷補三陰交，其經可通，但必先審其經阻之原因，如血虛，癆瘵，淋帶，各種氣痛等，先治其因而後可通其經，否則亦不生效，催產之針亦必待產期將近之時，或臨產而發生困難，乃具偉效

死胎陰交不可緩。胞衣照海內關尋。

三陰交原可催產故亦能治死胎不下，胞衣不得下者，照海內關針後在一二小時中亦能得下，三陰交亦可

小兒驚風刺少商。人中湧泉瀉莫深。

急驚風症每見四肢痙攣背反張，爲腦神經之劇變，人中通太陽督脈之氣反張即已，且直通腦系緩解神經，少商湧泉緩解上逆之氣，引血下行，此三穴爲治小兒驚風之

主穴

癰疽初起審其穴。則刺陽經不刺陰。

癰疽從背出者太陽經，從鬢出者少陽經從頭出者陽明經，以上俱以各經之井滎俞經合五穴治之，從胸出者絕骨一穴治之，

傷寒流注分手足。太冲內庭可浮沉。

前賢謂傷寒傳足不傳手，太冲內庭一爲肝經，一爲胃經，厥陰爲陰之裏，陽明爲陽之至，由陽明傳入陰經爲逆，由陰經退出陽經爲順，順者浮也，逆者沉也，病毒之移轉吉凶，以二經爲機樞，太冲內庭防其逆也，治療仍當以其見證取穴爲是

熟此筌蹄手要活。得後方知度金鍼。又有一言眞祕訣。上補下瀉値千金。

本歌訣，出於明，李梴編之醫學入門

雜病穴法歌完

席弘賦淺註

夏少泉

凡要行鍼須審穴、要明補瀉迎隨訣，胸背左右不相同，呼吸陰陽男女別，

此言凡欲用針，必須審定經穴，經穴既定，尤須明瞭補瀉，隨而濟之謂之補，迎而奪之謂之瀉，背爲陽，左轉爲補，胸爲陰，左轉爲瀉，呼則內針爲補，吸則內鍼爲瀉，以及陰日陽日，男子女子，左右捻拔，各有不同，然挈其總意，不外圍於陰陽男女經絡上下而分種種之手術，揆其情理，實乃大謬・蓋陰陽者、四時寒熱，午前午後，時間上之代名詞耳，男女者，僅生殖系之構造微有不同耳，經絡上下，在今日未可認爲確切不移之學，居今日科學昌明之時代、從科學觀點上論手術，所謂補者，輕微刺激是也，所謂瀉者，强力刺激是也、補瀉手術，盡於此矣，

氣刺兩乳求太淵、未應之時求列缺，

乳房屬胃　又爲少陽胆經所過之地，氣刺兩乳、係由風寒外感刺激乳房神經使然，太淵疏肺氣，列缺淸肺熱，氣宣熱解，腫痛自消、若由肝胆之氣鬱結者，當刺肩井尺澤，

列缺頭痛及偏正、重刺太淵無不應，

此條頭痛，係指外感風邪頭部毛細管鬱血所致，列缺太淵・頗具偉效惟必視其痛主

何處，酌量加穴，頭巔痛加百會上星，腦後痛加風池風府，額角痛加太陽頭維，因症制宜，不可板滯，

耳聾氣閉聽會鍼，迎香穴瀉效如神，

腎開竅於耳，足少陽胆經環繞耳後，氣閉不聞，非腎精不足，即胆火上炎，除鍼聽會外，可加肝兪腎兪太谿臨泣等穴，只一迎香，恐無大效，

誰知天突治喉風，虛喘須尋三里中，

喉風一症，名目繁多，推厥病源，不外外感風寒之侵襲，內生痰火之薰蒸，咽喉腫痛，痰涎壅塞，天突直達病灶，降氣化痰，然恐一木不能支大厦，非加少商尺澤中渚豊隆穴不可，虛喘由於下元虧損，虛氣上泛，元海無根，最慮暴脫，灸三里外，尤須急灸關元，納氣歸腎，挽倒扶傾，

手連肩脊痛難忍，合谷針時要太冲，

手連肩脊疼痛，皆因風寒襲入經絡，以致神經拘攣，或血液乾枯，不能榮養神經，合谷能疎陽明經氣，兼能活動上肢神經，刺之頗爲有效，但非加肩顒曲池，不能根治，太冲無效，不敢附會，

曲池兩手不如意，合谷下鍼宜仔細，

曲池在肘尖盡處，合谷在食指拇指凹骨陷中，內部均有橈骨神經，以治兩手拘攣麻

痺，無不應手而愈，斯症斯穴，無以復佳，

心痛手顫少海間，若要除根覓陰市，

心痛手顫，係七情過度，五志之火內燃，以致神經失其濡養，發生虛性興奮，少海爲心經合穴，刺之能制止神經興奮，若與心俞並用，收效尤捷，陰市非根治之穴也

但患傷寒兩耳聾，金門聽會疾如風，

傷寒耳聾，係熱灼津液，耳膜失其鼓動之可能，聽會直泄局部鬱熱，金門誘導上部邪火，兼收並用，頗爲靈效，但傷寒熱如未解，須加合谷曲池，其效方宏，

五般肘痛尋尺澤，太淵鍼後却收功，

五般肘痛，爲風寒暑濕熱五種，尺澤在橈骨與上膊骨之關節部，太淵在大內橈骨筋腱之外側，功能袪風散寒，疎通經絡，肘痛刺之，誠可謂直搗巢穴，易如反掌也，

手足上下鍼三里，食癖氣塊憑此取，

飲食停滯，結成癖塊，良由胃腸失其濡動作用，飲食留着不化所致，手足三里，疎通腸明之氣，氣機條暢，癖塊自消，

鳩尾能治五般癇，若下湧泉人不死，

癇症之作，多起於病後虛怯，心腎陰虛，肝氣胆火，夾痰上逆而成，或數日一發，

鍼灸歌括彙編

或一日數發，發則神昏，醒則動作如常，湧泉可於昏厥時針，鳩尾淸火降痰，確爲癇症之特效穴，然欲剷刈根株，非加神門心兪間使後谿豊隆不可，

胃中食積刺璇璣，三里功多人不知，

胃爲水谷之海，五臟六腑，皆賴胃氣以調養，足三里爲胃經合穴，故今人以灸此穴爲養生之善法，若胃一起變化，則水谷留着而生積滯等症，璇璣位於膈上，刺之難期必效，易以中脘，直接促進胃之蠕動，相和相濟，歷試不爽，

陰陵泉治心胸滿，鍼到承山飲食思，

脾氣不舒，心胸痞滿，陰陵健脾，承山化溼，二穴合用，頗具偉效，然以個人之經驗言，以公孫易陰陵，其效尤捷，

大杼若連長强尋，小腸氣痛即行鍼，

經云，任脈之爲病，男子內結七疝，女子帶下瘕聚，又謂衝脈夾臍上行，至胸中而散，厥陰肝經，環繞陰器，是疝氣之症，當於衝任及肝經取穴，實者宜鍼關元大敦，虛者宜灸陽池及三角灸；若牽延日久，氣虛下陷，又當灸百會大杼長强，誠恐無效，

委中專治腰脊痛，脚膝腫時尋至陰

腰脊爲膀胱經所過之地，委中確有蠲除腰痛之可能，至陰之治脚膝腫，然究不若絕

骨三里三陰交之爲愈也

氣滯腰痛不能立，橫骨大都宜救急，

氣滯腰痛，可針人中，環跳，委中，崑崙，疎通經氣，疼痛立愈，橫骨大都，似難救急，

氣海專能治五淋，更針三里隨呼吸，

五淋者，石勞氣血熱也，大抵是症之起，多由縱慾無度，敗精阻竅，及濕熱下注，泉流不清所致，氣海理氣化溫，三里尤有清熱利溼之功，斯症斯穴，良有以也

期門穴主傷寒患，六日過經猶未汗，但向乳根二肋間，又治女人生產難，

傷寒六日，過經汗不出，由於營血受寒，衛氣不能流通，期門位於乳下二肋端，內部適當肝臟，肝藏血，針之使血液流行，衛氣無滯，營衛調和，則汗出而寒邪解矣，婦人產難，又可治之，殆亦促進血液流行，以助胎之活動力歟，然非加針至陰以引心靈下移不可，

耳內蟬鳴腰欲折，膝下明存三里穴，若能補瀉五會間，且莫聞人容易說，

耳內蟬鳴，腰痛欲折，此屬腎精虧損虛火上炎之病也，當針腎俞耳門太谿滋陰潛陽，庶乎有濟，

鍼灸學撮要編

睛明治眼未効時、合谷光明安可缺．

睛明位於目之內眥，刺之能退目部炎腫，若合合谷以清氣熱，光明以清胆火，神效無比，莫之與京，

人中治癲功最高，十三鬼穴不須饒，

癲症多由用情太過所致，如貪名者求名，好利者圖利，或情場失所，或時勢逼逐，終則所願莫償，心中鬱悶，張雞峯謂為情志間病是也，十三鬼穴刺之頗著偉効，其理難測，

水腫水分與氣海，皮內隨針氣自消，

水腫一症，前賢謂土制水，西醫則謂腎為泌尿之器，以水腫症俱為小便短少故水氣泛濫，洋溢皮膚，此說較中醫為確切，水分氣海灸之，雖化膀胱之氣，以導水勢下趨，然非加灸腎俞，不能根治，古人所謂治病必求其本是也，且水分禁針針之不幸，令人水盡則死，宜改針為灸，

冷嗽只宜補合谷，却須針瀉三陰交，

冷嗽都屬痰飲，由於脾失健運水氣凌肺所致，是嗽為病之標疾，飲為病之本，治當溫運脾陽，則咳嗽自止，處合谷所以溫肺，三陰交當補而不當瀉，瀉之犯虛虛之戒，並須加灸肺脾二俞，方為根治，

牙疼腰痛并咽痺　二間陽谿疾怎逃，

此條症象，當屬風熱上薄，阻隔氣機，二間陽谿，頗多有效，但必細察精詳，方可施治，蓋腎虛火炎之人，往往亦見斯象，惟牙疼必浮，由漸而劇，否則虛實不辨，吾恐其動手便錯矣愼之愼之

更有三間腎兪妙　善治肩背浮風勞

肩背疼痛而用三間腎兪，諒必勞汗當風，經絡不和所致，經謂寒甚則浮也，肩顒曲池，亦不可少，

若針肩井須三里，不刺之時氣未調，

肩井一穴，在肩胛舉筋與棘上筋之間，內循橫肩胛動脈，不可刺深，針灸經云，刺深令人壽短，若必刺時，須刺三里，鄙意以爲不必拘泥，通玄賦云，肩井曲池，甄權針臂痛而復射，是亦何嘗針三里乎

最是陽陵泉一穴，膝間疼痛用針燒，

陽陵泉穴在腓骨小頭之前下部，當脛骨之外側，分布腓骨神經及股神經，膝痛症之唯一妙穴，且又爲筋之會，尤有舒筋利節之功，

委中腰痛脚攣急．取得其經血自調，

鍼灸歌括彙編

腰痛脚攣．如屬太陽經氣滯者，委中有效．若屬腎虛，當加腎俞，

脚疼膝腫針三里，懸鐘二陵三陽交，更向太冲須引氣，趾頭麻木自輕飄，

脚氣病內經名厥，分痺厥．痿厥．厥逆三種．頑麻腫痛爲痺厥，即濕脚氣也，縱緩不收爲痿厥　即乾脚氣也　厥氣冲胸爲厥逆　即脚氣冲心也，乾溼脚氣刺上穴頗效，惟脚氣冲心　則當加針大敦關元，

轉筋目眩針魚腹，承山崑崙立便消，

轉筋即足腓腸攣急之象　承山爲腸筋之樞紐，崑崙爲長腓筋腱之終點，二穴爲治足轉筋之特效穴．若手轉筋　須針尺澤，

肚疼須是公孫妙，內關相應必然瘳，

公孫爲八法穴之衝脉，內關爲八法穴之之陰維二穴相合，以治肚疼，靈效異常．殆令人有不可思議者矣，

冷風濕痺痰難愈，環跳腰俞針與燒，

痺者，閉也．謂經絡閉塞．疼痛急拘也，內經所以有風勝寒勝溼勝之分，而有行痺痛痺着痺之名，環跳適當髀樞關節，有大臂筋．針而灸之．效如桴鼓．風市陽陵．亦可加入，腰俞不及多多也

風府風池尋得到，傷寒百病一時消

經學云，風府能操周身之風，風池能袪外感之風，二穴一屬督脈經，一隸少陽經，傷太陽之症，若與大椎合谷同用，汗出即愈，不勞餘力

陽明二日尋風府。嘔吐還須上脘療

雜病穴法歌云，傷寒一日尋風府，二日已入陽明，何以亦尋風府，蓋寒邪雖入陽明，就可望其轉出太陽而解也 嘔爲胃之反常運動，係食物由賁門而經食管逆流之現象，大概由於延髓之嘔吐，中樞受刺激而起興奮，引起反射運動上脘適當賁門部位刺之能直接制止胃之反射，大有立竿見影之效。

婦人心痛心俞穴，男子痃癖三里高

五藏之系 皆繫於背，心痛而刺心俞，蓋直接制止其交感神經之興奮也，痃癖一症，多由陰陽之氣不和，或急怒而適當飲食，食氣相搏，痰火之邪，遂合併成形，近臍左右，各有一條筋脈扛起，大者如臂如筒，小者如指如絃，刺三里外，尤須刺中下脘天樞章門氣海

小便不禁元妙，大便秘結大敦燒，

小便不禁屬膀胱括約機能減退，灸關元非常效驗大便閉塞原因甚多，總約之不外虛實二性，實由熱邪飲食停積胸中，虛爲血液乾枯，不能輸送 就經驗所得，當以照海支溝大腸俞三陰交爲有效，大敦爲肝經井穴，其脉絡雖直達陰器抵小腹，然證之

髖骨腿疼三里瀉，復溜氣滯便離腰，

實驗，勢力單薄．

髖骨腿疼 係由風寒溼三者侵襲，坐骨神經發生痙攣麻痺刺三里外宜加環跳陽陵，祛寒驅溼，舒經活絡．復溜爲腎經之穴，以治氣滯腰痛，誠爲有理，然究不如環跳委中之速效，

從來風府最難針．却用功夫度淺深．

風府位於後項結節之下，僧帽筋間，循後頭動脉，分布大後頭神經其深部爲延髓，至延髓之作用，內臟官能，神經繫焉 如肺之呼吸，心之輸血，腎之分泌，肝之製胆汁 脾之造白血球 在在皆延髓之所主也，若有所損，則內臟官能，悉行停止，即頓成挺屍矣，故最難針，却須以功夫度量之，

倘若膀胱氣未散 便宜三里穴中尋，

膀胱者州都之官，津液藏焉，氣化則能出矣，若氣結不散 小便不通，三里與陰陵氣海同用， 針甫出，溺下如注矣

若是七疝小腹痛，照海陰交曲泉針，又不應時求氣海，關元同瀉效如神，

疝氣病，古人分衝疝，厥疝，癲疝，狐疝，瘕疝 㿗疝，癃疝，等等之區別，推其原因，多由寒溼之邪 鬱久化熱，一旦客寒外觸，遂致小腹疼痛，掣引睪丸，甚則

久不愈，漸變爲冲心疝氣，三陰交補益三陰，曲泉瀉肝疏風，照海清熱利溼，溼化氣舒，疝氣自愈，不應，加灸氣海關元，以調衝任之氣，尤爲卓見，

小腸疝氣痛連臍，速瀉陰交莫再遲，良久湧泉針取氣，此中玄妙人少知．

小腸痛攝連臍，此乃七疝中之衝疝也，陰交直接制止衝氣上逆，湧泉誘導衝氣下降，疝氣有不愈者，吾不信也，

小兒脫肛患多，先灸百會及尾閭，

小兒脫肛多由氣虛下陷，灸百會以升清陽，經所謂陷者舉之是也，更加長强，直接灸恢復其收縮機能，百試百驗，無有不愈，

久傷傷寒肩背痛，但鍼中渚得其宜，

手少陽經上行至肩背，背痛刺中渚，誘導之法也，曾針頗效，屢試不爽，

肩上痛連臍不休，手中三里便須求，下鍼麻重即須瀉，得氣之時不用留，

肩連臍痛，手三里針頗有效，推其原故，蓋肺與大腸相表裏，肺氣不降，則大腸蠕動亦必失常，手三里能治之理，殆開上即以治下歟，丹溪之上竅開則下竅自開，此語誠然，

腰連胯痛大便急，必於三里攻其陰，下針一瀉三補之，氣上攻噎只管住，噎不住

氣海灸、定得一時立便瘥、

腰連胯痛，大便秘結，良由營養不良，腸失濡潤，糟粕停滯，故便秘氣上攻而成噎，三里爲足陽明之穴，一瀉三補，可以促進胃腸蠕動，大便如通，逆氣自降，否則加灸氣海，引氣下行，無不得心應手，

咽喉最急先百會　太冲照海及陰交，

咽喉之病，前人分爲七十二症，綜其要不外虛實二種，虛者係虛火上炎，實者都由痰火及風熱抑遏而已，若至危急，水漿不入，百會宜刺出血，以泄鬱熱，太冲照海陰交，淸火降痰，上下交攻，危急可解，

學者潛心宜誦讀，席弘治病名最高，

席弘一賦，至此告終，苟學者能潛心誦讀，自可左右逢源　漢華陀刺躄脚而能行，良有以也，唐甄權針臂痛而復射，豈偶然哉，惟意義深奧，令人難解，同學陶君悟生，有鑒於此，屬予擇精存要而詮釋之，予自愧菲材，不學無術，且習針灸學未久，安敢自詡高明，妄論往哲，然屢辭不獲已，爰本古人尙論之旨，聊貢愚者一得之見，拉雜書寫，乖謬殊多，尙希諸大，師長暨諸同學，不以狂妄而教進之，是則予之所幸也夫，

席弘賦完

肘後歌淺註

淮陰　秦振飛

頭面之疾鍼至陰，

頭面為諸陽之會　至陰為太陽之井，凡頭面之疾，多屬風寒鬱過，以致局部之充血或鬱血之所致，針主陰者，以引熱下行，誘導其充血鬱血，即經所謂上病取下也，然必加鍼合谷列缺等穴，以直驅邪，方可以收桴鼓之效，

腿脚有疾風府尋，

此內經下病取上之誘導法也，然用多罕效，宜取風市陽陵三里三陰交公孫等穴治之，

心胸有病少府瀉，

此指心胸有熱也，少府為少陰心經滎火，滎之所治皆主身中熱，瀉之可以清心中煩熱，

臍腹有病曲泉鍼，

臍腹多屬肝腎任脈之病，曲泉為肝之合，鍼之能清熱，灸之可驅寒，然重者須助以三里，氣海關元等穴，

肩背諸疾中渚下，

肩背爲肩胛與鎖骨神經之分野，其病多由風寒阻礙氣血，輸通不能暢達，神經失濡所致，中渚爲少陽之經，上行肩背，功能輸註經氣，鍼之頗效，若助刺肩髃、合谷尤效，

腰膝强痛交信憑，

腰部之患，多屬腎與太陽經病　膝痛以風寒凝滯，阻礙血氣流行所致，就歷年經驗之所得，腰痛當酌佐委中，環跳腎兪，膝痛宜酌佐陽陵三里等穴

脇肋腿痛後谿妙

後谿爲八法之督脈，能治脇肋腿痛，但其效甚微，余遇此症，多取支溝，陽陵三里等穴助之

股膝腫起瀉太衝，

太衝位於第一蹠骨之部位，有淺腓骨神經枝，爲肝之兪，功能養血通瘀，舒筋活絡故鍼之可以袪除股膝之鬱血而消腫也，環跳膝眼，亦有特放，

陰核發來如升大百會妙穴眞可駭，

此症之特徵　爲陰中突出如菌　故名陰菌、陰唇紅腫，似癢似痛，少便數而重墜，日晡發熱　係其兼症，乃由肝鬱脾虛，胃陽不振，衝任之氣下陷，溼熱凝滯不化所致，取百會者，所以舉其下陷之氣而化濕濁也，然必須心氣和平，勿動於肺，方可

有效，

頂心頭痛眼不開．湧泉鍼下即安泰，

經云，頂心痛者厥陰肝也，又云，肝開竅於目，取足少陰井之湧泉者，以滋陰平肝者，即乙癸同源之意也，

鶴膝腫痛難移步，尺澤能舒筋骨疼，更有一穴曲池妙，根尋源流可調停，其患若要便安然 加以風府多用鍼，

鶴膝風症，多由三陰虧損，寒溼侵襲所致，余遇之多取髖骨，膝眼，風市，陽陵，三里等穴治之，尺澤，曲池，風府用多無效，不敢附和，

更有手臂拘攣急 尺澤刺深去不仁，

攣急不仁，係血不養筋所致，尺澤爲肘關節部，分布橈骨神經，與正中神經，功能清熱逐風邪以養筋而解拘攣，功效頗偉，

腰背若患攣急風．曲池一寸五分攻，

此即內經中病旁取之法也，唯恙之偏於背上者有効，若偏於腰部，則非取委中腎兪不可，

五痔原因熱血作，承山須下病無蹤，

承山治內痔頗效 外痔須用局部灸法，

鍼灸歌括彙編

哮喘發來行不得，豐隆刺入三分深

此條係指蘊伏之邪 蒸痰化火，上干阻氣 肺失淸降之哮喘而言，豐隆功能淸火降痰也，加取尺澤肺俞以疎肺氣爲妙，

狂言盜汗如見鬼 惺惺間使便下鍼，

七情過度，五志之火內燔，痰熱上灼，腦神經失其和覺，故神明錯亂，心氣不足，陰分太虛，故夜分盜汗，間使爲癲狂之要穴，刺之能淸心熱，心淸則痰降陰復，狂汗自止，然必佐以後谿，神門，豐隆，

骨寒髓冷火來燒，靈道妙穴分明記，

人體神經細胞活力呆滯，毛細管貧血，血不達於神經末稍，靜脈迴血過緩則畏寒，造溫機能亢盛、毛細管充血，致體溫之來源多而去路少則發熱，髓冷者寒之甚也，火燒者熱之甚也，靈道之效殊微，而寒者必須佐灸大椎，熱者必須助刺合谷，方可收功，

瘧疾寒熱眞可畏，須知虛實可用意 間使宜透支溝中，大推七壯如聖治，連日頻頻發不休 金門深刺七分是，

長夏暑邪內伏，深秋復感寒凉，風暑相搏，則發爲瘧，大椎間使爲治瘧之要穴，然必審其病之虛實，而定施鍼施灸宜補宜瀉之方法也，連日頻發者，亦宜取上二穴或

加後谿，金門之效殊微，

瘧疾三日得一發，先寒後熱無他語，寒多熱少取復溜，熱多寒少用間使，

三日瘧者，即俗謂三陰瘧也，由延日久，邪氣深伏所致，復溜爲少陰之經，灸之可振陽驅寒，間使爲心包之經，刺之可以行血清熱，

或患傷寒熱未收，牙關風壅藥難投，項強反張目直視，金針用意列缺求，

此爲傷寒誤治而成之痙病也，夫痙有九，約言之，不外外感與諸症誤治兩端而已，外感者多因身體虛弱，神經不勝外邪之刺激而成，誤治者，多由誤汗誤下及誤用辛燥之藥，津液受戕，內熱太盛，神經失濡所致，就歷年經驗所得，此症刺列缺外，必須酌加少商，曲池，合谷，人中，頰車，大椎，風府，中脘，委中，湧泉以助之，方克有濟，

傷寒四肢厥逆冷，脈氣無時仔細尋，神奇妙穴眞有二，復溜二寸順骨行，四肢回還脈氣浮，須曉陰陽倒換求，寒則須補絕骨是，熱則絕骨瀉無憂，脈若浮洪當瀉解，沉細之時補便瘳，

傷寒肢冷脈伏者，其因有二○一爲寒邪直中，體温降低，不能達於四末所致，一爲內熱極盛，氣血內趨以事救濟，不能達於四肢而成，故治法當明陰陽以施補瀉，庶不犯實實虛虛之戒，復溜爲少陰之經，確有復脈之效，佐以絕骨，灸之可以挽其垂

絕之陽，針之可以泄其極盛之熱，故皆可使其肢暖脉復也．若浮洪之表病，當宜強刺戟以瀉其邪，脉沉細之體弱者，宜輕刺戟，以興奮之．症雖變，存乎人耳，

百合傷寒最難醫，妙法神針用意求．口噤眼合藥不下，合谷一針效甚奇，

病之所以名百合者，艮以病後體弱　水分消耗太過，百脉一宗　悉受其病也．其症狀為神志默默，若有神靈．溺濁．溺時頭痛，經曰肺朝百脉，又曰肺藏魄．肺不清則魄不靜　故其現象為行往坐臥皆不定．若有神靈也．脉主水道．肺熱故溺濁．溺時頭痛者，身體虛弱，水分消失，故發為痛，但移時即止．眼合者神虛也，口噤者神經起虛性興奮也，合谷雖能清熱，然不佐神門．尺澤，頰車等穴　則其效不彰，

狐蜮傷寒滿口瘡，須下黃連犀角湯　虫在臟腑食肌肉，須要金針刺地倉，

此症默默欲眠，目不得閉，起臥不安，近人謂係梅毒病，地倉殺虫　理殊難解，但用之亦有微效，黃連犀角湯其價太昂，貧病交迫者，每每無力購服，宜易以連翹敗毒丸．重加蘆根烏梅可也，

傷寒腹痛虫尋食，吐蚘烏梅可用攻．十日九日必定死．中脘回還胃氣通，

吐蚘多屬臟寒所致其症腹痛，脉不沉而反洪大，烏梅丸功能安蚘，加針中脘以降逆溫中，則蚘虫自無用武之地矣，

寒傷痞氣結胸中　兩目昏黃汗不通　湧泉妙穴三分許　速使遍身汗自通，

痞者中空無物也，誤下之後，津液大損，故胸痞而兩目昏黃也針湧泉以導氣下行，而清熱開痞　此滋陰發汗法也，如加刺三里，中脘，內關，則其效尤宏，

傷寒痞結脅積痛　宜用期門見深功，當汗不汗合谷瀉，自汗發黃復溜憑，飛虎一穴通痞氣，祛風引氣使安寧，

期門位於乳下二肋端，分佈肋間神經，爲肝之募，脾與陰維之脉悉於此，乃脇積痛之要穴，傷寒而致痛脇痞滿，爲肋間發炎可知，佐支溝(飛虎)瀉三焦之熱以開痞，故二穴合用，功效甚宏，合谷復溜有發汗止汗之功能，用之頗驗，

剛柔二痙最乖張　口噤眼合面紅裝，熱血流入心肺腑　須要金針刺少商，

太陽病發熱無汗，反惡寒者，名曰剛痙，發熱汗出而不惡寒者　名曰柔痙，少商爲肺之井，刺之出血，能瀉五臟之熱甚驗，唯甚者須加大椎　風府，合谷，人中，湧泉等穴治之，

中滿如何去得根　陰包如刺效如神，不論老幼依法用　可教患者便抬身，

中滿一症，多由肝氣不能調達，或爲痰溼鬱滯中宮　氣不運化所致，陰包爲肝經之別走者，雖曰能治中滿，但不若章門，中脘，期門，內關，三里等穴爲優，

打撲傷損破傷風，先於痛處下針攻　後向承山立作效　甄權留下意無窮

打撲傷損，患部必有瘀血　局部刺之頗效，破傷風係風邪由破傷處襲入，近人謂係

鍼灸歌括彙編

破傷風桿菌侵入所致，病情頗重，宜施局部灸法，倘發現口噤．反張，吐沫．抽搐等，當兼刺風府，合谷，頰車等穴，助承山以解痙攣，或可有效，

腰腿疼痛十年春 應針環跳便惺惺，大都引氣探根本 服藥尋方枉費金，

環跳乃下肢部之總樞．上能達於腰背，故爲腰腿疼痛之要穴 大都爲神經之末稍部，反射力頗強，刺之與環跳相應 以引氣行血，實有不可思議之效，但病久根深蒂固，必須常期治之

脚膝經年痛不休 內外踝邊用意求．穴號崐崙並呂細．應時消散即時瘳，

此指營養缺乏，風濕之襲入之脚氣病而言，近人謂係缺乏維他命素所致，隨其病因與現症之不同，而分爲乾脚氣與濕脚氣兩種，乾則脚氣無力．濕則脚膝浮腫．呂細，(即太谿)崑崙均在跟骨關節之旁，故針之灸之則神經活潑．循環旺盛 而腫痛可以消除也，若加以陽輔，三里，三陰交三穴並用，兼服米皮糠以補缺乏之維他命則收效尤速，

風痺痿厥如何治．大杼曲泉眞是妙，

內經曰．風寒濕三氣雜至合而爲痺 又曰．風勝爲行痺．寒勝爲痛痺 濕勝爲着痺，觀其下之一勝字 可知痺症之因，多屬風寒溼三氣爲患，將以偏勝者定其名耳，風痺亦稱筋痺，即痺之偏於風者．夫風爲陽邪 善行數變，故其現象多游行不定，

上下左右，隨其虛邪，與血氣相搏，聚於關節者則發腫痛，若陰虛多熱則四肢緩縱而爲痿，陽虛者則體温不達四肢而爲厥、大杼爲太陽經穴，既可瀉五藏之熱，又能舒膀胱之經氣、且背部爲人身之總樞，上下四旁，無可不通，佐以曲泉而解筋急，如再加陽陵曲池等穴，以喚醒脉氣，俾陽精升達四肢，舒筋行血，而痿痺自愈矣，

兩足兩脇滿難伸，飛虎神灸七分到，

脇爲肝胆經之部，肝經由足大敦起，至筋部之期門止，但經由頭部之瞳子髎起，經過脇部而下足，故其爲病也，往往有牽引足部之可能，飛虎(支溝)穴刺之頗效，余已屢試不爽，惟脇滿甚者須加期門，足痛甚者須加陽陵，灸字想係針字之誤，因此病灸之其效甚微，且神灸下加以七分二字，殊不可解，

腰軟如何去得根，神妙委中立見效，

經云，腰者腎之府。轉搖不能，腎將憊矣，委中雖能治腰部之主穴，若因腎虛者，則宜加灸命門腎俞，

熟讀此章肘後歌，臨診應病可不憂

此爲全文收局之語，大意謂能將此歌讀熟，則臨症治療，可以無應付之憂也，

肘後歌完

鍼灸歌括彙編

四

配穴精義

氣海關元中極子宮四穴配合之義

河北東鹿縣西城街村
第一三五二號社員　陳源順

方書求嗣之法不勝枚舉、而有應與不應者何也，蓋伊未得其癥結所在故耳，經云女子二七而天癸至，任脈通太衝脈盛，月事以時下，男子二八天癸至，腎氣盛精氣溢瀉，又云陰陽和故有子，夫惟陰陽和始能有子，惟其女子月事以時下，男子精氣溢瀉，斯時陰陽謂之和，否則陰陽不合，則子嗣不何從而得哉，是以求嗣之道，男子首在精足，女子首要調經，在男子有淫慾過度，陰精虧竭稀薄散淡者亦者先天不足者，腎氣不充精不注射者，在女子則月經不調之外，更有子宮寒冷，胞門閉塞者，凡此等病皆無成孕之可能，求嗣之士可知着眼所在矣，余於男子陽不和者，取氣海以振陽氣，取關元以滋陰精，蓋以氣海爲男子生氣之海，關元爲三陰任脈之會，藏精之所也，於其女子之陰不和者，則取中極以調經，取子宮以開胞，又以中極亦爲三陰任脈之會，胞宮之門戶也，子宮三穴在中極旁三寸，位居小腹，正當胞宮之處，胞宮亦名子宮，此穴此名其義可知，補之者，正所以煖胞開胞，俾其直接受孕也，育嗣之穴固不止此，苟能於此法此理融會貫通之，則求嗣之道明矣，

中脘三里二穴配合之義

鍼灸歌括彙編

岐伯曰陽明之上，燥氣治之，燥者陽明之本氣也，胃腑稟此燥氣，故能消腐水穀，若此燥氣不足，則水穀停止，太過則又爲水穀不能抗其太燥即成中消，噎膈等症，燥氣之關乎胃者如此，是法專理胃腑兼治腹中一切疾病，君以中脘者，以中脘爲六腑之會，胃之募也，臣以三里者，正所謂應中脘而安胃也，審其胃中虛寒，飲食不下脹痛積聚，或停痰蓄飲食者，則補中脘即壯胃氣散寒邪也，瀉三里者，引胃氣下行，降濁導滯而相助中脘以利運行也，其或胃腑燥化太過，消渴引飲嘔吐反胃者，則中脘亦可酌瀉也，或於舌下金津玉液二穴用三稜針刺出血二穴乃屬心火即郎所謂治病先治其本至於霍亂爲病，總由夏秋之時，飲食不節，暑濕濁穢擾亂中宮，以致清濁不分陰陽混淆，上吐下瀉腹中痛，而揮霍變亂，治之佐尺澤委中刺出惡血，以去暑穢，然後補中脘以升清，瀉三里以降濁，中氣調暢，陰陽接續斯愈矣，再若細述者，胃病而兼有其他症候者，兼治必須加減，明下元虛寒，補氣海，上焦鬱勢瀉通谷，臟氣微補章門，腸中滯瀉天樞，或取上脘或用上廉等穴，只若隨機應變其理玄妙無窮，

肩顒曲池二穴配合之義

二穴皆屬手陽明大腸經，大腸爲肺之腑，故是法有調理肺氣之特效，尤妙在肩顒以鍼有舒通之象，而曲池更走而不守，擅能宣氣行血，搜風逐邪，二者相配，眞可謂珠聯璧合也，凡一切經絡客邪，氣血阻滯之病，無不能舒暢而調合之，而尤以中風

偏枯，諸痺七氣等症，爲對工，所謂一通百通也。昔仲景有云，客氣邪風中人多死，今余闡此義，預料此法風行後，其或能減少客氣邪風，中人之死率歟，斯逢 承師熱心興學，闡揚歧黄之精華，繼千古之絕學，使祕術公開之際，謹錄於鍼灸雜誌，以備同志採取耶，

勞宮三里配合之義

勞宮屬心包絡，性清善降，功能理勞役氣滯，開七情鬱結，尤擅清胸膈之熱，導火腑下行之路，與三里相和，大瀉心胃之火，挫上逆之勢，凡膈胸痞悶之嘔吐乾穢噫氣呑酸，煩倦嗜臥等症，莫不效若桴鼓，用鍼之士且勿忽諸，

大椎內關配合之義

人之飲水也，水停于胸膈之間，氣道壅塞則作喘咳，胸滿吐逆等症，然水何以能停也，是又當責於三焦，經云三焦者，决瀆之官水道出焉，昔人謂三焦有名無形，蓋三焦即人身之油膜，水之道路全在油膜之中，人飲之水由三焦而下入膀胱，則决瀆通暢，水自無停留之患，如三焦之油膜不利，於是水道閉塞，氣化不行飲症作矣，此法大椎爲督脈手足三陰之會，余取之以調太陽之氣，氣行則水自利也，內關爲手厥陰心主之絡，別走少陽三焦，余取之宣心陽以退其羣陰，利油膜以通其瘀塞，則决瀆暢而飲症自蠲矣，是說本自內經，參之唐氏又與仲景青龍苓桂諸方吻合，其亦

鍼灸歌括彙編

魚際太谿配合之義

愚者之千慮一得歟

虛勞之病，現咳嗽吐血骨蒸潮熱者，十居七八，緣近世之人溺於酒色，沉於思慾，脾腎兩虧，陰液枯涸，不能上潤心肺，以致火炎肺萎，柔金遭尅遂現損症，施治之法，宜行喻氏清燥救燥湯之意，清火勢以減金刑，滋陰液以潤肺燥，水火交濟，子母相生，庶幾有一線生機也，是法君太谿補水中之土，潤燥而生金，臣魚際瀉金中之火逐邪而扶正，理督者兼理色慾，清肺者亦清酒傷，絲絲入扣宜其累奏奇功也

內關三陰交配合之義

內關手厥陰心主之絡，別走少陽三焦功能清胸鬱熱，使從水道下行，配以三陰交滋養陰血，交濟坎離，爲陰虛勞損之要法，蓋下焦之陽一虧，則上焦之陽獨亢，而骨蒸盜汗咳嗽失血夢遺經閉等症作矣；內關清上，三陰交滋下，一以和陽一以固陰，陰陽和合斯可滋生化育矣，

天柱大杼配合之義

東垣曰五臟氣亂於頭者，取之天柱大杼，不補不瀉以導氣而已，旨哉言乎，膀胱者州都之官，氣化所出，故統周身之陽氣，而名太陽經也，且五臟之俞穴皆在於背，是五臟之氣又皆通於太陽也，若夫氣亂於頭者，則頭暈目眩者有之，頭沉重耳中鳴

者有之，法之當以導氣下行爲定律，今考天柱大杼二穴，皆屬足太陽經，而大杼更爲督脈別絡手足太陽少陽之會，其能調理氣道可知矣，至云不補不瀉者，蓋又爲氣既亂矣補之瀉之皆足以益其亂，故不必操之過急，但覓得其頭緒，徐徐導之使循太陽經而下，則無紊亂之弊矣，再如風寒客於太陽之經，頭項脊背強痛，是法所當用，惟邪之所在勢不得不行瀉法，以紓經散邪也

兪府雲門配合之義

咳嗽喘息，本是普通之症，而施治每多不效何也，一言以蔽之，皆未澈底認識其標本原因也，夫咳嗽喘息固是肺病，然而近因者標病也，其根本原因固不在肺而在腎也，以腎司收納，衝脈又交乎腎經，至胸中而散，若下元空虛收納失司，則濁陰之氣隨衝脈上逆入胸，鼓動肺葉故咳嗽而喘息也，今人不問來源，只知治肺，一味宣散清利，輕者或可取效一時，重則不啻隔靴搔癢，毫無所覺，以肺部未遑廓清，而衝氣已復上逆，前仆後繼，尚夢想咳止嗽甯喘定耶，余取此法君兪府以降衝之逆，理腎氣之源，佐雲門以開胸順氣，導痰理肺，標本兼施則諸症悉愈矣，亦有陰以隨衝脈上逆，以致胸中結悶，煩熱喘咳者，此法亦有奇效，是又在學者之遴撰耳

大椎曲池合谷之義

大椎手足三陽督脈之會，純陽主表故凡外感六淫之在於表者皆能疏解也，佐以曲池

鍼灸歌括彙編

合谷者，以陽從陽，助大椎而斡旋營衛，清裏以達表也，審其身熱自汗，則瀉大椎以解肌，無汗惡寒則補大椎以發表，或先補而後瀉，或先瀉而後補，神而明之，存乎其人矣，至於外感變症至繁且雜，兼他症者，尤必兼而治之，是以邪在於經，頭項强痛者，則加風池透風府，熱甚而心煩溺赤者，則加內關，譫語便燥胃家實者則加豊隆，三里，脅痛嘔吐、見少陽症者，則加支溝陽陵泉，氣逆喘嗽則加魚際，傷風鼻塞則加上星，又若瘧疾之病雖有表裏陰陽之別，而其寒往熱來無不關乎營衛，故是法亦能兼治，他如骨蒸潮熱，盜汗等症，雖係陰虛勞損之候，余亦用此法，亦大有養陰清熱之功，誰謂個中無活潑天機耶，

合谷復溜配合之義

二穴止汗書有明文，針家皆知之，而其發汗止汗所之理能，則多未知也，試申言之，夫汗補復溜者，以復溜屬腎，能温腎中之陽，升膀胱之氣，使達於周身而外衛自實，瀉合谷者，即所以清氣分之熱，熱解則汗自止矣，發汗補合骨者，則以合谷屬陰，清輕走表，故能發汗托邪，隨汗出而解也，佐以瀉復溜者，疎外衛之陽而成其開皮毛之作用也，至陽虛之自汗，陰虛之盜汗，固與外邪有別，而合谷復溜亦能止之者，蓋又以復溜非特能温腎之陽，且以滋腎中之陰也，推而廣之，寒飲喘逆水腫等症，余推群其理，借用復溜以振陽行水，合谷之利氣降逆，頗有奇效，可見此中

變化無窮，學者當隅反之，

曲池合谷配合之義

二穴屬手陽明經主氣，曲池走而不守，合谷升而能散，二穴相合散風熱，爲清上焦之妙法，以清輕之氣上浮故也，頭者諸陰之會也，耳目口鼻咽喉者竅也，故稟清陽之氣皆能上頭面諸竅也，以合谷之輕，載曲池之走，上升於頭面諸竅，而實行其清散作用，故而掃蕩一切邪穢，消弭一切障礙也，雖然二穴之行氣漫無定所，苟欲其專達某處，再取某穴以爲嚮導，則其經捷，其力專，其收效也亦速，故頭絲竹，睛明，鼻痔鼻淵配迎香，禾髎，耳鳴耳聾選聽會翳風，口臭舌裂水溝勞宮，咽腫喉痺魚際頰車，齦腫牙痛則有下關，口眼喎斜求地倉，君臣合力標本兼施，何患疾之之不瘳乎，

人中風府二府配合之義

風者百病之長，善行而數變，金匱曰邪入於臟，舌即難言口吐涎，蓋腎脉俠舌，脾脉絡舌本散舌下，心之別絡亦繫舌本，故風邪中於此三臟，則令人舌强難言，口吐痰涎而神昏不省也，又三陽之經幷絡入頷頰，挾於口，今諸陽爲風寒所客故經急而口噤不開也，是法法補人中以開關，解噤通陽，安神，瀉風府搜舌本之風，舒三陽之經，凡一切卒中急症牙關不開不省人事，施之關竅立開，隨即甦醒語言自和，轉

鍼灸歌括彙編

危爲安誠針科之首撰，起死回生之寶筏也，他如眼喎斜偏枯不遂等症，雖有中經中絡之別，然異流同源，亦其所宜焉，

環跳陽陵配泉合之義

二穴皆屬足少陽胆經，厥性舒通，宣散，善能理氣調血，驅風祛濕，且陽陵泉又爲筋之所會，尤有舒筋利節之功，故凡中風偏枯不遂，諸痺不仁，以及痿癱筋攣，腰疼瘦廢等症，皆其傑奏，余嘗以環跳擬肩顒，陽陵泉擬曲池，以彼此上下相應，形性相仿而功效亦敏捷也，

曲池委中下廉配合之義

痺者風寒濕三邪合而爲病也，風邪勝者爲行痺，以風性行動也，寒邪勝者爲痛痺，以其寒性凝結也，溼氣勝者爲著痺，其性濕爲重著也，余治法以曲池搜風，以行濕，佐委中疎風以利濕，輔下廉通陽以滲濕，其寒邪氣勝者，則補瀉兼行，散寒祛風而祛濕，兼以各舒其經，各通其絡，邪去而經絡亦通，何痺之有哉

曲池陰陵泉配合之義

曲池居於肘內，陽陵位於膝下，同爲大關節要，曲池行氣血通經絡，陽陵泉舒經利筋，皆有宣通下降之功，以配合功效益彰，百症賦列治半身不遂，是舉其要，餘如痿癱歷節諸痺等症，可一望而知矣，且二穴尤有降濁瀉火之力，曲池清肺走表，陽

陵瀉肝胆而平裏，余因推廣其用，凡肝肺抑鬱胸脇作痛，或熱結腸胃腹脹便濁等症，借其清利疏泄之功，靡不獲效，由是可知穴法之妙，全在善用者之配合也，

三陰交曲池配合之義

一陰一陽恰相配偶，曲池性游走通導，善能清熱搜風，三陰交乃三陰之會，爲肝脾腎三經之樞紐，即血科之主穴，二穴之相合如藥之君臣佐使，曲池入三陰之分，故能清血中之熱，搜血中之風，而瘀血自行自通矣，是以諸般腫痛針之而腫消痛止，花柳毒瘡刺之而毒消瘡平，餘如風熱諸痺，腰痛脚氣痿癱，以及婦女崩帶瘕聚經閉等症，尤能著手成春也，

三里三陰交配合之義

三里升陽益胃，三陰交滋陰健脾，陰陽相配，爲脾胃虛寒氣血虧薄之主治法，虢損門之所不可少也，然亦有胃濁脾虛陽亢陰虧者，則補陰必兼行清導，補三陰交瀉三里是也，更有陽虛氣乏，風溫客邪成痺，腿胻麻木疼痛者，則一以振陽，一以和陰，合而舒經理痺，其功效尤卓著者也，

陽陵泉三里配合之義

陽陵泉爲胆經之關鍵，三里爲胃腑之樞紐，二穴相合，瀉陽陵以肅清淨之府，平肝火之横，降上逆之勢，輸胆汁入胃，從木疏土，而完成其中精之府之更能也，再瀉

鍼灸歌括彙編　四五

三里以導胃中之濁，通胃之陽，於是淸陽得升濁陰得降，凡木土不和之病，如中消停痰呑酸口苦泄瀉嘔吐等症，二穴治之，其病魔自然冰消瓦解矣，而飲食亦因之暢和也，且陽陵泉爲筋之會，大有舒筋利節之功，搜風袪濕之特效力，三里亦有通暢活血燥溼舒陽散寒之功能，再進而治諸痺，膝痛筋攣歷節痿躄脚氣等症，亦未始非針灸之法也，

合谷太衝配合之義

合谷太衝又名四關穴也，經外奇穴以之名關，蓋有精義存焉，夫合谷原穴也，太冲亦原穴也，以形勢言合谷位於兩歧之間，而太冲亦位於兩歧之間，是二者相同處也，再以性質言，合谷屬陽主氣，而太冲則屬陰主血，是又二者同中之異也，然二者之同，正所以成其虎口衝要之名，二者之異，亦正所以竟其斬關破巢之功，觀其開關節以搜風理痺，舒氣血以通經行瘀，配豐隆陽陵泉，以墜痰瀉火，而治癲狂，配百會神門以鎭頂安神，而療五癇是明證矣，

豐隆陽陵泉配合之義

二穴爲通大更之主法，何以言之，夫豐隆爲足陽明胃經之絡脉，別走太陰，其性通降，從陽明以下行也，得太陰濕土之潤下也，陽陵泉性亦沉降，斜針向下透三里，從木以疎土，余常以是法擬承氣，有承氣之功，而不若承氣之猛峻，其治癲狂等症

，非但瀉其實，亦且折其爽也，」

配穴精義完

鍼灸治療歌訣彙編完

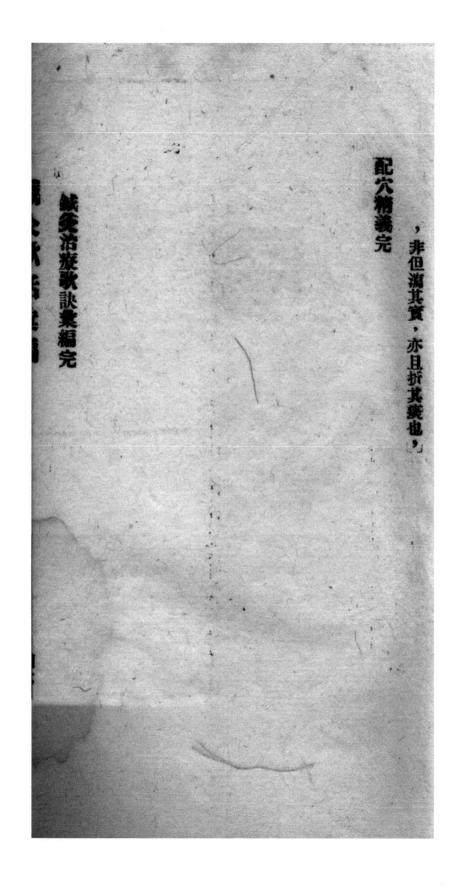

版權所有
不准翻印

編著兼出版者 江陰承澹盦

高等针灸学讲义·经穴学、孔穴学

提　要

一、作者小传

张世镳，字俊义，四明（今浙江宁波）人，近代医家。1920年，张世镳在宁波创办东方针灸研究社，举办针灸讲习班，3个月为一期，并设立函授班。当时，全国各地均有人参加，针灸学术研究之风盛行。张世镳为针灸学术的弘扬做出了重大贡献。张世镳特别重视吸取国外针灸学研究的经验，认为针灸学应兼融中外学术思想，并开创了编译针灸教材之先河。1936年，张世镳摘录日本针灸医家猪又启岩所著的《针灸医学讲义录》，并将之翻译成中文，对针灸学术发展具有重要意义。张世镳还编有《温灸学讲义》《针灸医学大纲》等书。

二、版本说明

《高等针灸学讲义》共6本，述九科，6本分别为《经穴学、孔穴学》《针治学、灸治学》《诊断学、消毒学》《病理学》《生理学》《解剖学》，本丛书收录与针灸相关的《经穴学、孔穴学》《针治学、灸治学》两本。《中国中医古籍总目》载《高等针灸学讲义》（日本神户延命山针灸专门学院编，缪召予、张世镳等编译）有两个版本，分别为：①1931年、1932年、1933年、1936年宁波东方针灸书局铅印本；②1937年、1941年上海东方医学书局铅印本。该书所用底本为1936年宁波东方针灸书局出版的铅印本。

三、内容与特色

全书分“经穴学”“孔穴学”两部分。卷首附6幅图，画风古朴，寥寥数笔，腧穴位置准确，人体比例较科学。

“经穴学”部分以翻译日本针灸医家猪又启岩的《经穴学》为主，并参考日本学者奥村三策之《按摩针灸学》以及《针灸甲乙经》而编成。此部分分两章。第一章为骨度法，简要介绍人体各部位的长度，以便于取穴。第二章为穴名及部位，收载356穴，详论每穴的位置、解剖部位、疗法和主治等。

“孔穴学”部分译自日本针灸医家猪又启岩的《孔穴学》。孔穴，为日本文部省经穴调查委员会审定的经穴。日本大正二年（1913），文部省成立经穴调查委员会，由医学博士三宅秀，医学博士并理学博士大泽岳太郎，医学博士并文学博士富上川游、富风兵吉、町田则文、吉田弘道等人任委员，对十四经络之各腧穴进行鉴定。此项工作历时6年完成，于660个腧穴中选出120个腧穴，比古十四经腧穴减少了几乎2/3。

“孔穴学”部分亦分两章。第一章穴名及部位，分部位论述穴位，共分6节：第一节，头部、面部、颈部（36穴）；第二节，胸部、腹部（35穴）；第三节，侧腹部（6穴）；第四节，背部（17穴）；第五节，肩胛部、上肢部（15穴）；第六节，下肢部（11穴）。因“经穴学”部分已详述各经穴之位置、解剖部位、疗法及主治，故“孔穴学”部分只述各穴位置，但本部分对于各穴位置的描述与“经穴学”的描述不同，且二者所用骨度分寸法亦有较大差别。第二章为海氏带与针灸术，介绍海氏带的定义、检出法、应用及其与经穴间的位置关系等。海氏带与针灸术之相关性体现了中西医汇通思想。

《高等针灸学讲义》成书于中国传统医学遭受冲击、破茧成蝶的大变革时代，是民国时期中西医结合标准教材的典范，体现了民国针灸医籍“科学化”的特点，促进了民国时期中医“科学化”进程，符合历史发展趋势，为现代针灸发展奠定了一定的基础。

經穴學
孔穴學

高等鍼灸學講義

東方鍼灸書局出版

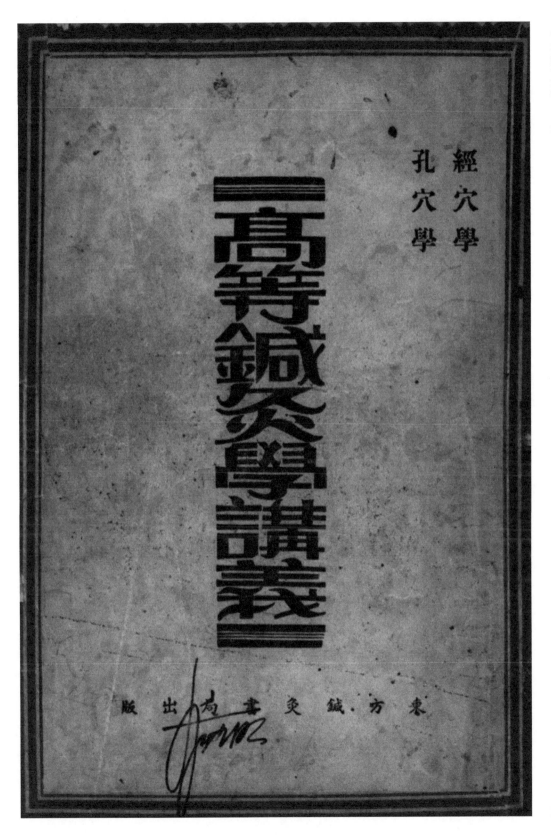

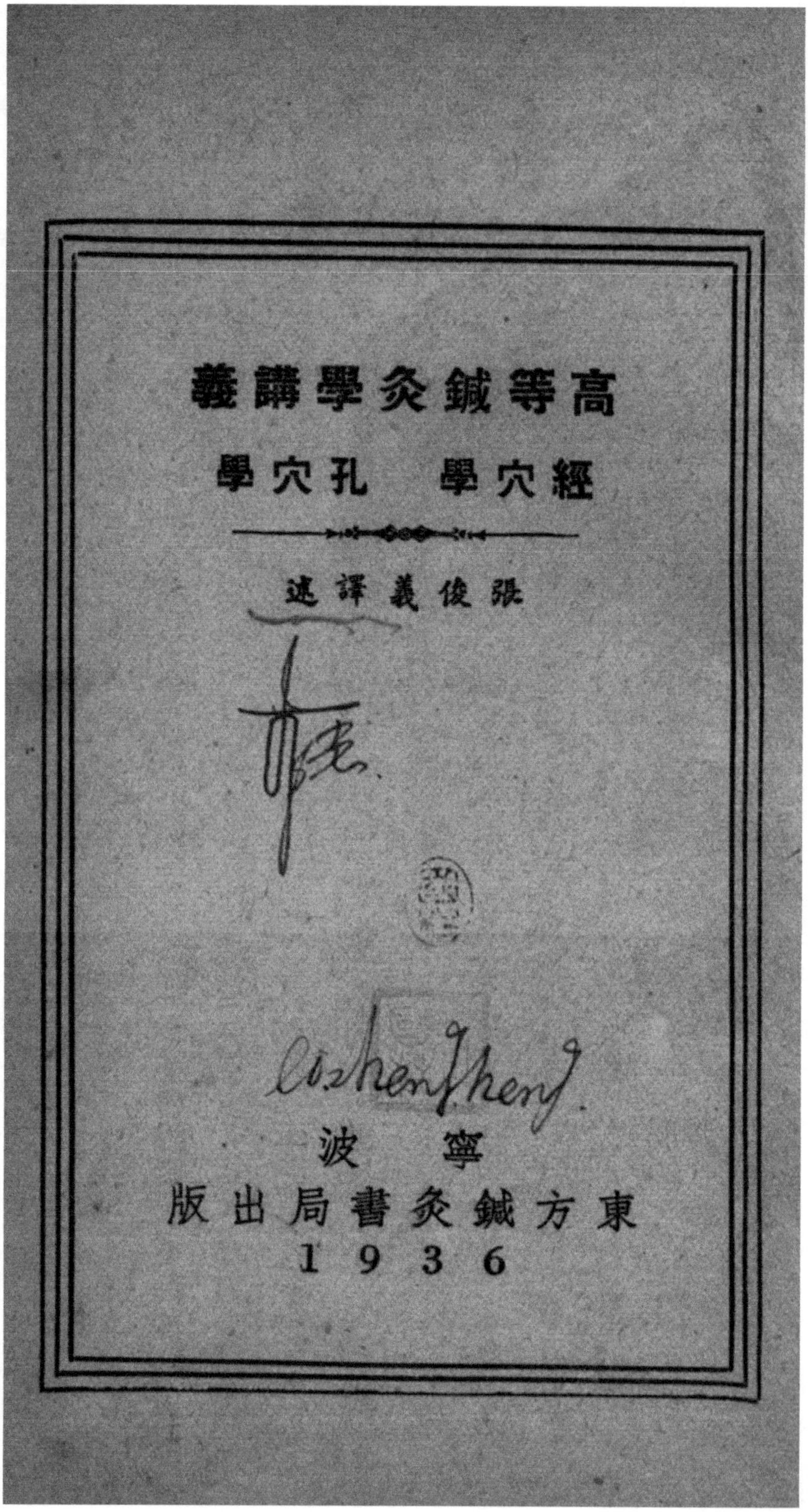

高等鍼灸學講義

經穴學　孔穴學

張俊義譯述

寧波

東方鍼灸書局出版

1936

經穴學孔穴學合編序

經穴之名。由來舊矣。孔穴之名。則肇自日本文部省之經穴審查委員會。邃古之世人民不知所謂科學。其所謂學說者。理想而已矣。神話而已矣。然其理想神話。未嘗不寓乎哲理。故其治療法。往往與今日所謂科學的治療法。若合符節。然以今日學術大同時代。而猶持其五千年前之學說。嘵嘵號於世曰。吾哲學。吾哲學。人不將笑其愚騃。則將目爲癲痫矣。況吾國醫學。習於讖緯。謬誤綦多。方待改正。顧可墨守陳法。不知所整理耶。日本以蕞爾三島地。自明治維新以來。科學進步。一日千里。而醫學之改進。尤足稱雄世界。二十年來。對於藥物療法。既已邁進無已。近因美邦海氏神經過敏帶。暨各種脊椎療法。其治療點頗與我國針灸經穴之部位相吻合。因復有提倡針灸術之舉。本科學之原理。謀澈底之改良。所選孔穴百二十有一個。審愼考查。歷時至五年之久。始克告成。頒布於世。一時醫博專家。翕然從之。以視吾國西醫家略識皮毛。對於吾國醫學。抵瑕蹈隙。惟恐其不速亡者。其度量相去爲何如也。俊義西醫家也。學殖淺薄。不足以備師資。然十餘年來。提倡物理療法之徵志。自問未嘗少懈。人謂作繭自縛。吾則茹蓼自甘。區區之心。或爲同志所樂許耶。本書博采旁搜。悉本科學。首述位置。明經穴部位之所在也。次解剖的部位。記主穴與神經血管之關係也。次療法。述刺針之深淺。暨灸灶之多寡也。次主治。說明局部症狀之治法。俾讀者得自由取穴。不爲整個的症候所束縛也。次孔穴學。取穴百二十有一個。則用日本文部省所訂定之同指寸法。末附海氏帶說明。以與經穴學孔穴學相互對照。自得相映成趣之樂。全書十五萬言。比針治學灸治學講義。紙數且倍其半。而校訂考覈。費時至三閱月之久。雖不敢謂爲經穴學絕後之紀錄。而在我國。謂爲空前之創作。或可無作焉。是爲序。

中華民國二十年十二月四明張世鑣俊義序

凡例

一、本書以日本東京鍼灸醫學研究所講義錄爲藍本。旁參諸家學說。斟酌取舍。煞費經營。讀者宜勤加記誦。熟爛胸中。庶免臨症檢覓之煩。

二、經穴圖六幅。用八十磅道林紙精印。讀者宜與經穴學及孔穴學相互對照。不但事半功倍。且部位亦易正確。

三、骨度法係依照同身寸骨度法分寸。與所列經穴圖尺寸悉相吻合。讀者宜依此爲準。

四、所記經穴。係依照解剖學部位分類。俾初學者易於檢查。但舊針灸醫師習於十四經經穴。本局已出版之人體寫眞十四經經穴圖譜。可以對照而資參考。

五、經穴記載順序首位置。定部位之所在也。次解剖的部位。明其部位與血管神經之關係也。次療法。知宜針宜灸。暨刺針之分寸。灸炷之多寡也。次主治。適應之疾病附焉。條分縷晰。尚稱簡明。讀者熟誦於胸。於經穴治病之原理。思過半焉。

六、經穴爲治病最要之關鍵。故本書搜羅各家學說。參互考訂。不厭其詳。間有出入。由編者附加案語。旁註出處。俾讀者斟酌施用。無模稜不明之弊。

七、主治或記病名。或記症狀。悉照原書譯述。讀者對於病名。或有症狀不明之處。俟病理學中詳述之。

八、孔穴學記穴名百二十有一。係本日本文部省審定之孔穴編訂。取寸法以術者之指（小兒以被術者之指）爲標準。簡明確當。尤便實用。

九、海氏帶於診斷上有重大之價值。編者譯其大要。附於卷末。並附插圖四個。俾便參照。

十、校讎之難。如掃落葉。本書遺訛之字。雖經校勘訂正。誠恐仍有遺漏之處。幸祈讀者賜以校正。惠函指示。俾重版時得以改正。

高等針灸學講義目次

經穴學及孔穴學

甲　經穴學

第七節 側腹部

第八節 背部

第九節　腰　部

第十節　上肢

乙　孔穴學

海氏帶與針灸術

經穴學孔穴學目次終

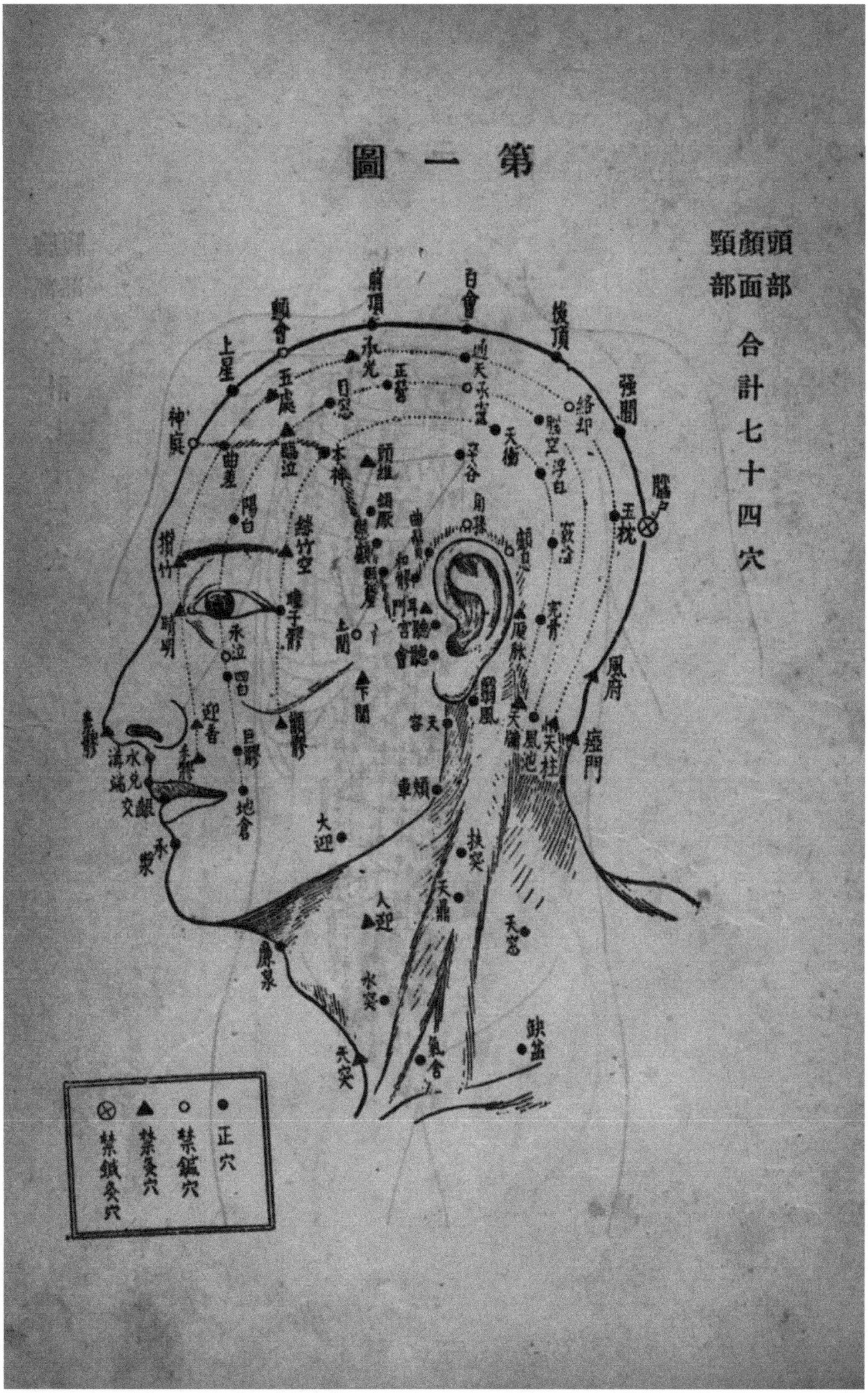
第一圖
頭部
顏面部
頸部
合計七十四穴
百會
前頂
後頂
上星
神庭
強間
風府
瘂門
天柱
風池
人迎
天鼎
扶突
水突
氣舍
缺盆
天突
廉泉
承漿
大迎
頰車
地倉
巨髎
四白
承泣
睛明
攢竹
絲竹空
瞳子髎
陽白
曲差
五處
承光
通天
絡却
玉枕
浮白
本神
頭維
天衝
下關
上關
聽會
聽宮
耳門
翳風
天容
迎香
正穴
禁鍼穴
禁灸穴
禁鍼灸穴

第二圖

胸部
腹部 合計七十二穴

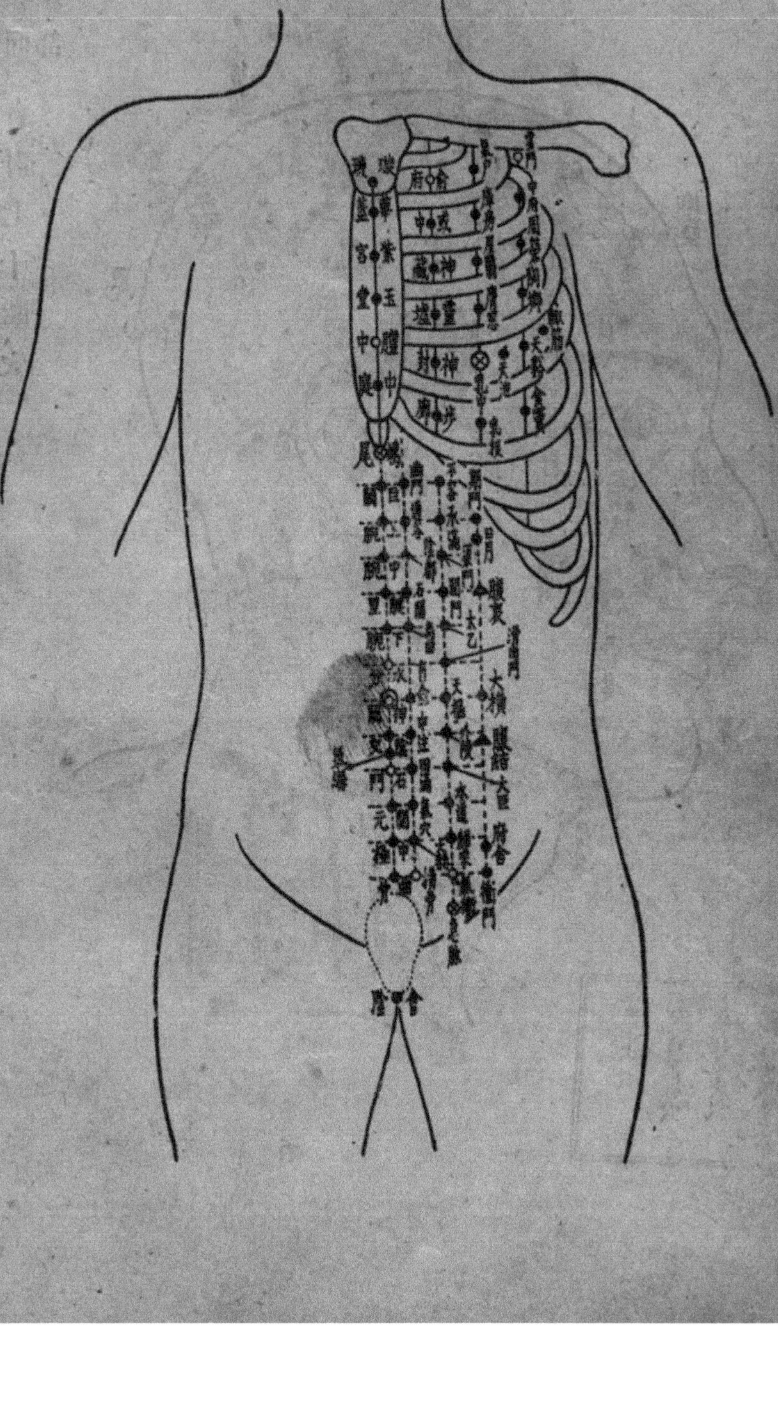

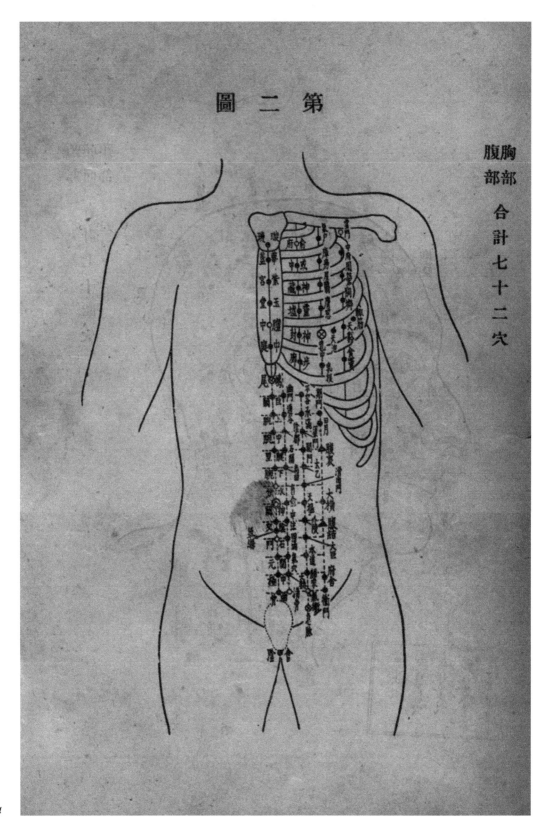

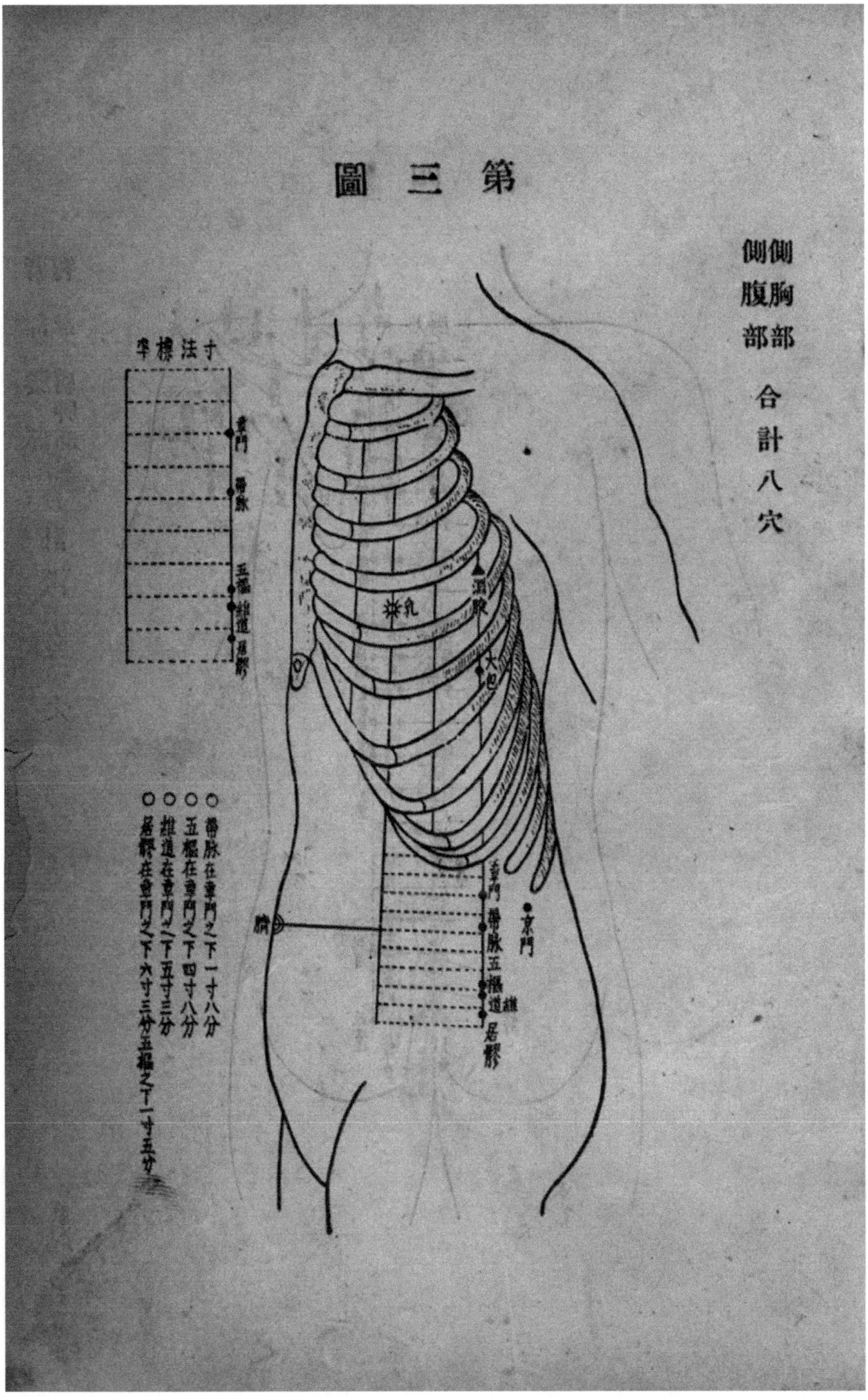
第三圖
側胸部
側腹部
合計八穴
寸法標準
章門
帶脈
五樞
維道
居髎
淵腋
大包
臍
京門
○帶脈在章門之下一寸八分
○五樞在章門之下四寸八分
○維道在章門之下五寸三分
○居髎在章門之下六寸三分五樞之下一寸五分

第四圖

背部 腰部
臀部 肩胛部
合計六十三穴

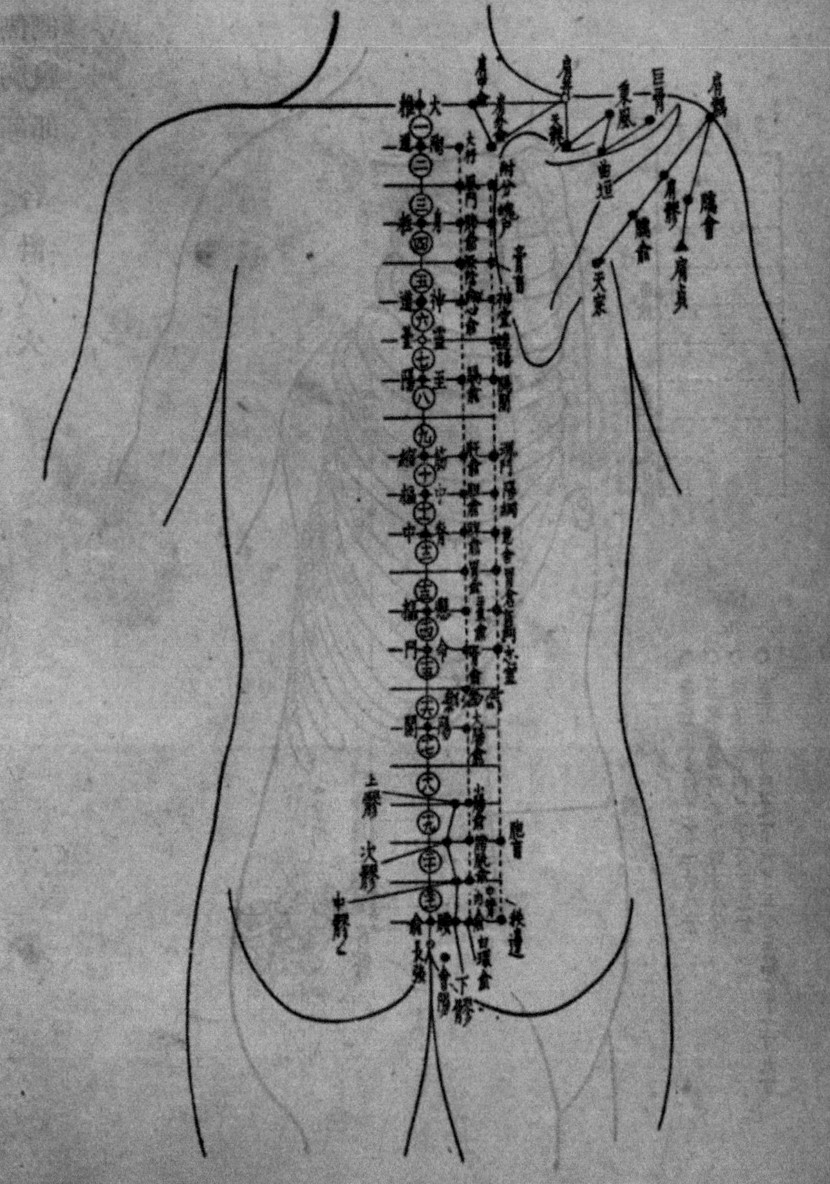

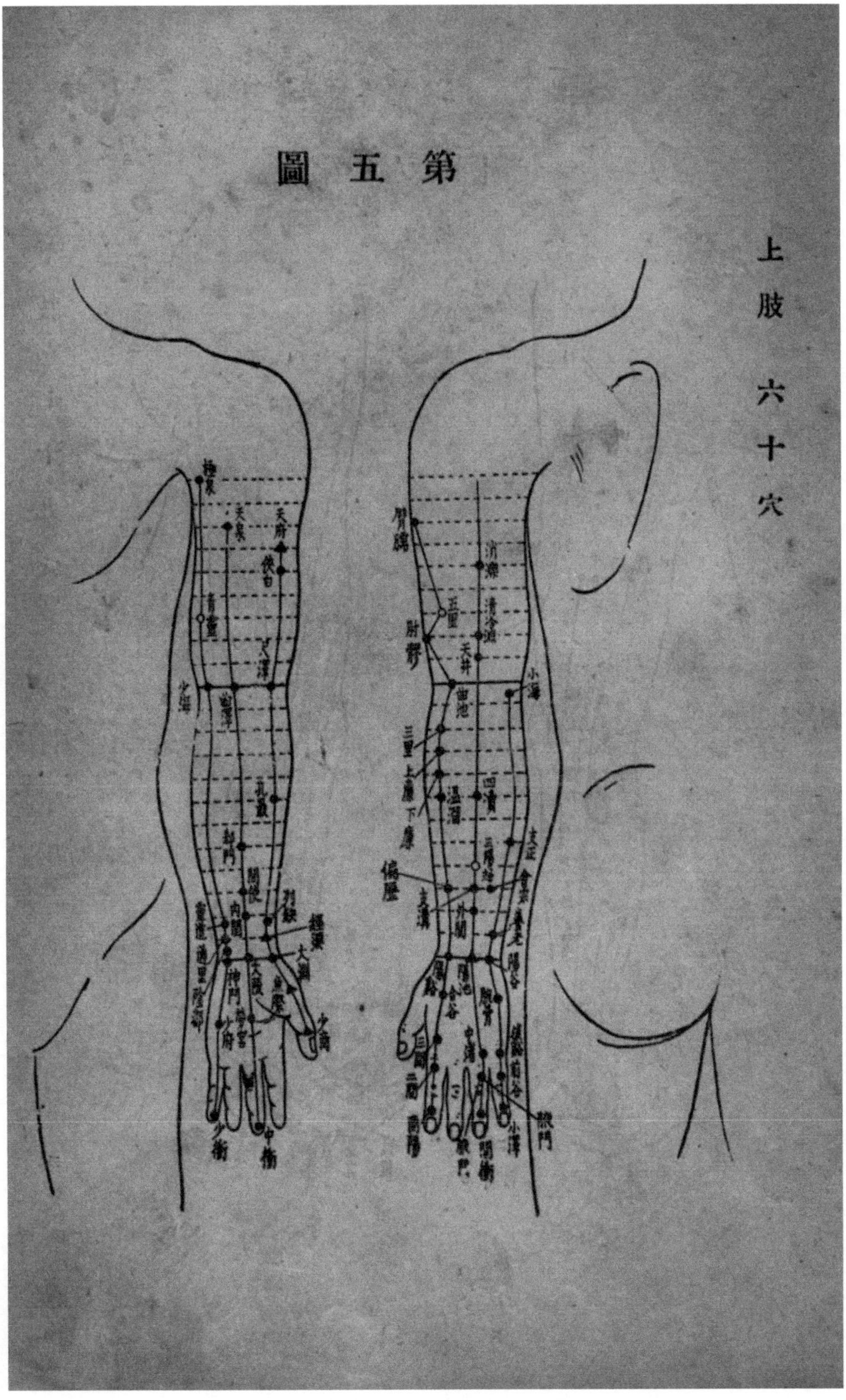
第五圖
上肢六十穴

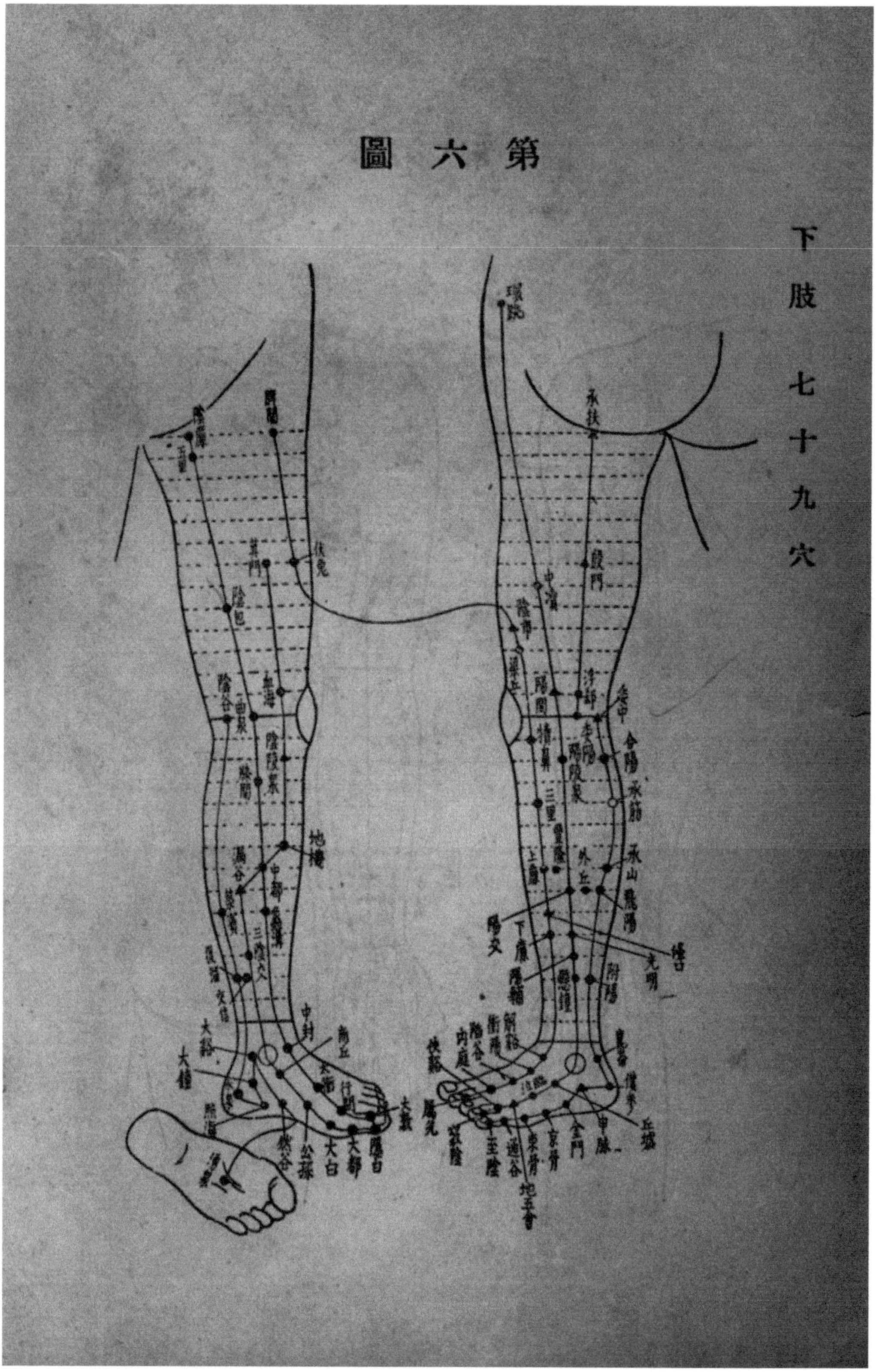
第六圖
下肢七十九穴
環跳
承扶
殷門
委中
合陽
承筋
承山
飛陽
光明
附陽
崑崙
僕參
申脈
金門
京骨
束骨
通谷
至陰
地五會
丘墟
髀關
伏兔
箕門
陰包
陰谷
曲泉
血海
陰陵泉
膝關
地機
漏谷
中都
築賓
三陰交
復溜
交信
大谿
大鐘
照海
然谷
公孫
大白
大都
隱白
商丘
中封
太衝
行間
大敦
中瀆
陰市
梁丘
陽關
浮郄
委陽
犢鼻
陽陵泉
三里
上廉
豐隆
外丘
陽交
下廉
陽輔
懸鐘
解谿
衝陽
陷谷
內庭
厲兌
俠谿
竅陰

高等鍼灸學講義

日本東京鍼灸醫學研究所所長猪又啓巖原本
中國東方鍼灸書局主任張俊義譯述

中國寧波東方鍼灸書局藏版

經穴學及孔穴學

甲　經穴學

經穴學。在鍼灸醫術。爲最重要且不可或缺之必修學科也。依古人之所述。人體有手足三陰三陽之十二經。通氣血道。所謂十二經者。卽手太陰肺經。手少陰心經。手厥陰心包經。手陽明大腸經。手太陰小腸經。手少陽三焦經。足太陰脾經。足少陰腎經。足厥陰肝經。足陽明胃經。足太陽膀胱經。足少陽膽經是也。其位皆在左右。又別之爲奇經八脈、曰腎脈。曰任脈。曰陽蹻脈。曰陰蹻脈。曰陽維脈。曰陰維脈。曰衝脈。曰帶脈。其中督脈走體後之正中。任脈走體前之正中。以此二脈。合前述之十二經，是謂十四經。即宜於施行鍼灸之徑路也。故曰經穴。

穴之數。據十四經發揮所載。（按十四經發揮。爲我國元代滑伯仁著。）其總數爲六百五十七穴。正中五十一穴。左右各三百有三穴，合之爲六百六十六穴。以十四經分配之如次手太陰左右各十一穴。手少陰左右各九穴。手厥陰左右各九穴。手陽明左右各二十穴。手太陽左右各十九穴。手少陽左右各二十三穴。足太陰左右各二十一穴。足少陰左右各二十七穴。足厥陰左右各十三穴。足陽明左右各四十五穴。足太陽左右各六十三穴。足少陽左右各四十三穴。督脈正中二十七穴。任脈正中二十四穴。

尚有阿是穴。一名天應穴。本編從略。

以上所述、譯自日本奥村三策氏之按摩針灸學。俾讀者得明經穴學十四經之名稱及其部位。茲爲便於學者之研究。仍準據猪又啓巖氏之經穴學及孔穴學。譯述該氏原本。係依解剖學的骨學分類。自頭部順次記述。據該氏原本言身體片側。其數合計有三百五十六穴。其中五十二穴。在身體之正中。（按奥氏本身體正中爲五十一穴）三百四穴。各在其左右。（按奥氏本。身體左右各爲三百三穴）合計之其總數爲六百六十穴云。是與奥氏本又少有出入矣。因就奥氏本之說有疑義者而並存之。旁參吾國之甲乙經俾便讀者之參證。

第一章　骨度法

凡定穴而用尺度。隨身體之大小肥瘦而異。故不能用異之尺度。古人所定之骨度法。或從某處與某處之間。假定幾寸。用造尺度。以爲測度。此卽折量分寸之法。名曰同身寸。又有合患者之拇指與中指之端。造成環狀，（男左、女右）於中指第二節之撓側至橫皺之間定爲一寸之法。名曰同指寸。此法因身體之肥瘦，指之長短。難得正穴。故不甚用。今舉同身寸骨度法之分寸如左。術者對於各人之肥瘦長短。小兒婦人及發育不全者。不可不斟酌其尺度。

一　人之身長七尺五寸

二　頭之大骨周圍二尺六寸。

（案頭之大骨。頭蓋骨也。）

三　自前髮際至後髮際。一尺二寸。

（案：前髮際在眉上三寸之處。後髮際在第七頸椎上三寸之處。）

四　自前髮際至頤一尺。

五　自額角至天柱骨一尺。

（案：額角。在額之兩側。天柱骨。在鎖骨之外端。與肩峯突起相連之處。）

六　兩顴骨之間相去七寸。

註：甲乙經九寸半。

（案：此言顴骨結節）

七　耳之前。當耳門。廣一尺三寸。

（案：耳門在耳角（耳翼之前隆起）之上。其廣自右耳門至左耳門間。）

八　耳之後。當完骨。廣九寸。

（案：完骨乳嘴突起也。廣與前同自右至左間。）

九　自後髮際至背骨三寸。

註：奥氏本二寸五分。甲乙經三寸五分。

：(案背骨爲第七頸椎棘狀突起。)

十 自結喉至缺盆之中四寸。

：(案結喉爲喉頭之隆起。(卽甲狀軟骨。)缺盆。鎖骨也。故爲缺盆之中。與兩鎖骨之間。不可誤缺盆之穴。)

十一 胸之周圍四尺五寸。

：(案宜以乳頭之高處測之。)

十二 兩乳之間。九寸五分。(按兩乳之間。應照大成橫折作八寸。)

十三 自缺盆至髑骭九寸。

：(案缺盆爲胸骨上窩。髑骭爲胸骨劍狀突起。)

十四 腋中不見之處四寸。

：(案此言自肩峯鎖骨關節至腋窩之長度。)

十五　自腋至季脇。一尺二寸。

：(案腋爲腋窩季脇爲第十一肋骨之前端。)

十六　自季脇至髀樞。六寸。

：(案髀樞。大轉子也。)

十七　腰之周圍。四尺二寸。

；(案以臍之高處測之。)

十八　自髑骬至天樞。八寸。

(案天樞言臍。不可誤天樞之穴。)

十九　自天樞至橫骨。六寸五分。

：(案橫骨爲恥骨軟骨接合之處。)

二十　自膂骨至尾骶。二十一節。長三尺。

：(案膂骨爲第一胸椎棘狀突起。尾骶爲尾閭骨。)

二一：自肩至肘。一尺七寸。
（案：肩爲肩峯突起。肘爲鶯嘴突起。）

二二：自肘至腕中横紋。一尺二寸。
註：奥氏本甲乙經皆一尺二寸五分。
（案：腕中横紋。在腕關節横紋處。）

二三：自腕中横紋至中指本節四寸。

二四：自中指本節至其端四寸五分。

二五：自横骨上廉至内輔上廉。一尺八寸。
（案：横骨者。恥骨軟骨接合處也。上廉者。上緣也。内輔者。爲膝内側之骨。而大腿骨之内關節踝與脛骨之内關節踝相合處也。）

二六：自内輔之上廉至下廉。三寸五分。
（案：上廉者。上緣也。下廉者。下緣也。）

二七　自髀樞至膝。一尺九寸。

：(案髀樞者。大轉子也。)

二八　自內輔之下廉至內踝。一尺三寸。

二九　自外輔之下廉至外踝。一尺四寸。

三十　自膝臏至跗屬。一尺六寸。

：(案跗屬。當跟骨之外側。)

三一　自內踝至地三寸。

：(案地者。地面也。即足着地之處。)

三二　自外踝至京骨三寸。

：(案京骨爲第五蹠骨後端外側突出之處。所謂第五蹠骨結節者是。)

三三　自京骨至地一寸。

註：奥氏本自京骨至地三寸。甲乙經京骨以下至地長一寸。

三四　自跗屬至地三寸。

三五　足之長一尺二寸。

（案足長爲自踵至趾處。）

三六　足之廣四寸五分。

（案以足蹠之最廣處計之。）

第二章　穴名及部位

註：穴名之上。記有○之符號者。爲禁鍼穴。▲之符號者爲禁灸尺。□之符號者爲禁鍼灸穴。以下準之。

第一節　頭蓋部（參照第一圖）

（一）沿眉間中央自前頭之髮際。走頭部正中線。至後頭髮際。凡十穴。

【一】○神　庭　（禁鍼）

位置　鼻上。入前髮際五分。

解剖的部位　在前頭骨部。有前頭筋。循鼻前頭動脈。分布前頭神經。
療法　灸五壯。
主治　前額神經痛。眩暈。急性鼻加答兒。淚腺加答兒。嘔吐。

【二】上星

位置　鼻上中央入前髮際一寸。
解剖的部位　在前頭骨部。有前頭筋。循鼻前頭動脈。分布前頭神經。
療法　鍼二分。灸五壯。
主治　顏面充血。前額神經痛。鼻茸。鼻孔閉塞。衄血。角膜白翳。眼球充血。間歇熱。

【三】〇顖會　（禁針）

位置　在上星之後一寸。陷中。（按：奧氏本言。當大顖門。）
解剖的部位　在前頭骨上緣。顱頂骨縫合部。帽狀腱膜中。循淺顳顬動脈。分布前頭神經。
療法　針一分。灸三壯。

（注意）小兒滿七歲以下。顖門尙未縫合。鍼灸皆爲禁穴。

主　治　腦貧血性頭痛。眩暈。顏面蒼白。衄血。顏面充血。多眠症。

按：是穴參查日本諸書。或言禁針。或言針灸良。但於療法則皆言針一分。灸三壯。而甲乙經獨言刺入四分。灸五壯。應以日書爲準。此係險穴。初學以不針爲宜。

【四】前　頂

位　置　顖會之後一寸五分。

解剖的部位　在頭蓋之正中線。左右顱頂骨之縫合部。帽狀腱膜中。循顳顬動脈之前枝。及顏面靜脈之分枝。分布前額神經。

療　法　針二分。灸三壯乃至七壯。

主　治　腦充血。腦貧血。顏面充血。水腫病。小兒搐搦。鼻茸等。

【五】百　會

位　置　前頂之後一寸五分。在頂之中央旋毛之中。

解剖的部位　在顱頂部帽狀腱膜中。循淺顳顳動脈。及後頭動脈之各終枝。分布大後頭神經。

療法　針三分。灸七壯。

主治　頭痛。眩暈。中風。腦神經衰弱。腦貧血。癲癇。鼻茸。脫肛。痔疾。

【六】後頂

位置　百會之後一寸五分。

解剖的部位　在顱頂骨矢狀縫合之後端部。有帽狀腱膜。循後頭動脈。分布大後頭神經。

療法　針三分。灸五壯。

主治　腦充血。眩暈。神經性偏頭痛。頭頂部痙攣。癲癇。

【七】強間

位置　後頂之後一寸五分。

解剖的部位　在矢狀縫合之後端。後頭骨與顱頂骨之間。即三角縫合部。帽狀腱膜中。循後頭動脈。分布大後頭神經。

療法　針二分。灸五壯。

主治　頭痛。眩暈。嘔吐。涎沫。歇斯的里。

【八】○腦戶（禁針）

位置　強間之後一寸五分。枕骨之上。

（案：枕骨。一名外後頭結節。）

解剖的部位　在帽狀腱膜中。循後頭動脈。分布大後頭神經。

說明　禁針禁灸。療法主治從略。

按：是穴日本諸書列於禁針。而未嘗言及禁灸。但皆無療法主治。玉森氏經穴醫典獨言。此爲禁針禁灸穴。療法主治從略。是當爲禁針禁灸無疑。考諸甲乙經。言此別腦之會。不可灸。令人瘖。素問刺禁論云。刺頭中腦戶。入腦立死。獨王冰註云。灸五壯。又骨空論云。不可妄灸。銅人經云。禁不可灸。灸之令人瘂。其實腦爲貴重之器。入腦立死之說。確可深信。灸則立暈。所謂瘖者瘂者。殆亦經驗有得而言。宜列禁針禁灸穴。庶讀者不至冒險嘗試。

【九】▲風府（禁灸）

位　置　項之下。入髮際一寸。在大筋之中。

註：入項之髮際一寸。故在後頭部。

解剖的部位　在後頭骨後部與第二頸椎之間陷凹部。僧帽筋間。循後頭動脈。分布大後頭神經。其深部有延髓。

療　法　針三分。

主　治　頭痛。頸項神經痛。衄血。咽喉加答兒。精神病：中風。黃疸。

【十】瘂　門（禁灸）

位　置　項之上入後髮際仰頭取之。

解剖的部位　在第一頸椎與第二頸椎之間。僧帽筋起始部。循後頭動脈之分枝。分布頸椎神經之後枝。其深部有延髓。

療　法　針三分。　禁深刺。

主　治　舌骨筋痲痺。舌下軟瘤（卽重舌）咽喉炎。腦充血。腦膜炎。衂血。脊髓炎。

（二）沿眼之內眥自前頭髮際離頭部正中線外側一寸五分。並行於正中線至項部綫。凡七穴。

【一】曲　差

位　置　神庭之旁一寸五分。入髮際。

解剖的部位　在前頭骨部前頭筋。循鼻前頭動脈。分布前頭神經。

療　法　針三分。灸三壯乃至五壯。

主　治　頭痛。顏面神經痛及痲痺。顱頂部之掀衝。心臟肥大。視力缺乏。鼻孔閉塞。衂血。鼻茸。鼻瘡。

【二】五　處

位　置　曲差之後一寸。上星之旁一寸五分。

解剖的部位　在前頭骨部。前頭筋中。循鼻前頭動脈分布前頭神經。

療　法　針三分。灸三壯乃至五壯。

主　治　癲癇。頭痛。發熱。眩暈。視力缺乏。背脊神經痛。

【一三】▲承　光　（禁灸）

位　置　五處之後一寸五分。

解剖的部位　在前頭骨與顱頂骨之縫合部。有蝸狀腱膜。循淺顳顬動脈。分布顏面神經之顳顬枝。

療　法　針三分。

主　治　頭痛。眩暈。鼻茸。鼻孔閉塞。角膜白翳。

【一四】通　天

位　置　承光之後一寸五分。

解剖的部位　在顱頂骨部。當顱頂結節之後內方。循顳顬動脈後枝。分布顏面神經之顳顬枝。

療　法　針三分。灸三壯乃至五壯。

主　治　鼻加答兒。鼻腔閉塞。衄血。鼻瘡。口部諸筋收縮。顱頂部痙攣。慢性氣管支炎。三叉神經痛。

【一五】○絡　却　（禁針）

位　置　通天之後一寸五分。

解剖的部位　在顱頂骨與後頭骨聯接處。即後頭筋停止部也。循後頭動脈。分布大後頭神經。

療　法　針三分。灸三壯乃至五壯。

按：是穴日本諸書。列入禁針。而療法仍言針三分。甲乙經未列禁針。亦言刺入三分。

主　治　後頭筋及僧帽筋痙攣。綠內障。耳鳴。精神病。

【一六】○玉枕（禁針）

位　置　絡却之後一寸五分。

解剖的部位　在後頭骨部。有後頭筋。循後頭動脈。分布大後頭神經。

療　法　針三分灸三壯乃至五壯。

案：是穴日本諸書。列入禁針。而療法仍言針三分。甲乙經不列禁針。亦言刺入三分。

主　治　眼球神經痛。顏面神經痛。眩暈。頭痛近視眼。嗅能減退。多汗症。

【一七】▲天柱（禁灸）

位置　頸大筋外廉項旁。

解剖的部位　在後頭骨之上項線之下。當僧帽筋停止部之外側。循後頭動脈。分布大後頭神經。

療法　針三分乃至五分。

主治　頭痛。頸後部痙攣。咽喉加答兒。鼻腔閉塞。嗅能減退。衄血。

(三)沿眼之瞳孔。自前頭髮際離頭部正中線外側三寸。至項部線。凡六穴。

【一八】▲臨泣（禁灸）

位置　目瞳之上入髮際五分。

解剖的部位　在前骨頭部。前頭筋中。循上眼窩動脈。分布上眼窩神經。及顏面神經之顳顬枝。

療法　針三分。灸五壯乃至十壯。

案：原本列入禁灸。而其他各書暨甲乙經。皆未列禁灸。

主治　角膜白翳。淚液過多。外眥充血。癲癇。蓄膿症。腦溢血。中風。

【一九】目窗

位　置　臨泣之後一寸。

解剖的部位　在顱頂部帽狀腱膜中。循淺顳顬動脈之分枝分布上眼窩神經。

療　法　針三分。灸五壯。

主　治　眼球充血。眩暈。視力缺乏。顏面浮腫。頭痛。蓄膿症。惡寒發熱。

【二十】正　營

位　置　目窗之後一寸。

解剖的部位　在顱頂骨部。帽狀腱膜中。循後頭動脈之分枝分布上眼窩神經。

療　法　針三分。灸五壯。

主　治　眩暈。頭痛。齒痛。

【二十一】○承　靈　（禁針）

位　置　正營之後一寸五分。

解剖的部位　在顱頂骨結節之後方。有帽狀腱膜。循淺顳顬動脈之分枝分布大後頭神經。

療　法　針三分灸五壯。

案：是穴日本諸書列入禁針，而療法仍言針三分。甲乙經未列禁針。亦言刺入三分。

主　治　衄血。喘息。頭痛發熱惡寒。

【二二】腦空

位　置　承靈之後一寸五分

解剖的部位　在後頭結節之外側。後頭筋部。循後頭動脈。分布大後頭神經。

療　法　針三分。灸五壯。

主　治　肺結核。僧帽筋痙攣。頸項部痙攣。心悸亢進。

【二三】風池

位　置　腦空直下。後頭骨之下。髮際陷中。

解剖的部位　在後頭骨下緣。當耳後乳嘴突起尖端。與項部正中之中間。僧帽筋與胸鎖乳嘴筋之間之夾板筋中。循後頭動靜脈。分布小後頭神經。及頸椎神經之後枝。

療　法　針六分灸七壯乃至十壯。

主　治　間歇熱。頭痛。眩暈。衄血。欠伸。淚液過多。眼球充血。視力缺乏。或頸項部諸筋痙攣。咽喉加答兒半身不遂(中風)腦神經衰弱。迷走神經痛。副神經痲痺。

(四)額部凡二穴。

【二四】攢竹

位　置　眉頭之陷中。

解剖的部位　在前頭骨之下際。眉弓之內端部。有皺眉筋。循鼻前頭動脈。分布前頭神經。上眼窩神經。

療　法　針二分。灸五壯。

主　治　角膜白翳。夜盲。視力缺乏。淚液過多。眩暈。前額神經痛。

【二五】陽白

位　置　眉上一寸。直瞳子。

解剖的部位 在前頭骨部。前頭筋中。循上眼窩動脈，分布上眼窩神經。

療法 針二分。灸三壯。

主治 眼球疼痛。夜盲。三叉神經痛。顏面麻痺及痙攣。

（五 顳顬部凡六穴。

〔二六〕▲絲竹空（禁灸）

位置 眉後之陷中。

解剖的部位 在前頭骨眉弓突起部。前頭筋起始部。循淺顳顬動脈。分布顏面神經之顳顬枝。

療法 針三分。

主治 眼球充血。角膜白翳。頭痛。眩暈。倒毛內刺。顏面神經麻痺。小兒搐搦。

〔二七〕本神

位置 目外眥之上髮際。

解剖的部位 在前頭部。有前頭筋。循顳顬動脈之前枝。及上眼窩動脈。分布三叉神經之分枝。

療法　針三分。灸七壯。

主治　癲癇。腦充血。眩暈。頸項部痙攣。

【二八】▲頭維（禁灸）

位置　本神之旁一寸五分。額角之髮際。

解剖的部位　在前頭骨與顱頂骨縫合部。有前頭筋。循顳顬動脈之前枝，分布顏面神經之顳顬枝。

療法　針三分。

主治　腦充血。前額神經痛。膿漏性結膜炎。(風眼)視力缺乏。淚液過多。顏面神經麻痺。

【二九】頷厭

位置　額角之下。顳顬上廉。

解剖的部位　在前頭骨與顱頂骨縫合部。顳顬筋中。循淺顳顬動脈。分布顏面神經之顳顬枝。

療法　針二分。灸三壯。

主　治　頭痛。眩暈耳鳴上肢關節炎。小兒搐搦。

【三十】懸　顱

位　置　額角之下。顳顬之中。

解剖的部位　在前頭骨顱頂骨之縫合部。顳顬筋中。循淺顳顬動脈。分布顏面神經之分枝。

療　法　針二分。灸三壯。

主　治　腦神經痛。顏面充血。偏頭痛。外眥攣痛。齒痛。

【三一】懸　釐

位　置　額角之下。顳顬之下廉。

解剖的部位　在前頭骨與顱頂骨縫合下部。顳顬筋中。循淺顳顬動脈。分布顏面神經之顳顬枝。

療　法　針二分。灸三壯。

主　治　腦神經痛：顏面充血。偏頭痛。齒痛。

（六）自耳之上部向後方凡六穴。

【三二】率谷

位置　耳上入髮際一寸五分。

解剖的部位　在顱頂骨下端顳顬筋中。循耳後動脈。分布顏面神經顳顬枝。

療法　針三分。灸三壯乃至五壯。

主治　顱頂部疼痛。後頭部及頸部痙攣。

【三三】天衝

位置　耳後。入髮際二寸。

解剖的部位　在上耳翼根之後上部。顳顬筋之上際。即蝴蝶骨乳樣縫合之前際。有耳上筋。循耳後動脈。分布顏面神經之顳顬枝。

療法　針三分。灸三壯乃至五壯。

主治　癲癇。頭痛。齒齦炎。強直痙攣。

【三四】浮白

位　置　耳後。入髮際一寸。

解剖的部位　在耳後。乳嘴突起根之上一寸。顳顬筋中。有耳上筋。循耳後動脈。分布顏面神經之顳顬枝。

療　法　針三分。灸三壯乃至五壯。

主　治　耳鳴。耳聾。齒痛。咳逆。呼吸困難。四肢麻痹。頸項部痙攣。扁桃腺炎。

【三五】竅　陰

位　置　完骨之上。枕骨之下。

（完骨爲乳嘴突起。枕骨卽着枕之所。）

解剖的部位　在乳嘴突起之後上部。卽顳顬骨顱頂骨後頭骨三縫合部也。有耳後筋。循耳後動脈。分布耳後神經。

療　法　針三分。灸三壯乃至七壯。

主　治　腦膜炎。腦充血。三叉神經痛。四肢痙攣。咳逆。耳鳴。耳聾。癰疽。

【三六】完骨

位置 耳後入髮際四分。

解剖的部位 在乳嘴突起之下部。胸鎖乳嘴筋附着部之上際。循耳後動脈。分布耳後神經。

療法 針五分。灸三壯乃至七壯。

主治 顏面浮腫。口裂筋萎縮。言語不正。齒齦炎。中風。

【三七】天牖（禁灸）

位置 頸大筋之外。缺盆之上。大容之後之髮際。

（頸大筋。胸鎖乳嘴筋也。）

解剖的部位 在顳顬骨乳嘴突起之後下部。胸鎖乳嘴筋停止部之後緣。循後頭動脈之分枝。分布小後頭神經及頸椎神經。

療法 針五分。

主治 頸項部痙攣。咽喉加答兒。耳鳴。耳聾。眼球充血。顏面浮腫。

（七）耳之周圍凡十穴。

【三八】聽會

位置　耳前陷中張口得之。

解剖的部位　在下顎骨顆狀突起與顳顬骨之間。循耳前動脈及內顎動脈。分布顏面神經。

療法　針五分。灸五壯。

主治　耳道加答兒耳鳴。耳聾。顏面神經痲痹下顎脫臼。

【三九】聽宮

位置　耳前小尖瓣下角面之中央。

解剖的部位　在咬筋附着部之後緣。循耳前動脈。分布顏面神經及三叉神經。

療法　針二分乃至三分。灸三壯乃至五壯。

主治　耳鳴。耳聾。耳道加答兒。嘶嗄失聲。

【四十】耳門

位置　耳前小尖瓣之前。稍陷處。

解剖的部位　在顳顬筋部。循顳顬動脈。分布淺顳顬神經。

療法　針三分。灸三壯乃至七壯。

主治　耳鳴。耳聾。耳瘡。耳道加答兒。上齒痛。唇吻強硬。

【四一】和髎

位置　耳之前上。銳髮之後。動脈應手。陷中。

解剖的部位　在顳顬骨下端。與顴骨之關節部。耳前筋起始部也。循淺顳顬動脈。分布顏面神經之顳顬枝。

療法　針三分乃至七分。灸三壯乃至五壯。

主治　頭痛。顏面神經痙攣及麻痹。頸頷部組織炎。鼻加答兒。鼻茸。

【四二】曲鬢

位置　耳上之髮際。

解剖的部位　在顳顬骨與顱頂骨之關節部顳顬筋中、循淺顳顬動脈分布顏面神經之顳顬枝。

療　法　針三分灸三壯乃至五壯。

主　治　由酒精中毒而來顱頂部頸部及顳顬部之神經痛及頷頰神經痛。

【四三】〇角孫（禁針）

位　置　耳廓中間之上。

解剖的部位　在耳翼上角之上際顳顬筋中循顳顬動脈耳前動脈分布淺顳顬神經。

療　法　灸三壯乃至七壯。

主　治　角膜白翳齒齦炎唇吻強硬口內炎突目。

【四四】〇顱息（禁針）

位　置　耳翼之後上部青絡脈中。

（靑絡脈皮下靜脈也。）

解剖的部位　顳顬骨部有顳顬筋耳後筋循耳後動脈分布淺顳顬神經及耳後神經。

療　法　灸三壯乃至七壯。
主　治　耳鳴，頭痛。癲癇：

【四五】瘈脈

位　置　耳後之鷄足青絡脈中。
解剖的部位　在顳顬骨部。有顳顬筋。耳後筋。循耳後動脈。分布淺顳顬神經。及耳後神經。
療　法　針一分。灸三壯。
主　治　頭痛。耳鳴。瞳孔不全症。下痢，小兒搐搦，嘔吐。

【四六】翳風

位　置　耳後陷中。按之通耳中。
解剖的部位　在耳下腺部之徼上。乳嘴突起。與下顎枝之中間。咬筋部陷凹中。循顳顬動脈。分布大耳神經。淺顳顬神經之小枝。當顏面神經之耳下腺叢。
療　法　針三分。灸三壯乃至七壯。

主　治　耳鳴。耳聾。顏面神經麻痺。頷頰炎。笑筋萎縮。

【四七】○天容（禁針）

位　置　耳下曲頰之後。

解剖的部位　在胸鎖乳嘴筋部。耳下腺存在處。循後頭動脈。內頸靜脈。分布大耳神經及副神經。

療　法　灸三壯乃至五壯。

主　治　胸膜炎。呼吸困難。頸項部神經痛。耳鳴。耳聾。舌下軟瘤（重舌）。齒齦炎。胸背神經痙攣。瘰瘤。頸項部發生腫物。回顧不能。

第二節　顏面部　參照第一圖）

（一　沿顏面之正中。自鼻尖至下方線。凡五穴。

【四八】▲素髎（禁灸）

位　置　鼻柱之尖端。

解剖的部位　在鼻軟骨尖端部。鼻壓縮筋中。循外鼻動脈。分布外鼻神經。及篩骨神經。

療　法　針一分。
　　　（案甲乙經刺入三分）

主　治　鼻茸。鼻瘡。涙液過多。鼻孔閉塞。衂血。

【四九】　水　溝

位　置　鼻下陷中。

解剖的部位　在鼻柱根與口唇之中央口輪匝筋中。循上唇動脈。及外頸動脈之分枝。分布顏面神經之頰枝及下眼窩神經。

療　法　針二分。灸三壯。

主　治　糖尿病。水腫病。癲癇。腦充血。口眼諸筋收縮及痙攣。

【五十】　兌端

位　置　上唇端之中央。

解剖的部位　在口輪匝筋部。上唇之粘膜。人中之外皮。循外頸動脈之分枝。及上唇冠狀動脈。分布顏面神經之頰枝及下眼窩神經。

療　法　針二分灸三壯。

主　治　癲癇。尿黃色舌乾唇強。

【五一】齦　交

位　置　唇內上齒齦縫之中。

解剖的部位　在上唇裏面之黏液膜部。口輪匝筋中。循口冠狀動脈。分布前上齒槽神經。

療　法　針二分灸三壯。

主　治　鼻茸。鼻塞。頸項神經痛。淚液過多。內眥充血或搔癢。角膜白翳。

【五二】承　漿

位　置　頤之前下唇之下中央陷中。

解剖的部位　在下顎骨頤結節之上部左右方形頤筋之中間。循下唇動脈。及頤動脈。分布顏面神經之枝別。下顎皮下神經。

療法　針二分灸三壯乃至七壯。

主治　中風。顏面神經麻痹。顏面浮腫。糖尿病。齒神經痛。癲癇。

（二）沿眼之內眥方向至下方線。凡三穴。

【五三】▲睛明（禁灸）

位置　目內眥之外一分。

解剖的部位　在眼輪匝筋中有內眼瞼靭帶。循內眥動脈，分布三叉神經第一枝之滑車上神經。

療法　針二分。

主治　角膜白翳。網膜炎。眼球充血或搔癢。夜盲。小兒結膜炎。

【五四】▲迎香（禁灸）

位置　睛明之下。鼻孔之旁。

解剖的部位　在上顎骨犬齒窩之上方。鼻翼下擧筋中，循下眼窩動脈。分布顏面神經及三叉神經之枝，別下眼窩神經。

療法　針三分。

主治　急性鼻加答兒。鼻孔閉塞。嗅能減退。衂血。鼻茸。鼻瘡。顏面神經麻痺。顏面組織炎。

【五五】▲禾髎（禁灸）

位置　鼻孔之下。水溝之旁。

解剖的部位　在上顎骨犬齒窩部。鼻翼下掣筋起始部。方形上唇筋中、循下眼窩動脈及顏面靜脈。分布三叉神經之第二枝。下眼窩神經等。

療法　針三分。灸三壯。

（案：原本灸三壯。玉森氏奧氏本暨甲乙經皆列禁灸。）

主治　急性鼻加答兒。鼻腔閉塞。嗅能減退。衂血。鼻茸。鼻瘡。咬筋痙攣。耳下腺炎。

（三）沿眼之瞳孔方向至下方線凡四穴。

【五六】○承泣（禁針）

位置　目下七分。

解剖的部位　在下眼窩之下緣。眼輪匠筋中。循下眼窩動脈。分布顏面神經並三叉神經之第二枝。卽下眼窩神經。

說明　禁針。禁灸。療法主治。從略。

（案：原本禁針。延命山氏玉森氏本禁針禁灸。奥氏本甲乙經刺三分。不可灸。宜列禁針禁灸穴。）

【五七】四白

位置　目下一寸。瞳孔正直。

解剖的部位　在下眼窩之直下。當上顎之上緣。方形上唇筋中。循下眼窩動脈。分布顏面神經及三叉神經。卽下眼窩神經。出下眼窩孔之邊相當之處。

療法　針三分。灸三壯。

（案：奥氏本刺三分。灸七壯。）

主治　眼球神經痛。瞳子搔癢。角膜白翳。頭痛眩暈。蓄膿症。顏面神經痙攣。

【五八】巨髎

位置　鼻孔之旁八分。瞳孔正直。

解剖的部位　在上顎與顴骨之中間。方形上唇筋中。當齒齦部。循下眼窩動脈分布顏面神經三叉神經之枝別。

療法　針三分。灸五壯。

主治　顏面神經痛及痲痺。角膜炎。眼球青色。綠障眼（青盲）。近視。急性及慢性加答兒蓄膿症。齒神經痛。唇頰部之焮衝。

【五九】地倉

位置　口吻之旁四分。

解剖的部位　在口輪匝筋部。循外顎動脈之枝別。上下唇動脈。分布顏面神經。

療法　針三分。灸五壯。

主治　顏面神經痛及痲痺。不能遠視。由口眼關係之諸筋痙攣或收縮。言語不能。

（四）沿目外眥之方向至下方約凡二穴。

【六十】瞳子髎

位置　目外眥之旁五分。

解剖的部位　在顳顬部前頭骨之顴骨突起與顴骨之前頭突起關節部之後際。眼輪匝筋中。循顴骨眼窩動脈。分布顏面神經之顴骨枝。及顳顬枝。

療法　針五分。灸五壯。

主治　耳道加答兒。耳鳴耳聾。顏面神經痲痺。下顎脫臼。

【六一】▲顴髎（禁灸）

位置　面鳩骨之下廉陷中。

（面鳩骨顴骨結節也。）

解剖的部位　在顴骨筋之起始部。有笑筋。循橫顏面動脈。分布下眼窩神經。咬筋神經。及顏面神經之頰枝。

療法　針三分。

主治　顏面神經麻痺或痙攣上齒神經痛。

（五）自耳前當下顎隅凡四穴。

【六二】上關

位置　耳前起骨之上廉。

（起骨顴骨弓也。）

解剖的部位　在顳顬骨與顴骨及蝴蝶骨之三骨關節部。有顳顬筋。循內顎動脈分布顏面神經之顳顬枝。

療法　灸三壯乃至五壯。

主治　偏頭痛眩暈耳鳴耳聾，口眼喎斜。中風。綠障眼（青盲）齒神經痛口角諸筋痙攣

【六三】▲下關（禁灸）

位置　耳前骨下陷中。

（骨下者。顴骨弓下部也。）

解剖的部位　在下顎骨髁上突起之前方。顴骨弓下端有顳顬筋及咀嚼筋。循橫顏面動脈。分布顏面神經之顴骨枝及三叉神經。

療法　針三分。

主治　下顎脫臼。齒神經痛。顏面神經痲痹。欠伸。眩暈。耳鳴。耳聾。

【六四】　大迎

位置　曲頰前一寸三分。

（曲頰。下頰隅也。）

解剖的部位　在第二大臼齒之下部。三角頤筋及咬筋存在處。當外顎動脈之通路。分布顏面神經之下行枝及下顎神經。

療法　針五分。灸三壯乃至五壯。

主治　顏面痙攣。唇吻痙攣。口噤不開。下齒神經痛。頸部神經痙攣。耳下腺炎。眼球痙攣。

【六五】頰車

位置　曲頰之端陷中。

（曲頰下顎隅也。）

解剖的部位　在下顎骨隅角之前上方咬筋存在。循外顎動脈及咬筋動脈。分布顏面神經之分枝。下顎皮下神經及咬筋神經。

療法　針三分。灸七壯。

主治　顏面神經痛及麻痹。嘶嗄失聲。頷頰炎。頸部諸筋神經痛。或收縮。回顧不能。半身或全身不遂。頷頰部咀嚼不能。

第三節　頸部

（一）當前頸部之正中凡二穴。

【六六】廉泉

位置　頷之下。結喉之上。中央陷中。

解剖的部位　在喉頭結節之上方舌骨之上部。當左右胸骨舌骨筋停止部之中間。循上甲狀腺動脈。分布顏面神經之分枝上頸皮下神經

療法　鍼三分。灸三壯乃至七壯。

主治　氣管枝加答兒喘息。咽喉加答兒。嘔吐。舌下腫。舌根部諸筋萎縮。流涎。口瘡。

【六七】天突

位置　結喉下二寸。陷中。

解剖的部位　在胸骨頸截痕上際之中央。當左右胸鎖乳嘴筋之中間。有胸骨舌骨筋。甲狀舌骨筋。循上甲狀腺動脈。及下甲狀腺靜脈分布下頸皮下神經。深部有氣。

療法　針三分。灸三壯乃至七壯。

說明　刺針之際。針尖向下方刺入。

主治　顏面充血。喘息。聲[illegible]筋痙攣。咽喉加答兒。扁桃腺炎。急性舌骨筋麻痺。言語不能。嘔吐。良性腫瘤。腸寄生蟲。（喘息應用灸治。）

(二)前頸部胸鎖乳嘴筋之前後。凡七穴。

【六八】▲人迎（禁灸）

位　置　在結喉之旁一寸五分。

解剖的部位　在胸鎖乳嘴筋之前緣深部。有咽頭及喉頭。循外頸動脈。深部通內頸動脈，分布舌下神經下行枝。及上頸皮下神經。當迷走神經經路之附近。

說　明　禁針禁灸穴。療法主治從略。

（案：是穴原書及玉森氏本。皆言禁針禁灸穴。奥氏本甲乙經載刺入四分。不可灸。甲乙經更言刺入過深。不幸殺人。）

【六九】水突

位　置　頸大筋之上，人迎之下、氣舍之上，

（大筋，胸鎖乳嘴筋也。）

解剖的部位　在甲狀軟骨下緣之外方。胸鎖乳嘴筋之前緣。循外頸動脈深部。通內頸動脈，分布

舌下神經下行枝。及上頸皮下神經。當迷走神經經路之附近。

療法　針三分。灸三壯。

主治　扁桃腺炎。氣管枝炎。喘息。咽喉炎。百日咳。

【七十】氣舍

位置　人迎之下。天突之旁。陷中。

解剖的部位　喉頭環狀軟骨正中之兩旁一寸五分。胸鎖乳嘴筋之兩頭間。卽自鎖骨與胸骨突起之兩頭間。循深部總頸動脈。分布下頸皮下神經及副神經。

療法　針三分。灸三壯。

主治、扁桃腺炎。氣管枝炎。喘息。咽喉炎。百日咳。

【七一】扶突

位置　人迎之後一寸五分。

解剖的部位　在甲狀軟骨之外後部。胸鎖乳嘴筋之中。循橫頸動脈。分布下頸皮下神經。大耳神經。及迷走神經之經路。

療　法　針四分。灸三壯。

主　治　咳嗽。氣喘。唾液分泌過多。急性舌骨諸筋麻痺。

【七二】天　鼎

位　置　扶突之下，與氣舍相隔一筋。

解剖的部位　在胸鎖乳嘴筋之後緣闊頸筋中。循橫頸動脈及外頸靜脈。分布下頸皮下神經。並鎖骨上神經。筋下有迷走神經幹下行胸腔內。

療　法　鍼四分。灸三壯乃至七壯。

主　治　扁桃腺炎咽喉炎舌骨筋麻痺。

【七三】天　窗

位　置　天容之下扶突之後。

解剖的部位　在胸鎖乳嘴筋之前方。循外頸動脈及內頸動脈。分布鎖骨上神經。及下頸皮下神經。

療法 針三分。灸三壯。

主治 半身不遂。（中風）頰頷炎。頸部及肩胛部痙攣。耳聾。耳鳴。

【七四】 〇缺盆（禁針）

位置 氣舍之後，橫骨之上。陷中。

解剖的部位 在大胸筋及闊頸筋。循鎖骨下動靜脈。分布下頸皮下神經。及鎖骨上神經。

療法 針四分。灸三壯。

主治 喘息。胸膜炎。頸部及肩胛部諸筋焮衝。神經痛。扁桃腺炎。瘰癧。

第四節　胸部（參照第二圖）

（一）沿胸部正中綫當胸骨部。凡六穴。

【七五】 璇璣

位置 天突之下一寸。

解剖的部位　在胸骨體部。當左右第六肋間之中央。循內乳動脈分枝分布肋間神經。

療法　針三分。灸五壯。

主治　胸膜神經痛及痲痺。肺充血。扁桃炎腺。喘息。食道狹窄。胃痙攣。

【七六】華蓋

位置　璇璣之下一寸。

解剖的部位　在胸骨把柄與胸骨體之界。循內乳動脈分枝分布肋間神經之前穿行枝。

療法　針三分灸三壯。

主治　喘息。氣管枝加答兒。胸膜炎。肺充血。扁桃腺炎。咽喉加答兒。聲門筋痙攣。

【七七】紫宮

位置　華蓋之下一寸六分。陷中。

（案：古書一寸六分。原書以古今人身長不同。假定一寸。今照古書尺寸改正。）

解剖的部位　在胸骨體部。循內乳動脈分枝。分布肋間神經前穿行枝。

療　法　針三分灸五壯。

主　治　胸膜炎。食道狹窄。肺充血。肺結核。氣管枝加答兒。胃出血。

【七八】玉　堂

位　置　紫宮之下一寸六分（依古書）

解剖的部位　在胸骨體部。循內乳動脈分枝。分布肋間神經前穿行枝。

療　法　針三分。灸五壯。

主　治　胸膜炎。喘息。嘔吐。

【七九】○膻中（禁針）

位　置　玉堂之下一寸六分。（依古書）

解剖的部位　在胸骨體部。循內乳動脈分枝。分布肋間神經前穿行枝。

療　法　灸二壯。

主　治　胸膜神經痛。食道狹窄。食道癌。氣管枝炎。乳閉。小兒吐乳。

【八十】中庭

位置　膻中之下一寸六分。(依古書)

解剖的部位　在胸骨體部。當左右第六肋間之中央。循內乳動脈分枝。分布肋間神經。

療法　針三分。灸五壯。

主治　肺充血。喘息。扁桃腺炎。食道狹窄。嘔吐。小兒吐乳。

(二)離胸部正中綫之外側二寸。當副骨線。凡六穴。

【八一】俞府

位置　巨骨之下。璇璣之旁二寸。

(巨骨。鎖骨也。)

解剖的部位　在大胸筋中。循鎖骨下動靜脈及內乳動脈。分布前胸廓神經。鎖骨下神經。及肋間神經。

療法　針三分。灸五壯。

主治　肺充血。氣管枝炎。胸膜神經痛。肋膜炎。咳逆。嘔吐。流涎。食慾減退。

【八二】彧中

位置　俞府之下一寸六分。(依古書。)華蓋之旁二寸。

解剖的部位　在第一第二肋骨間。有大胸筋。循肋間動脈，內乳動脈。分布肋間神經，及前胸廓神經。內容肺藏。

療法　鍼三分。灸五壯。

主治　肺充血。氣管枝炎。胸膜神經痛。肋膜炎。咳逆。嘔吐。食慾減退。

【八三】神藏

位置　彧中之下一寸六分。(依古書。)紫宮之旁二寸。

解剖的部位　在第二第三肋骨間。有大胸筋。循肋間動脈、內乳動脈。分布肋間神經。及前胸廓神經。內容肺臟。

療法　針三分。灸五壯。

主　治　肺充血。氣管枝炎。胸膜神經痛。肋膜炎。咳逆。嘔吐。食慾減退。

【八四】靈　墟

位　置　神藏之下一寸六分。(依古書。)玉堂之旁二寸。

解剖的部位　在第三第四肋骨間有大胸筋。循肋間動脈。內乳動脈。分布肋間神經。及前胸廓神經。內容肺臟。

療　法　針三分。灸五壯。

主　治　胸脇神經痛。肋膜炎。氣管枝加答兒。鼻孔閉塞。嗅能減退。嘔吐。食慾減退。直腹筋痙攣。

【八五】神　封

位　置　靈墟之下一寸六分。(依古書。)膻中之旁二寸。

解剖的部位　在第四第五肋骨間循肋間動脈。內乳動脈。分布肋間神經及前胸廓神經。內容肺臟。

療　法　針三分。灸五壯。

主　治　胸脇神經痛。肋膜炎。氣管枝加答兒。鼻孔閉塞。嗅能減退。嘔吐。食慾減退。直腹筋痙攣。

【八六】步　廊

位　置　神封之下一寸六分。(依古書)中庭之旁二寸。

解剖的部位　在第五第六肋骨間。有大胸筋，循肋間動脈。內乳動脈。分布肋間神經及前胸廓神經。內容肺臟。

療　法　針三分。灸五壯。

主　治　胸脇神經痛。肋膜炎。氣管枝加答兒。鼻孔閉塞。嗅能減退。嘔吐。食慾減退。直腹筋痙攣。

(三)離胸部副胸骨綫之外側二寸。當乳綫部。凡六穴。

【八七】氣　戶

位　置　巨骨之下。俞府之旁二寸。

(巨骨者。鎖骨也。)

解剖的部位　在第一肋軟骨附着部。有大胸筋、小胸筋、及內外肋間筋，循鎖骨下動脈。第一肋間動脈。分布前胸廓神經。及鎖骨下神經。內容肺臟。

療法　針三分。灸五壯。

主治　肋膜炎。慢性氣管支炎。橫隔膜痙攣。百日咳。咳逆。呼吸困難。胸背部痙攣。

【八八】庫房

位置　氣戶之下一寸六分。(依古書)或中之旁二寸。

解剖的部位　在第一肋骨與第二肋骨之間。有大胸筋、小胸筋、及內外肋間筋。循肋間動脈。分布前胸廓神經。及肋間神經。內容肺臟。

療法　針三分。灸五壯。

主治　肺充血。氣管枝炎。肋膜炎。呼吸困難。

【八九】屋翳

位置　庫房之下一寸六分。(依古書)神藏之旁二寸。

解剖的部位　在第二肋骨與第三肋骨間。有大胸筋、小胸筋、及內外肋間筋。循前肋間動脈。分布前胸廓神經。及肋間神經。內容肺臟。

療法　針三分。灸五壯。

主治　咳嗽。吐血。胸膜炎。全身浮腫。全身麻痺。

【九十】膺窗

位置　屋翳之下一寸六分。(依古書)。靈墟之旁二寸。

解剖的部位　在第三肋骨與第四肋骨之間，有大胸筋、小胸筋、內外肋間筋。循前肋間動脈。分布前胸神經。及肋間神經。內容肺臟。

療法　針三分。灸五壯。

主治　肺充血。肺實質肥大。肋膜炎。腸雷鳴。泄瀉。乳癰。

【九一】▲乳中　(禁灸)

位置　當乳頭之正中。

解剖的部位　在第四肋骨與第五肋骨間。有大胸筋、小胸筋、及內外肋間筋。循前肋間動脈。分布前胸廓神經。及肋間神經。內容肺臟。

說　明：禁針禁灸。療法從略。

(案原書禁灸延命山及玉森氏本禁針禁灸。奥氏本禁針。甲乙經不記部位。但言不可刺灸。刺之不幸生蝕瘡。瘡中有膿血清汁者可治。瘡中有息肉若蝕瘡者死。資生經。十四經發揮。記當乳處。)

【九二】乳　根

位　置　乳中之下一寸六分。(依古書。)步廓之旁二寸。

解剖的部位　在第五與第六肋骨間。循前肋間動脈。分布前胸廓神經。及肋間神經。

注意　此處爲心尖搏動部。須注意。手術未熟練者。不宜施術。

療　法　針三分。灸三壯乃至五壯。

主　治　乳腺炎。咳嗽。肋膜炎。肋間神經痛及麻痺。肋膜炎手臂神經痙攣。

(四)離胸部乳腺之外側二寸。前腋窩綫部。凡六穴。

【九三】雲門

位　置　巨骨之下。氣戶之旁二寸。

解剖的部位　在鎖骨外端之下際。大胸筋之上部。通過頭靜脈。胸肩峯動脈。分布側胸廓神經。肋間神經。及鎖骨下神經等。

療　法　針三分。灸五壯。

主　治　咳逆肩背神經痛。脇背痙攣。心臟病等。

【九四】中　府

位　置　雲門之下一寸。庫房之旁二寸。

解剖的部位　在前肋壁之外上端。大胸筋之上部。即第一肋間。通腋窩動脈。分布肋間神經。及側胸廓神經等。

療　法　針六分。灸五壯。

主　治　喘息。氣管枝炎。顏面及四肢浮腫。

【九五】周營

位置 中府之下一寸六分屋翳之旁二寸。

解剖的部位 在第二肋骨與第三肋骨間。有大胸筋。前大鋸筋。內外肋間筋。循長胸動脈。分布前胸廓神經。及肋間神經之側穿行枝。

療法 針三分。灸五壯。

主治 肺充血背部痙攣食道狹窄。吃逆。

【九六】胸鄉

位置 周營之下一寸六分。膺窗之旁二寸，

解剖的部位 在第三肋骨與第四肋骨間。有前大鋸筋、大胸筋內外肋間筋。循長胸動脈。分布前胸廓神經。及肋間神經之側穿行枝。

療法 針三分。灸五壯。

主治 肺充血。胸脊痙攣。咽下困難。唾液過多。吃逆等。

【九七】天谿

位置　胸鄉之下一寸六分。乳中之旁二寸。

解剖的部位　在第四肋骨與第五肋骨間。有前大鋸筋、大肋筋、內外肋間筋。循長胸動脈。分布前胸廓神經。及肋間神經之側穿行枝。

療法　針三分。灸五壯。

主治　肺充血。加答兒性肺炎。氣管枝加答兒。肋間神經痛。

【九八】食竇

位置　天谿之下一寸六分。乳根之旁二寸。

解剖的部位　在第五肋骨與第六肋骨間。有內外肋間筋。及大胸筋。循長胸動脈。分布側胸廓神經。及肋間神經之側穿行枝。

療法　針三分。灸五壯。

主治　肺充血。加答兒性肺炎。肋間神經痛。

(五)胸部之外側。凡二穴。

【九九】天池

位置　乳後一寸。腋下三寸。

解剖的部位　在第四肋間。有大胸筋。及前大鋸筋。循長胸動脈。分布側胸廓神經。及肋間神經。

療法　針三分。灸三壯乃至五壯。

主治　心臟外膜炎。腦充血。腋下腺炎。

【一〇〇】輙筋

位置　腋下三寸。淵腋之前一寸。

解剖的部位　在第四肋間。有前大鋸筋及肋間筋。循肋間動脈。分布肋間神經之側穿行枝。內容肺臟。

療法　針五分。灸五壯。

主治　嘔吐。呑酸。神經衰弱。唾液過多。言語不正。下腹部焮衝。四肢痙攣。

第五節　腹部　（參照第二圖）

（一）沿腹部正中線。自胸骨劍狀突起至恥骨縫際。凡十五穴。

【一〇一】鳩　尾

位　置　在蔽骨之下五分。

（蔽骨者。胸骨劍狀突起也。）

解剖的部位　在上腹部之上方白條線起始部。循上腹壁動靜脈。分布肋間神經之前穿行枝。

療　法　針三分乃至五分。灸三壯乃至五壯。

主　治　心臟炎。急性胃加答兒。腦神經衰弱。精神病。喘息。咽喉炎。肺氣腫。

【一〇二】巨　闕

位　置　鳩尾之下一寸。臍上六寸。

解剖的部位　在上腹部白條綫中。循上腹壁動脈。分布肋間神經前穿行枝。

療　法　針六分。灸七壯乃至十五壯。

主　治　心臟外膜炎。氣管枝加答兒。橫膈膜痙攣。胃痙攣。直腹筋痙攣。吐瀉。嘔吐。食慾減退。腹部膨脹。咳嗽。胃癌。

【一〇三】上　脘

位　置　巨闕之下一寸。臍上五寸。

解剖的部位　在上腹部白條線中。循上腹壁動脈。分布肋間神經前穿行枝。當胃之賁門。

療　法　針五分乃至八分，灸七壯乃至十五壯。

主　治　慢性胃加答兒。慢性腸加答兒。腹膜炎。腸疝痛。氣管枝加答兒。腸間膜炎、心悸亢進小兒脾癪。

【一〇四】中　脘

位　置　上脘之下一寸。臍上四寸。

解剖的部位　在上腹部白條線中，循上腹壁動脈。分布肋間神經前穿行枝。內通腹膜。容胃。

療　法　針三分乃至八分。灸七壯乃至十五壯。

主　治　慢性胃加答兒。胃擴張。胃痙攣。胃出血。腸神經痛。胃癌。腹膜炎。腎臟炎。食慾不進。消化不良。泄瀉。寄生蟲。

【一〇五】建　里

位　置　中脘下一寸。臍上三寸。

解剖的部位　在上腹部白條線中。循上腹壁動脈。分布肋間神經前穿行枝。內容胃臟。

療　法　針五分乃至八分。灸五壯乃至十五壯。

主　治　水腫病。嘔吐。消化不良。下腹部痙攣。

【一〇六】下　脘

位　置　建里之下一寸。臍上二寸。

解剖的部位　在上腹部白條線中。循上腹壁動脈。分布肋間神經前穿行枝。內容胃臟。

療　法　針八分。灸七壯乃至十五壯。

主　治　胃擴張。胃痙攣。消化不良。慢性胃加答兒。腸加答兒。嘔吐。尿血。

【一〇七】水分

位置　下脘之下一寸。臍上一寸。

解剖的部位　在上腹部白條綫中。循上腹壁動脈。分布肋間神經前穿行枝。內容橫行結腸。

療法　針五分。灸七壯乃至十五壯。

主治　水腫病。腹部鼓脹。腹神經痙攣。局發痙攣。腸雷鳴。慢性腸加答兒。胃弱。食慾減退。腰背痙攣。小兒顖陷。

【一〇八】神闕

位置　臍中。

解剖的部位　腹部中央。循上腹壁動脈。分布肋間神經前穿行枝。深部容小腸。

療法　撒布食鹽其上。灸三壯乃至三十壯。

主治　腦溢血。慢性腸加答兒。下痢。水腫病。腹部鼓脹。腸雷鳴。婦人脫肛。急性諸病。

【一〇九】陰交

位　置　臍下一寸曲骨之上四寸。

解剖的部位　在下腹部白條線中。循下腹壁動脈。分布肋間神經前穿行枝。

療　法　針八分。灸七壯。

主　治　精神病。陰汗濕癢。腰部膝部之痙攣。婦人尿道加答兒。子宮內膜炎。月經不順。產後血暈。惡露不止。小兒顖陷。

【一一〇】氣　海

位　置　臍下一寸五分。陰交之下五分。

解剖的部位　在下腹部白條綫中。循下腹壁動脈。分布肋間神經前穿行枝。深部容小腸。

療　法　鍼八分。灸七壯乃至十五壯。

主　治　精神病。盲腸炎。腹部冷却。腸神經病。腸加答兒。腸出血。子宮出血。膀胱加答兒。月經不順。小兒遺尿。膀胱括約筋麻痺。

【一一一】石　門

位　置　臍下二寸。氣海之下五分。

解剖的部位　在下腹部白條線中。循下腹壁動脈。分布肋間神經前穿行枝。深部容小腸。

療　法　針五分乃至八分。灸七壯乃至十五壯。

主　治　慢性腸加答兒。消化不良。子宮神經痙攣。水腫病。吐血。盲腸炎。腸間膜炎。小兒脾疳。淋疾。

【一二】關　元

位　置　臍下三寸。石門之下一寸。

解剖的部位　循下腹壁動靜脈。分布第十二肋間神經前穿行枝。深部容小腸。在女子則容子宮底。

療　法　針一寸乃至一寸五分。灸七壯乃至十五壯。

主　治　消化不良。慢性腸加答兒。腸出血。下腹部痙攣。水腫病。腎臟炎。睪丸炎。慢性子宮病。攝護腺炎。蛋白尿。淋疾。尿閉。

（注意）孕婦禁針禁灸。凡孕婦臍部以下之腹部諸穴。皆不可針灸。

【一一三】中極

位置　臍下四寸。關元之下一寸。

解剖的部位　在恥骨軟骨接合上際之上部白條綫中。循下腹壁動脈。分布下腹神經。以上下腹部及上腹部。有腹膜。卽下腹部通腹膜。容小腸。上腹部同。亦通腹膜。容胃。

療法　鍼八分。灸五壯乃至十五壯。

主治　失精。水腫病。尿意頻數。膀胱括約筋麻痺。不姙症。

【一一四】曲骨

位置　臍下五寸。中極之下一寸。

解剖的部位　在恥骨軟骨接合上際白條綫中。左右直腹筋停止部之中間。循下腹壁動脈。外陰部動脈。分布腸骨下腹神經。及腸骨鼠蹊神經。以下臍部。自臍之中心至曲骨五寸。

療法　鍼五分。灸七壯。

主治　內臟虛弱。失精。下腹痙攣。膀胱加答兒。淋疾。尿閉。子宮內膜炎。子宮潰瘍。子宮出血。產後惡露不止。

【一一五】會陰

位置　大便之前。小便之後，兩便之間。

解剖的部位　在球海綿體筋之中央循外痔動脈，內陰部動脈等。分布會陰神經。

療法　灸三壯乃至五壯。

主治　陰汗，陰門疼痛，尿閉。便秘。月經不通。慢性痔疾。

(二)離腹正中線之外側五分。在第一側線。凡十一穴。

【一一六】幽門

位置　巨闕之旁五分。

解剖的部位　在上腹部直腹筋內緣。循上腹壁動脈，分布肋間神經前穿行枝。

療法　針五分。灸七壯乃至十壯。

主治　上腹部膨脹。吞酸。流涎。嘔吐。胸膜神經痙攣。眼球充血，氣管枝加答兒。妊娠嘔吐。

【一一七】通谷

位置　幽門之下一寸。上脘之旁五分。

解剖的部位　在上腹部直腹筋內緣。循上腹壁動脈。分布肋間神經前穿行枝。

療法　針五分。灸七壯乃至十壯。

案：原本鍼七分乃至一寸。灸之壯數同。玉森氏本。針七分。灸之壯數亦同。奥氏本甲乙經刺五分。灸五壯。

主治　嘔吐。消化不良。胃擴張。慢性胃加答兒。急性舌骨筋麻痺。欠伸。笑筋萎縮。眼球充血。

【一一八】陰都

位置　通谷之下一寸。中脘之旁五分。

解剖的部位　在上腹部有直腹筋。橫腹筋。內外斜腹筋。循上腹壁動脈。分布肋間神經前穿行枝。

療法　針七分乃至一寸。灸七壯乃至十壯。

主治　肺氣腫。胸膜不全症。喘息。腸雷鳴。黃疸。眼球充血，角膜白翳。

【一一九】石關

位　置　陰都之下一寸。建里之旁五分。

解剖的部位　在直腹筋部。有横腹筋。内外斜腹筋。循上腹壁動脈。分布肋間神經前穿行枝。

療　法　鍼七分乃至一寸。灸七壯。

主　治　胃痙攣。吃逆。唾液分泌過多。便秘。淋病。眼球充血。

【一二〇】商曲

位　置　石關之下一寸。下脘之旁五分。

解剖的部位　在直腹筋部。有横腹筋。内外斜腹筋。循上腹壁動脈。分布肋間神經前穿行枝。

療　法　針七分乃至一寸。灸七壯。

主　治　胃痙攣。腹膜神經痙攣。食慾減退。黄脈。眼球充血。角膜炎。

【一二一】肓俞

位　置　商曲之下二寸。平臍。

解剖的部位　在臍之兩旁。直腹筋部。循下腹壁動脈。分布肋間神經前穿行枝。

療法　針一寸。灸七壯。

主治　胃痙攣常習便秘。下痢。胃部冷却。腹膜神經痙攣。腹痛。腸加答兒。黃疸。

【一二二】中注

位置　肓俞之下一寸。陰交之旁五分。

解剖的部位　在恥骨之上方。直腹筋部。循下腹壁動脈。分布腸骨鼠蹊神經。

療法　針七分乃至一寸。灸五壯乃至十五壯。

主治　便秘。腸加答兒。眼球充血。角膜炎。月經不順。卵巢炎。卵巢腫脹。不姙症。

【一二三】四滿

位置　中注之下一寸。石門之旁五分。

解剖的部位　在恥骨之上方。直腹筋部。循下復壁動脈。分布腸骨下腹神經。

療法　針七分乃至一寸。灸五壯乃至三十壯。

主　治　腸加答兒。腸疝痛。角膜白翳。月經痛。子宮痙攣。月經不調。不姙症。

【一二四】氣　穴

位　置　四滿之下一寸。關元之旁五分。

解剖的部位　在恥骨之上方。直腹筋部。循下腹壁動脈。分布腸骨鼠蹊神經。

療　法　針七分乃至一寸。灸五壯乃至十壯。

主　治　腎臟炎。腰背痙攣。膀胱麻痺。眼球充血。角膜炎。月經不調。

【一二五】大　赫

位　置　氣穴之下一寸。中極之旁五分。

解剖的部位　在恥骨之上部。直腹筋部。循下腹壁動脈。分布腸骨鼠蹊神經。

療　法　針八分乃至一寸。灸五壯乃至十壯。

主　治　陰囊收縮。陰萎。陰莖痛。精液缺乏。遺精早漏。虛癆。眼球充血。角膜炎。慢性膣加答兒。

【一二六】〇横　骨　（禁針）

位置　大赫之下一寸。曲骨之旁五分。

解剖的部位　在恥骨之上部。當直腹筋部。循下腹壁動脈。分布腸骨鼠蹊神經。

療法　灸五壯乃至十五壯。

案：原書及玉森氏本不載灸壯。奥氏本甲乙經刺入一寸。灸五壯。

主治　淋疾。膀胱麻痺及痙攣。腸疝痛。遺精。眼球充血。角膜炎。

(三)離腹部第一側線之外側。當第二側線。凡十三穴。

【二一七】不容

位置　幽門之旁一寸五分。去巨闕二寸。

解剖的部位　當第八肋軟骨之下緣。有外斜腹筋。直腹筋。循上腹壁動脈。分布肋間神經前穿行枝。

療法　針五分。灸三壯乃至七壯。

主治　肩脇部諸筋痙攣及收縮。喘息。咳嗽。嘔吐。胃癌。唾血。寄生蟲。

【二一八】承滿

位置　不容之下一寸。去上脘二寸。

解剖的部位　當第八肋軟骨附着部之下部。有內外斜腹筋。及直腹筋。循上腹壁動脈。分布肋間神經前穿行枝、

療法　針五分。灸三壯乃至七壯。

主治　咳嗽。唾血。咽下困難。食慾減退。腹部膨滿或冷却。下痢。腸雷鳴。腹膜炎。黃疸。

【一二九】梁門

位置　承滿之下一寸。去中脘二寸。

解剖的部位　在第八肋軟骨之下部。有外斜腹筋。及直腹筋。循上腹壁動脈。分布肋間神經側穿行枝。內容胃臟。

療法　針七分。灸五壯乃至十五壯。

主治　急性胃加答兒。食慾減退。消化不良。腸加答兒。胃痙攣等。

【一三〇】關門

位　置　梁門之下一寸。去建里二寸。

解剖的部位　在第八肋軟骨下部。有外斜腹筋及直腸筋。循上腹壁動脈。分布肋間神經前穿行枝。內部爲橫行結腸。

療　法　針八分。灸五壯乃至十五壯。

主　治　胃痙攣。胃阿篤尼症。食慾減退。消化不良。腸加答兒。腸疝痛。大便秘結。遺尿。水腫病。

【一三一】大　乙

位　置　關門之下一寸。去下脘二寸。

解剖的部位　在小腸之上部。有外斜腹筋及直腹筋。循上腹壁動脈。分布肋間神經前穿行枝。

療　法　針八分。灸五壯乃至十五壯。

主　治　胃神經痛。舌肥大。心外膜肥大。癲狂病。脚氣。

【一三二】滑肉門

位　置　太乙之下一寸。去水分二寸。

解剖的部位　在小腸部。有外斜腹筋及直腹筋。循上腹壁動脈。分布肋間神經前穿行枝。

療法　針八分。灸五壯乃至十五壯。

主治　癲癇。精神病。嘔吐。胃出血。胃痙攣。舌炎。舌下腺炎。舌腫瘍等。

【一三三】天樞

位置　滑肉門之下一寸。去神闕二寸。平臍。

解剖的部位　上層有外斜腹筋及直腹筋外緣。循下腹壁動脈。分布肋間神經側穿行枝。

療法　針五分。灸五壯乃至二十壯。

主治　慢性胃腸病。腸加答兒。下痢黏液。寄生蟲。水腫病。間歇熱。腎臟炎。子宮冷却症。子宮內膜炎。月經不順。

【一三四】外陵

位置　天樞之下一寸。去陰交二寸。

解剖的部位　在小腸部。有內外斜腹筋及直腹筋。循下腹壁動脈。分布肋間神經前穿行枝。腸骨下腹神經。

療　法　針八分乃至一寸。灸五壯。

主　治　直腹筋痙攣。下腹神經痛。

【一三五】　大　巨

位　置　外陵之下一寸去石門二寸。

解剖的部位　上層有外斜腹筋。當直腹筋外緣。循下腹壁動脈。分布腸骨下腹神經。及腸腹鼠蹊神經。

療　法　針八分乃至一寸。灸五壯乃至十壯。

主　治　不眠症。四肢倦怠。尿閉。

【一三六】　水　道

位　置　大巨之下一寸。去關元二寸。

解剖的部位　在小腸部。有內外斜腹筋及直腹筋。循下腹壁動脈。分布肋間神經前穿行枝。腸骨下腹神經。

療　法　針八分。灸五壯乃至十壯。

主　治　膀胱加答兒。尿閉。睾丸炎。脊髓炎。脫腸。子宮及膣口冷却。月經困難。

【一三七】歸　來

位　置　水道之下一寸。去中極二寸。

解剖的部位　內部容腸。與膀胱接近。循下腹壁動脈。分布腸骨下腹神經。

療　法　針五分。灸五壯乃至十壯。

主　治　睾丸炎。陰莖神經痛。子宮冷却症。卵巢炎。月經閉止。膣內炎。不姙症。膣神經痛。生殖器病。

【一三八】氣　衝

位　置　歸來之下一寸。去曲骨二寸。

解剖的部位　在鼠蹊窩普派爾篤氏靭帶之中央下部。即直腸筋停止部。循淺迴旋腸骨動脈及下腹壁動脈。分布腸骨下腹神經。及腸骨鼠蹊神經。

療　法　針三分灸七壯。

主　治　睾丸炎子宮冷却。不姙症。卵巢炎。月經閉止。陰莖痛。

【一三九】 急　脈

位　置　歸來之下一寸。陰莖之旁。陰毛之中。

解剖的部位　在鼠蹊窩普派爾篤氏靭帶之下部。即直腹筋停止部。循淺迴旋腸骨動脈及下腹壁動脈。分布腸骨下腹神經。及腸骨鼠蹊神經。

說明　甲乙經及其他各書。不載此穴。原書僅載位置及解剖的部位。不載療法主治。

(四)離腹部第二側線之外側一寸五分在第三側綫凡七穴。

【一四〇】 期　門

位　置　上脘之旁四寸。上直兩乳。

(上直兩乳。左右乳綫部之一直線也。)

解剖的部位　在第九肋軟骨附着部之尖端。當第八肋間乳腺部。循上腹壁動脈。分布肋間神經側穿行枝。

療　法　針四分。灸五壯乃至七壯。

主　治　肋膜炎。腎臟炎。喘息。食後吐水。泄瀉。腹膜炎。

【一四一】日　月

位　置　期門之下五分。

解剖的部位　在上腹部外斜腹筋中。循上腹壁動脈及長胸動脈。分布長胸神經之末端。

療　法　針五分。灸五壯乃至七壯。

主　治　腎臟炎。歇斯的里。胃擴張。

【一四二】腹　哀

位　置　日月之下一寸五分。

解剖的部位　在內外斜腹筋部。循上腹壁動脈。分布肋間神經側穿行枝。內部左容胃臟。右與肝臟下緣接近。

療法　針七分灸五壯乃至十壯。

主治　胃痙攣胃部冷却。消化不良。腸出血。潰瘍。便血。

【一四三】大横

位置　腹哀之下三寸。平臍。

解剖的部位　在內外斜腹筋部。循淺腹壁動脈之分枝。分布腸骨下腹神經。

療法　針一寸。灸五壯乃至十五壯。

主治　流行性感冒。四肢痙攣。寄生蟲。多汗症。慢性下痢。

【一四四】腹結

位置　大横之下一寸三分。

解剖的部位　在內外斜腹筋部。循淺腹壁動脈之分枝。分布腸骨下腹神經。及腸骨鼠蹊神經之分枝。內容小腸。

療法　針七分。灸五壯乃至十五壯。

主　治　咳嗽。腹膜炎。腸神經痛。腹中冷却。下痢。

【一四五】府　舍

位　置　腹結之下三寸。

解剖的部位　在恥骨軟骨接合部與腸骨前上棘中間稍上方。卽衝門之上七分之所。在內外斜腹筋中。循淺腹壁動脈分枝。分佈腸骨下腹神經。右當盲腸部之下部。左當S字狀部之下部。

療　法　針七分。灸五壯乃至十壯。

主　治　脾臟炎。鉛毒症。便秘。盲腸炎。

【一四六】衝　門

位　置　府舍之下七分。

解剖的部位　在腸骨前上棘之內下方。卽腸骨窩。當鼠蹊皺襞之中外端相近之所。內外斜腹筋之下部有腸腰筋膜。循下腹壁動脈之分枝。分布腸骨鼠蹊神經。

療　法　鍼七分。灸五壯。

主　治　上腹部厥冷。膨脹。胃痙攣。乳腺炎。

第六節　側胸部（參照第三圖）

〔一　側胸部腋窩綫凡二穴。

【一四七】淵　腋

位　置　腋下三寸平乳。

解剖的部位　在側胸部第四肋間。前大鋸筋及肋間筋中。循助間動脈。分布肋間神經側穿行枝。及側胸廓神經。內容肺臟。

療　法　針四分。

主　治　肋膜炎。肋間神經痛及痙攣。惡寒發熱。

【一四八】大　包

位　置　淵腋之下三寸。

解剖的部位　在側胸部第六肋骨與第七肋骨間。前大鋸筋中。循長胸動脈。分布肋間神經之側穿行枝。內容肺臟。但右側與肝臟接近

療　法　針三分灸三壯乃至七壯。

主　治　肺內膜炎。喘息。肋膜炎。肋間神經痛等。

第七節　側腹部　（參照第三圖）

（一）側腹部。凡六穴。

【一四九】章　門

位　置　在第十一肋前端。大橫之旁。

解剖的部位　在側腹部第十一肋軟骨前端。內外斜腹筋中。循橫隔膜動脈。分布肋間神經側穿行枝。

療　法　針六分乃至八分。灸七壯乃至二十壯。

主　治　腸雷鳴。消化不良。胸腸筋痙攣。腹膜炎。喘息。嘔吐。寄生蟲。腰椎神經痛。背脊神經痙攣。肋

膜炎黃疸。

【一五〇】京門

位置 章門之後一寸八分。

解剖的部位 在側腹部第十二肋軟骨之前端。有外斜腹筋及闊背筋。循上腹壁動派之分枝。分布長胸神經及肋間神經側穿行枝。

𤆬法 針七分。灸七壯乃至二十壯。

主治 腎臟炎腸神經痛腸雷鳴肩胛神經痛。

【一五一】帶脈

位置 章門之下一寸八分平臍。

解剖的部位 在第十一肋軟骨之遊離端直下。及內外斜腹筋中。右爲上行結腸部。左爲下行結腸部。循上腹動脈。分布肋間神經側穿行枝。

𤆬法 鍼八分。灸五壯乃至十五壯。

主　治　月經不調。子宮痙攣。子宮內膜炎。

【一五二】五　樞

位　置　章門之下四寸八分。帶脈之下三寸。

解剖的部位在腸骨前上棘之前上部。內外斜腹筋之下緣。循腸骨迴旋動脈。分布腸骨下腹神經。

療　法　針七分。灸三壯乃至十壯。

主　治　肩胛部及背部腰部神經痛。睾丸炎。子宮神經痙攣。子宮內膜炎。

【一五三】維　道

位　置　章門之下五寸三分。

解剖的部位　在腸骨前上棘之前上部。內外斜腹筋中。循迴旋腸骨動脈。分布長胸神經及肋間神經分枝。

療　法　鍼八分。灸五壯乃至七壯。

主　治　盲腸炎。嘔吐。食慾減退。水腫病。

【一五四】居髎

位置　章門之下六寸三分。五樞之下一寸五分。

解剖的部位　在大臀筋停止部之前線大腸部。有內外斜腹筋。循廻旋腸骨動脈。分布長胸神經及肋間神經分枝。

療法　針八分。灸五壯乃至七壯。

主治　腰部及下腹部之痙攣。盲腸炎。肩胛部、胸部、及上肢神經痙攣。

第八節　背部　（參照第四圖）

（一）沿背部正中線。自第一胸椎棘狀突起至第十二胸椎棘狀突起之線。凡九穴。

【一五五】大椎

位置　第一椎之上陷中。

解剖的部位　在第七頸椎與第一胸椎之間。棘間靱帶及僧帽筋起始部。循橫頸動脈之分枝。分布副神經。背椎神經。

療　法　針四分。灸五壯乃至十五壯。

主　治　間歇熱。肺氣腫。衂血。嘔吐。黃疸。歇斯的里。頸項部痙攣。齒齦炎。

【一五六】陶　道

位　置　第一椎之下。垂頸取之。

解剖的部位　在第一第二胸椎之間。僧帽筋之起始部。循橫頸動脈之分枝。分布副神經及背椎神經。

療　法　鍼四分。灸五壯。

主　治　頸項部及肩胛部諸筋痙攣。間歇熱等。

【一五七】身　柱

位　置　第三椎之下。

解剖的部位　在第三第四胸椎之間。僧帽筋起始部。循橫頸動脈下行枝。及肋間動脈之背枝。分布胸椎神經之後枝。

療　法　針四分灸五壯乃至三十壯。

主　治　喘息。癲癇。小兒搐搦。腦神經衰弱。氣管枝炎。衄血等。

【一五八】神　道

位　置　第五椎之下。

解剖的部位　在第五第六胸椎之間。僧帽筋起始部。循胸背動脈。分布肩胛下神經。

療　法　灸三壯。

主　治　心臟諸病。頭痛。腦神經衰弱。頰頷炎。頰車脫臼。小兒搐搦。

【一五九】○靈　臺（禁針）

位　置　第六椎之下。

解剖的部位　在第六第七胸椎間。菱形筋起始部。循後肋間動脈分枝。分布背椎神經後枝。

說明　禁針禁灸穴。療法主治從略。

【一六〇】至　陽

位　置　第七椎之下。陷中。

解剖的部位　在第七第八胸椎之間。有鷹骨脊柱筋。循後肋間動脈分枝。分布背椎神經後枝。

療　法　針五分。灸七壯。

主　治　腰背神經痛。胃部厥冷症。黄疸。食慾減退。腸雷鳴。

【一六一】筋　縮

位　置　第九椎之下。

解剖的部位　在第九第十胸椎之間。僧帽筋起始部。循後肋間動脈。分布背椎神經後枝。

療　法　鍼四分。灸三壯。

主　治　癲癇。背脊神經痛。轉目上視。

【一六二】中　樞

位　置　第十椎之下。陷中。

解剖的部位　在第十及第十一胸椎之間。當腰背筋膜之起始部。循後肋間動脈。分布背椎神經後枝。

案：原書不載療法主治。其他各書。不載此穴。

【一六三】脊中

位置 第十一椎之下。

解剖的部位 在第十一胸椎棘狀突起之下及第十二胸椎之間。當腰背筋膜之起始部。循後肋間動脈。分布背椎神經後枝。

療法 針四分。

主治 癲癇。黃疸。腹部膨脹。食慾減退。腸出血。小兒脫肛。痔疾。

(二)離背部正中線之外側一寸五分。在第一側綫。凡十穴。

【一六四】大杼

位置 第一椎之下。相去一寸五分。陶道之旁。

解剖的部位 在第一胸椎棘上突起之兩旁。上層爲僧帽筋。下層爲菱形筋。及後上鋸筋。循橫頸動脉下行枝。分布脊椎神經之後枝。及胸廓神經。肋間神經。與僧帽筋副神經。

療　法　針三分。灸七壯。

主　治　氣管支加答兒。頭痛。眩暈。胸膜炎。癲癇。項筋收縮。腰背筋痙攣。膝關節炎。

【一六五】風　門

位　置　第二椎之下。相去一寸五分。

解剖的部位　在第二及第三胸椎橫突起間之外側。有菱形筋。及後上鋸筋。循肩胛背動脉。分布脊椎神經之後枝。

療　法　針五分。灸五壯乃至十壯。

主　治　胸膜炎。顱頂部及頸項部痙攣。氣管枝炎。百日咳。嗜眠。嘔吐。胸背部諸筋痙攣。癱瘓。

【一六六】肺　俞

位　置　第三椎之下。相去一寸五分。身柱之旁。

解剖的部位　在第三及第四胸椎橫突起間之外側。當僧帽筋及菱形筋與後上鋸筋中。循上肋間動脈。及橫頸動脈下行枝。分布副神經。及後胸廓神經。與背椎神經後枝。肋間神經等。

療法　針三分灸七壯乃至二十壯。

主治　肺結核。肺炎。肺出血。氣管枝炎。心內外膜炎。心臟麻痺。黃疸。贅瘤。骨膜炎。皮膚瘙癢。口內炎。食後吐水。嘔吐。腰背神經痛。小兒佝僂病。龜背等。

【一六七】厥陰俞

位置　第四椎之下。相去一寸五分。

解剖的部位　在第四及第五胸椎橫突起間之外側。有僧帽筋。菱形筋。後上鋸筋。薦骨脊中筋。循肩胛背動脈。分布背椎神經之後枝。

療法　鍼三分。灸七壯。

主治　心臟肥大。心外膜炎。贅瘤。欬逆。嘔吐。齒神經痛。

【一六八】▲心俞（禁灸）

位置　第五椎之下。相去一寸五分。神道之旁。

解剖的部位　在第五及第六胸椎橫突起間之外側。有僧帽筋、菱形筋。薦骨脊中筋。循後肋間動脈之背枝及橫頸動脈之下行枝。分布背椎神經後枝及肋間神經。

療法　鍼三分。

主治　心內膜炎。胃出血。嘔吐。癲癇。痞瘍。食道狹窄。癥瘕。

【一六九】膈俞

位置　第七椎之下。相去一寸五分。至陽之旁。

解剖的部位　在第七及第八胸椎橫突起間之外側。有僧帽筋與薦骨脊柱筋。循後肋間動脈。分布背椎神經之後枝。

療法　針四分。灸七壯乃至二十壯。

主治　心臟內外膜炎。心臟肥大。心臟麻痺。胸膜炎。喘息。氣管枝炎。胃加答兒。胃癌。嘔吐。食道狹窄。食慾減退。腸加答兒。腸出血。骨膜炎。惡疽。四肢倦怠。自汗。盜汗等。

【一七〇】肝俞

位置　第九椎之下。相去一寸五分。筋縮之旁。

解剖的部位　在第九及第十胸椎橫突起間之外側，有僧帽筋。背長筋。闊背筋。肋骨舉筋。薦骨脊柱筋。循後肋間動脈。分布背椎神經之後枝。右方深部容肝臟。

療法　針三分。灸七壯乃至二十壯。

主治　黃疸。熱病後眩暈。涙液過多。歇斯的里。慢性胃加答兒。胃擴張。胃痙攣。胃出血。氣管枝炎。肋間神經痛。胸骨部痙攣。腸出血。十二指腸蟲。

【一七一】膽俞

位置　第十椎之下。相去一寸五分。中樞之旁。

解剖的部位　在第十及第十一胸椎橫突起間之外側。上層有僧帽筋。下層有闊背筋。循後肋間動脈之背枝。分布副神經及背椎神經後枝。與肋間神經。

療法　針三分。灸三壯乃至十五壯

主治　發熱。惡寒。頭痛。膽囊疾病。黃疸。嘔吐。食道狹窄。咽喉加答兒。腋下腺炎。肋膜炎。

【一七二】脾　俞

位　置　第十一椎之下相去一寸五分脊中之旁。

解剖的部位　在第十一及第十二胸椎橫突起間之外側。有僧帽筋及薦骨脊柱筋。循後肋間動脈。分布背椎神經之後枝。

療　法　針七分灸七壯乃至二十壯。

主　治　胃痙攣。胃弱。胃出血。腸加答兒。嘔吐。膽汁下痢。黃疸喘息。食道狹窄。水腫病。

【一七三】胃　俞

位　置　第十二椎之下相去一寸五分。

解剖的部位　在第十二胸椎及第一腰椎橫突起端之中間。上層有闊背筋。下層有薦骨脊柱筋。循後肋間動脈之背枝。分布背椎神經之後枝。及肋間神經。內容腎臟。

療　法　針七分。灸七壯乃至二十壯。

主　治　胃癌。胃加答兒。胃痙攣。胃擴張。消化不良。腸加答兒。嘔吐。腹部膨脹。腸雷鳴。肝臟肥大。視力缺乏。小兒夜盲，吐乳。青便。羸瘦。惡疽。十二指腸蟲。

(三)離背部第一側線之外側一寸五分。在第二側線。凡十穴。

【一七四】附分

位　置　第二椎之下。相去三寸。風門之下。

解剖的部位　在第二胸椎棘狀突起下方兩旁三寸。第二肋骨之上緣。上層有僧帽筋。下層有菱形筋。循橫頸動脈及上肋間動脈。分布脊椎神經。及肋間神經。與後胸廓神經。副神經等。

療　法　針三分。灸七壯。

主　治　肩背神經痛及痙攣。頸部痙攣。回顧不能。

【一七五】魄戶

位　置　第三椎之下。相去三寸。肺兪之旁。

解剖的部位　在第三及第四胸椎橫突起間之外方。有僧帽筋。菱形筋。循橫頸動脈。分布背椎神經後枝。

療　法　針五分。灸七壯乃至十五壯。

主　治　肺萎縮。氣管枝炎。喘息。嘔吐。上膊部及肩背部之神經痙攣。

【一七六】膏　肓

位　置　第四椎之下相去三寸。厥陰俞之旁。

解剖的部位　在第四及第五胸椎橫突起間之外方。有僧帽筋。及菱形筋。循橫頸動脈下行枝。分布背椎神經後枝。

療　法　針三分。灸七壯乃至五十壯。

主　治　肺結核。氣管枝加答兒。胃出血。神經衰弱。夢遺。失精。健忘。嘔吐。

【一七七】神　堂

位　置　第五椎之下相去三寸。心俞之旁。

解剖的部位　在第五及第六胸椎橫突起間之外方。有僧帽筋。及菱形筋。循橫頸動脈下行枝。分布肩胛背神經及肋間神經。

療法　鍼三分。灸五壯。

主治　心臟病。氣管枝炎。喘息。背長筋痙攣。肩膊疼痛。

【一七八】譩譆

位置　第六椎之下。相去三寸。

解剖的部位　在第六及第七胸椎橫突起間之外方。有僧帽筋及菱形筋。循橫頸動脈下行枝。分布肩胛背神經。及肋間神經。

療法　鍼三分。灸五壯乃至十五壯。

主治　心臟外膜炎。脇腋神經痛。腰背部痙攣。嘔吐。眩暈。盜汗。間歇熱。

【一七九】膈關

位置　第七椎之下。相去三寸。膈俞之旁。

解剖的部位　在第七及第八胸椎橫突起間之外方。有僧帽筋及背、腸、肋、諸筋。循橫頸動脈。分布肩胛背神經。及肋間神經。

療法　針五分灸三壯乃至十五壯。

主治　背部痙攣。食道狹窄。嘔吐。吃逆。流涎。腸加答兒。

【一八〇】魂門

位置　第九椎之下。相去三寸。肝俞之旁。

解剖的部位　在第九及第十胸椎横突起間之外方。有闊背筋，循後肋間動脈背枝。分布背椎神經，及肋間神經。

療法　鍼五分灸三壯乃至十五壯。

主治　肝臟病。肋膜炎。心内膜炎。胃痙攣。腸雷鳴。食道狹窄。食慾減退。消化不良。筋肉僂痳質斯。

【一八一】陽綱

位置　第十椎之下。相去三寸。膽俞之旁。

解剖的部位　在第十及第十一胸椎横突起間之外方。有闊骨筋。循後肋間動脈。分布肩胛下神經。及肋間神經。

療法　鍼五分。灸七壯。

主治　消化不良。胃痙攣。腹鳴。食慾減退。肝臟病。肋膜炎。心內膜炎。筋肉僂麻質斯。

【一八二】·意舍

位置　第十一椎之下。相去三寸。脾俞之旁。

解剖的部位　在第十一及第十二胸椎橫突間之外方。有闊背筋。循後肋間動脈。分布肩胛下神經。及肋間神經。

療法　針七分。灸五壯乃至十五壯。

主治　消化不良。嘔吐。胃弱。直腹筋痙攣。腹鳴。食慾減退。肝臟病。肋膜炎。

【一八三】胃倉

位置　第十二椎之下。相去三寸。胃俞之　。

解剖的部位　在第十二胸椎及第一腰椎橫突起間之外方。循後肋間動脈。分布肩胛下神經。及肋間神經。

療　法　針七分。灸五壯乃至十壯。

主　治　嘔吐。腹部膨脹。便祕。背椎神經痛。水腫病。

第九節　腰部　（參閱第四圖）

（一）沿腰部正中線。自第一腰椎棘上突起。至尾閭骨尖端之線。凡五穴。

【一八四】懸　樞

位　置　第十三椎之下。

解剖的部位　在第一及第二腰椎棘上突起間。有薦骨脊柱筋。循後肋間動脈。分布腰椎神經之後枝。

療　法　針三分。灸七壯乃至十五壯。

主　治　腰椎神經痙攣。急性腸加答兒。胃腸神經痛。

【一八五】命　門

位　置　第十四椎之下。

解剖的部位　在第二及第三腰椎棘上突起間。有薦骨脊柱筋。循後肋間動脈。分布腰椎神經之後枝。

療　法　針三分。灸七壯乃至十五壯。

主　治　頭痛。小兒腦膜炎。腸疝痛。腰神經痛。痔疾等。

【一八六】陽　關

位　置　第十六椎之下。

解剖的部位　在腰椎之棘上突起間。有薦骨脊柱筋。循腰動脈。分布腰椎神經之後枝。

療　法　針五分。灸五壯乃至十五壯。

主　治　膝關節炎。腰椎神經痛。下腹膨脹。下痢。腸加答兒。

【一八七】腰　俞

位　置　第二十一椎之下。伏取之。

解剖的部位　在薦骨管裂孔。腰骨筋膜中。循下臀動脈。分布薦骨神經後枝。

療　法　針三分。灸五壯乃至十五壯。

主　治　腰背神經痛。小兒夜尿症，月經閉止等。

【一八八】長　強

位　置　脊骶之端。

解剖的部位　在尾閭骨之下部。薦骨韌帶之下端。即大臀筋與外肛門括約筋中。循下臀動脈。及內陰部動脈。下痔動脈等。分布尾閭骨神經。及外痔神經。

療　法　針三分。灸五壯乃至二十壯。

主　治　慢性痔疾。腸出血。膽汁下痢。嘔吐。慢性搐搦等。

(二)離腰部正中綫之外側在第一側綫。凡七穴。

【一八九】三　焦　俞

位　置　第十三椎之下相去一寸五分。懸樞之旁。

解剖的部位　在第一及第二腰椎棘狀突起間之外側。上層爲闊背筋。下層爲薦骨脊柱筋。及方形腰筋。循腰動脈之背枝。分布背神經之後枝。

療法 針七分。灸七壯乃至二十壯。

主治 胃痙攣。食慾減退。消化不良。嘔吐。腸加答兒。腸雷鳴。腎臟炎。腰椎神經痛。頭痛。眩暈。腦貧血。小兒腸加答兒。

【一九〇】腎俞

位置 第十四椎之下。相去一寸五分。命門之旁。

解剖的部位 在第二及第三腰椎橫突起間之外側。上層有腰背筋膜。下層有薦骨脊柱筋。及方形腰筋。循腰動脈之背枝。分布腰椎神經之後枝。

療法 針五分乃至八分。灸三壯乃至十五壯。

主治 腎臟炎。肝臟肥大。膀胱痲痺及痙攣。痔疾。淋疾。糖尿病。尿血。腰椎神經痛。精液缺乏。夢遺。失精。身體羸瘦。月經不順。胃出血。腸出血。肋間神經痛。

【一九一】大腸俞

位置 第十六椎之下相去一寸五分陽關之旁。

解剖的部位 在第四及第五腰椎橫突起間之外側。有闊背筋。薦骨脊柱筋。大腰筋。循腰動脈背枝分布腰椎神經之後枝。

療法 針八分乃至一寸。灸七壯乃至二十壯。

主治 脊柱筋痙攣腰椎神經痛。腹部膨脹。腸加答兒。腸雷鳴。腸出血。下痢。盲腸炎。淋疾。遺尿。腎臟炎。

【一九二】小腸俞

位置 第十八椎之下相去一寸五分。上髎之旁。

解剖的部位 在第一及第二薦骨假棘狀突起間之外側。第五腰椎橫突起薦骨翼之間。有腰背筋膜，薦骨脊柱筋。及方形腰筋。循腰動脈之背枝。分布薦骨神經

療法 針八分乃至一寸，灸七壯乃至二十壯。

主治 腸加答兒。腸疝痛。下痢。便秘。淋疾。痔疾。背椎及腰椎薦骨部之神經痛。子宮內膜炎。

【一九三】 膀胱俞

位置　第十九椎之下相去一寸五分。次髎之旁。

解剖的部位　在第二及第三薦骨假棘狀突起間之外側，上層爲腰背筋膜。下層爲薦骨柱筋之起始部。循側薦骨動脈。分布腰椎神經之後枝。

療法　針八分乃至一寸。灸七壯乃至十五壯。

主治　膀胱加答兒。遺尿。便秘下痢。腰椎神經痛。下腹神經痛。薦骨神經痛。子宮內膜炎。

【一九四】 中膂內俞

位置　第二十椎之下。相去一寸五分。中髎之旁。

解剖的部位　在第三及第四薦骨假棘狀突起間之外側。有腰背筋膜。中臀筋。循上臀動脈。分布薦骨神經之後枝。

療法　針六分乃至八分。灸七壯乃至十五壯。

主治　糖尿病。腹膜炎。腸加答兒。腸神經痛。腰神經痛。

【一九五】▲白環俞（禁灸）

位　置　第二十一椎之下相去一寸五分下髎之旁。

解剖的部位　在薦骨裂孔之兩側。有大臀筋及梨子狀筋。循下臀動脈。分布下臀神經。與薦骨神經之後枝。

療　法　針七分。

案：原本不記禁灸而無灸壯。甲乙經刺入八分。亦無灸壯。水穴註云。刺入五分。不宜灸。奧氏本刺八分。灸三壯。玉森氏本禁灸。應列禁灸。

主　治　薦骨神經痛及痙攣。肛門諸筋痙攣。坐骨神經痛。便秘。尿閉。子宮內膜炎。四肢麻痺。

(三)離腰部第一側線之外側一寸五分。在第二側綫。凡四穴。

【一九六】肓門

位　置　第十三椎之下相去三寸。三焦俞之旁。

解剖的部位　在第一及第二腰椎橫突起間之外側。有方形腰筋。闊背筋。及薦骨脊柱筋。循腰動脈之背枝。分布腰椎神經後枝。

療法 針七分。灸七壯乃至十五壯。

主治 胃痙攣。常習便秘。乳腺炎。

【一九七】志室

位置 第十四椎之下。相去三寸。腎兪之旁。

解剖的部位 在第二及第三腰椎橫突起間之外方。有方形腰筋。及闊背筋。循腰動脈背枝。分布腰椎神經後枝。

療法 針七分。灸五壯乃至十五壯。

主治 夢遺。失精。陰具神經痛。陰門膿腫。陰部諸瘡。腎臟炎。淋疾。消化不良。嘔吐。吐瀉。

【一九八】胞肓

位置 第十九椎之下。相去三寸。膀胱兪之旁。

解剖的部位 在第二及第三薦骨椎。假橫突起間之外方。有大臀筋小臀筋及梨子狀筋。循上臀動脈分布上臀神經下臀神經。及坐骨神經之後枝。

療　法　針七分灸五壯乃至十壯。

主　治　腸加答兒腸雷鳴。便秘。尿閉。淋疾。睾丸炎。直腹筋痙攣。腰背部疼痛。

【一九九】秩　邊

位　置　第二十一椎之下。相去三寸。白環俞之旁。

解剖的部位　在第三及第四薦骨椎假横突起間之外方。有小臀筋。及梨子狀筋。循上臀動脈。分布上臀神經。下臀神經。及薦骨神經。

療　法　針五分。灸三壯乃至七壯。

主　治　加答兒性膀胱炎。腰椎神經痛。坐骨神經痛。痔疾等。

（四後薦骨孔及尾閭骨之外側凡五穴。

【二〇〇】上　髎

位　置　腰髁之下一寸。第十八椎之下。相去八分之第一空。

（腰髁腸骨後上棘。第一空。第一後薦骨孔也。）

解剖的部位　在第一後薦骨孔部。有腰背筋膜。薦骨脊柱筋。循側薦骨動脈。分布薦骨神經之後枝。

療法　針八分乃至一寸五分，灸七壯乃至十五壯。

主治　便祕。尿閉。嘔吐。衄血。腰痛。坐骨神經痛。膝蓋部厥冷。子宮內膜炎。子宮脫出。不姙症。月經不順。

【二〇一】次髎

位置　第十九椎之下。相去五分之第四空。

解剖的部位　在第二後薦骨孔部。有腰背筋膜。薦骨柱脊筋。循側薦骨動脈。分布薦骨神經之後枝。

療法　針八分乃至一寸。灸七壯乃至十五壯。

主治　便祕。尿閉。嘔吐。衄血。腰痛。坐骨神經痛。膝蓋部厥冷。子宮內膜炎。子宮脫出。不姙症。月經不順。淋疾。睪丸炎。

【二〇二】中髎

位置　第二十椎之下相去七分之第三空。

解剖的部位　在第三後薦骨孔部。有腰背筋膜。薦骨脊柱筋。循側薦骨動脈。分布薦骨神經之後枝。

療法　針八分乃至一寸。灸七壯乃至十五壯。

主治　便祕。尿閉。嘔吐。腰痛。坐骨神經痛。子宮內膜炎。月經不順。睪丸炎。

【二〇三】下髎

位置　第二十一椎之下。相去六分之第四空。

解剖的部位　在第四後薦骨孔部。有腰背筋膜。薦骨脊柱筋。循側薦骨動脈。分布薦骨神經之後枝。

療法　針六分乃至八分。灸七壯乃至十五壯。

主　治　便閉。尿閉。腰痛。子宮內膜炎。月經不順。腸出血。

【二〇四】會　陽

位　置　陰尾骨之下。相去五分。

解剖的部位　在尾閭骨下端之兩側。大臀筋之起始部。有肛門擧筋。肛門括約筋。循下痔動脈。分布會陰神經。

療　法　針四分。灸五壯。

主　治　腸加答兒。腸出血。慢性痔疾。陰部汗濕。

（五）肩胛部。凡十三穴。

【二〇五】肩中俞

位　置　肩胛之內廉。去大椎之旁二寸。

解剖的部位　在第一胸椎棘上突起之兩側。在僧帽筋。菱形筋。循上肋間動脈、及肩胛動脈之分枝。分布肋間神經分枝。肩胛背神經。及背椎神經之後枝。

療法　針三分乃至六分。灸五壯乃至十壯。

主治　氣管枝炎。喘息。頸項部痙攣。唾血。視力缺乏。

【二〇六】肩外俞

位置　肩胛之上廉。去脊三寸。

解剖的部位　在第二肋骨後端之上緣。有僧帽筋。項長筋。後上鋸筋。及菱形筋。循橫頸動脈。分布背椎神經。副神經。後胸廓神經。

療法　針六分。灸三壯乃至十壯。

主治　肩胛部神經痙攣。上膊部麻痺及厥冷。

【二〇七】肩井

位置　肩之上。陷中。

解剖的部位　在肩胛舉筋與棘上筋之間。有僧帽筋。循橫肩胛動脈。分布肩胛上神經。及副神經。

療法　針四分乃至六分。灸七壯乃至十五壯。

主　治　腰瘥頸項部痙攣。前膊疼痛。衝心性脚氣。半身不隨。中風。腦神經衰弱。產後子宮出血眩暈。早產後下肢厥冷。

【二〇八】天　髎

位　置　肩井之後一寸。

解剖的部位　在肩胛骨之上部。有僧帽筋及棘上筋。循橫肩胛動脈。分布肩胛上神經。及副神經。

療　法　針五分。灸五壯乃至七壯。

主　治　頸項部痙攣。頸項部厥冷。

【二〇九】秉　風

位　置　挾天髎。在外肩之上。

解剖的部位　在肩胛棘起始部之上際。即僧帽筋部。下層為棘上筋之集合部。循橫肩胛動脈。分布肩胛下神經及副神經。

療　法　針五分。灸七壯。

主治　肩胛部痙攣及麻痺。上膊部疼痛。

【二一〇】曲垣

位置　肩之中央陷中。

解剖的部位　在肩胛棘隅之上際。有僧帽筋及肩胛舉筋。循橫肩胛動脈。分布肩胛上神經及副神經。

療法　針五分。灸三壯乃至七壯。

主治　肩胛部痙攣。上膊部疼痛。

【二一一】巨骨

位置　肩端之上兩叉骨之間陷中。

（兩叉骨之間。鎖骨與肩胛骨相聯之間也。）

解剖的部位　在肩骨棘與鎖骨外端之間。上層爲三角筋。下層爲棘上筋之集合部。循肩胛動脈分枝及腋窩靜脈。分布腋窩神經及肩胛上神經。前胸廓神經。

療法　針六分。灸三壯乃至七壯。

主治　小兒搐搦。下齒神經痛。胃出血。上膊部麻痺疼痛。肩臂屈伸不能。

【一一二】天宗

位置　秉風之後。大骨之下陷中。

（大骨。肩胛棘也。）

解剖的部位　在肩胛骨之棘下筋部。淺層有僧帽筋。循橫肩胛動脈。分布肩胛上神經及副神經。

療法　針五分。灸五壯至乃七壯。

主治　肩項痙攣及麻痺。上膊部疼痛。上肢上舉不能。

【一一三】臑俞

位置　肩髎之後。大骨之下。

解剖的部位　在肩胛骨關節窩之後方。三角筋中。循橫肩胛動脈。分布腋窩神經。

療法　針五分。灸三壯乃至七壯。

主　治　肩胛部及上膊部疼痛。頸頷部腫痛。

【一一四】肩　髃

位　置　肩之端。臑之上。

解剖的部位　在肩峯突起與上膊骨大結節及鎖骨之關節部。三角筋上緣之中央。循後迴旋上膊動脈及腋窩靜脈。分布腋窩神經。鎖骨上神經。及肩胛上神經。

療　法　針六分。灸七壯。

主　治　半身不遂。動脈軟化症。血壓亢進。後頭部及肩胛部痙攣。上膊神經痛。

【一一五】肩　髎

位　置　肩之端。兩骨之間。

(兩骨。肩峯突起與上膊頭也。)

解剖的部位　在肩胛骨肩峯突起之下際。即上膊骨與鎖骨之關節部。上層爲三角筋。下層爲棘下筋集合部。循前迴旋上膊動脈。及腋下靜脈。分布腋窩神經。及肩胛上神經。

療法　針七分。灸五壯乃至七壯。

主治　肩胛部及上肢痙攣。

【二一六】臑會

位置　去肩三寸。

解剖的部位　在上膊後面之上部。卽三角筋停止部之外緣。下層有三頭膊筋。循後迴旋上膊動脈及中膊動脈。分布後膊皮下神經。

療法　鍼五分乃至七分。灸五壯乃至十五壯。

主治　前膊諸筋痙攣及麻痺。肩胛部焮衝。頸項部血瘤。脂肪瘤。

【二一七】▲肩貞（禁灸）

位置　曲胛之下。肩髃之後。

解剖的部位　在肩峯突起後下方一寸之所。卽肩峯突起與上膊骨之關節部。上層爲三角筋後緣。下層有棘下筋。循後迴旋上膊動脈。分布肩胛上神經及腋下神經。

療　法　針五分乃至七分。

主　治　耳鳴。耳聾。肩胛部疼痛。關節炎。四肢麻痺。

第十節　上肢　（參照第五圖）

（一）自上膊之前外側。經肘窩至拇指橈側爪端之線。凡九穴。

【一一八】▲天府（禁灸）

位　置　腋下三寸。臑之內廉。

解剖的部位　在上膊骨之內側上部。即二頭膊筋部。循腋窩動靜脈。及上膊動脈之分枝。分布橈骨神經。正中神經。內外中膊皮下神經。

療　法　鍼四分。

（案原本及他書者禁灸。玉森氏本灸七壯。）

主　治　氣管枝炎。眩暈。精神病。慢性關節炎。上膊神經痛。瓦斯中毒。間歇熱。近視眼。衄血。

【一一九】俠　白

位　置　天府之下一寸。

解剖的部位　在上膊骨之內側中央部。即二頭膊筋。與內膊筋之間。循上膊動脈及頭靜脈。分布內外膊皮下神經。

療　法　針三分。灸五壯。

主　治　心臟病。胸部神經痛。心悸亢進。乾嘔。

【二二〇】▲尺澤（禁灸）

位　置　肘之中。約文之上。

（約文。肘窩之橫皺也。）

解剖的部分　在橈骨與上膊之關節部。當二頭膊筋腱之外緣，膊橈骨筋起始部之內緣。循尺骨及橈骨動脈。分布橈骨神經。正中神經。

療　法　針三分。

主　治　肺結核。咯血。氣管枝炎。肋膜炎。喘息。四肢運動麻痺。膀胱麻痺。精神病。前膊部痙攣。小兒痙攣。

【二二】孔最

位置 腕上七寸。

解剖的部位 在迴前圓筋之停止部。上層爲外膊骨筋之內緣。下層爲長屈拇筋之外緣。循橈骨動脈。通頭靜脈。分布外膊皮下神經及橈骨神經。

療法 針五分。灸五壯。

主治 肺出血。咳嗽。嘶嗄失聲。咽喉加答兒。

【二三】列缺

位置 腕上一寸五分。

解剖的部位 在內橈骨筋腱之外側。長屈拇筋之外緣。迴前方筋中。循橈骨動脈之分枝。通頭靜脈。分布外膊皮下神經及橈骨神經。

療法 針二分。灸七壯。

主　治　顏面痛及麻痺。橈骨部諸筋組織炎。

【二三三】▲經渠（禁灸）

位　置　腕上一寸。寸口脈中。

解剖的部位　在內橈骨筋腱之外部。迴前方筋中。循橈骨動靜脈之通路。及頭骨動脈。分布外膊皮下神經及橈骨神經。

療　法　針二分。

主　治　扁桃腺炎。喘息。食道痙攣。嘔吐。吃逆。欠伸等。

【二三四】太淵

位　置　掌後。陷中。

解剖的部位　在內橈骨筋腱之外側。迴前方筋之下緣。舟狀骨結節之外上部。循橈骨動脈及動靜脈。分布外膊皮下神經及橈骨神經。

療　法　針二分。灸三壯。

主治　肺臟肥大肺及氣管枝出血咳嗽胸部神經痛前膊神經痛。

【一二五】▲魚際（禁灸）

位置　大指本節後之內側。

解剖的部位　在第一掌骨之後側與舟狀骨之關節部即短外轉拇筋之停止部。循橈骨動脈。分布正中神經。

療法　針三分。

主治　頭痛。眩暈。胃出血。舌上黃色。

【一二六】▲少商（禁灸）

位置　大指之內側。去爪甲。如韮葉。

解剖的部位　在拇指第二節之前外側。爪甲之發生根部。有拇指內轉筋。循橈骨動脈之終枝。分布橈骨神經之前枝。

療法　針一分。灸一壯乃至三壯。

主　治　腦充血。頬頷組織炎。食道狹窄。黃疸。吃逆。口內出血。舌下軟瘤。重舌。唇焦。手指痙攣。小兒慢性腸加答兒。小兒乳蛾。

（二）上膊前面之正中肘窩之內側。經中指橈側爪端之線。凡八穴。

【二一七】天　泉

位　置　曲腋之下二寸。舉肘取之。

解剖的部位　在上膊骨前內側。三頭膊筋部。循上膊動脈。分布內膊皮下神經筋枝。

療　法　針四分。灸三壯。

主　治　心內膜炎。上腹部膨脹。吃逆。視力缺乏。

【二一八】曲　澤

位　置　肘之內廉。約文之上。曲肘取之。

解剖的部位　在肘窩之正中。上膊骨與前膊骨之關節部。二頭膊筋腱間。循上膊動脈及貴要靜脈。分布中膊皮下神經。及正中神經。

療法　鍼三分。灸五壯。

主治　心臟炎。氣管枝加答兒。肘臂神經痛。嘔吐。惡疽。

【一二九】郄門

位置　掌後五寸。

解剖的部位　在橈骨與尺骨之中間。長屈拇筋與淺屈拇筋之間。循尺骨動脈之枝別。前骨間動脈。分布正中神經。

療法　鍼四分。灸五壯。

主治　胃出血。衄血。咳逆。歇私的里。

【一三〇】間使

位置　郄門之下二寸。兩筋之間。掌後三寸。

（兩筋之間。長屈拇筋之腱與淺屈指筋之腱之間也。）

解剖的部位　在橈骨與尺骨之中間。長屈拇筋與淺屈指筋之間。循前骨間動脈。分布正中神經。

療　法　針三分。灸五壯。

主　治　心臟炎。咽喉加答兒。胃加答兒。中風。憂鬱症。月經不調。子宮充血。小兒搐搦及夜啼。

【一三一】內　關

位　置　間使之下一寸。兩筋之間。掌後二寸。

解剖的部位　在橈骨與尺骨之中間。長屈拇筋與淺屈指筋之間。循前骨間動脈。分布正中神經。

療　法　針三分。灸五壯。

主　治　心臟炎。心外膜炎。黃疸。眼球出血。肘臂神經痛。產後血暈。

【一三二】大　陵

位　置　掌後兩筋之間。

解剖的部位　在腕關節之前面橫紋正中之陷凹部。迴前方筋之下緣。有橫腕靱帶。循尺骨動脈。橈骨動脈。分布正中神經。

療　法　針三分。灸五壯乃至七壯。

主　治　心臟炎。心外膜炎。胸脇神經痛。腋下腺炎。尿色赤黃。扁桃腺炎。頭痛發熱。疥癬。急性胃加答兒。胃出血。

位　置　掌之中央。

【一三三】▲勞宮（禁灸）

解剖的部位　在第二掌骨與第三掌骨之間。手掌腱膜中。循手掌動脈。分布正中神經。

療　法：針二分乃至三分。

（案原本灸七壯乃至十壯。甲乙經灸三壯。玉森氏本禁灸。）

主　治　血壓亢進。血管硬化。鵝口瘡。黃疸。衄血。小兒齦爛。

【一三四】中衝

位　置　中指之內側。去爪甲。如韭葉。

解剖的部位　在中指第三節爪根之發生根部外側。即總指伸筋腱之附着部。循指背動脈。分布橈骨神經手背枝。

療　法　針一分。灸三壯。

主　治　心臟炎。心內外膜炎。小兒夜啼。

(三)自上膊之前內側。腋窩之前壁。經上膊內上髁之前側。至小指橈骨側爪端之線。凡九穴。

【一三五】極　泉

位　置　腋下毛中。近胸筋之間。

解剖的部位　在大胸筋停止之外側。與肩胛下筋之間。循腋窩動脈及肩胛動脈。分布內膊皮下神經。

療　法　針五分。灸五壯。

主　治　心臟炎。肋間神經痛。胸脇神經痙攣。歇斯的里。肘臂厥冷。

【一三六】○青　靈　（禁針）

位　置　肘上三寸。

解剖的部位　在上膊骨之前內側。上層為二頭膊筋內緣。下層為內膊筋之接際部陷中。循上膊動脈。腋窩動脈之分枝。及貴要靜脈。分布內膊皮下神經。

療　法　灸五壯。

主　治　眼球黃色。前額神經痛。肋間神經痛。肩胛及上膊痙攣。間歇熱。惡寒。

【一三七】　少　海

位　置　肘大骨之內廉。

（大骨上膊骨內上髁也。）

解剖的部位　在鶯嘴突起之內側。二頭膊筋腱之旁。內膊筋停止部之內緣。循尺骨動脈。分布尺骨神經之通路。正中神經。及中膊皮下神經。

療　法　針二分乃至三分。灸三壯乃至五壯。

主　治　腺病毒。手指厥冷。精神病。齒痛。肋間神經痛。顏面神經痛。項筋收縮。回顧不能。

【一三八】　靈　道

位　置　掌後一寸五分。

解部的部位　在尺骨下部之前內緣。內尺骨筋腱之橈骨側。迴前方筋中。循尺骨動脈。分布尺骨神經之通路中。膊皮下神經。

療　法　鍼三分。灸三壯乃至五壯。

主　治　心內膜炎。歇斯的里。急性舌骨筋麻痹。乾嘔。肘臂部疼痛。

【二三九】通　里

位　置　掌後一寸。

解剖的部位　在內尺骨筋與淺屈指筋之間。循尺骨動脈。分布尺骨神經之通路中。膊皮下神經。

療　法　鍼三分。灸三壯乃至五壯。

主　治　頭痛。眩暈。神經性心悸亢進。扁桃腺炎。急性舌骨筋麻痺。眼球充血。上肢痙攣。歇斯的里。月經過多。子宮出血。遺尿。

【二四〇】陰　郄

位　置　掌後五分。

解剖的部位　在內尺骨筋腱與淺屈指筋之間。循尺骨動脈。分布尺骨神經之通路。中膊皮下神經。

療法　鍼三分。灸三壯乃至七壯。

主治　頭痛。衄血。眩暈神經性心悸亢進。扁桃腺炎。急性舌骨筋痲痺。胃出血。惡寒發熱。逆上。子宮內膜炎。

【二四一】神門

位置　掌後銳骨之端。（銳骨。豆骨也。）

解剖的部位　在豆骨與尺骨之關節部。即內尺骨筋之停止部。循深掌側動脈。分布尺骨神經。

療法　針三分。灸五壯乃至七壯。

主治　心臟肥大。胃出血。衄血。鼻腔閉塞。尿道痲痺。食慾減退。子宮內膜炎。產後血暈。瘰癧。神經性心悸亢進。扁桃腺炎。

【一四二】少府

位置　手小指本節之後。直勞宮。

解剖的部位　在第四掌骨與第五掌骨之間。即小指屈筋之停止部。循指掌動脈。分布尺骨神經之指掌枝。

療法　針三分。灸三壯乃至五壯。

主治　肋間神經痛。尿閉。子宮脱出。陰門搔癢。膣內神經痛。

【一四三】少衝

位置　小指之內側去爪甲。如韭葉。

解剖的部位　在小指第三節之外側。爪廓之發生根部。循指掌動脈。分布尺骨神經之指掌枝。

療法　針一分。灸三壯乃至五壯。

主治　熱病後衰弱。肋膜炎。肋間神經痛。神經性心悸亢進。上肢神經痙攣。喉頭加答兒。

（四）自上膊之外側三角筋停止部。經上膊骨外上髁之前側。至示指之橈側爪端之線。凡十四穴。

【二四四】臂臑

位置　肘之上七寸。肩髃之下三寸。

解剖的部位　在上膊骨之外側。三角筋停止部。循後迴旋上膊動脈及頭靜脈。分布腋窩神經。及後膊皮下神經。

療法　針三分乃至五分。灸七壯乃至十五壯。

主治　上膊神經痛。顱頂部諸筋痙攣。瘰癧。

【二四五】〇五里（禁針）

位置　肘上三寸。臂臑之下三寸。

解剖的部位　在上膊骨之外側。三頭膊筋外緣。深部爲螺旋狀溝之下部。循橈骨側副動脈。分布後膊皮下神經。及橈骨神經。

療法　灸七壯。

主　治　肺炎。腹膜炎。咳嗽。僂痲質斯。腺病。前膊神經痛。四肢痲痺。嗜眠。瘰癧。

【二四六】肘　髎

位　置　肘之大骨外廉。

（大骨。上膊骨外上髁也。）

解剖的部位　在膊橈骨筋之起始部。三頭膊筋外緣。循返迴橈骨動脈。及中頭靜脈。分布膊皮下神經。

療　法　針三分灸三壯。

主　治　上膊神經痛。肩膊部之關節僂痲質斯。上肢痲痺。肩胛部及臂部痲痺。

【二四七】曲　池

位　置　肘外之輔骨。

（肘外之輔骨。上膊骨下端之小頭。與橈骨上端小頭之關節部也。）

解剖的部位　在上膊骨之外上髁。與橈骨之關節部。深部有膊橈骨筋。循返迴橈骨動脈。分布橈骨神經之分岐部。外膊皮下神經。

療法　針五分乃至八分。灸五壯乃至十壯。

主治　扁桃腺炎。上膊神經痛。肩胛神經痛。肘臂神經痛。半身不遂。中風。胸膜炎等。

【二四八】、三里

位置　曲池之下二寸。

解剖的部位　在橈骨上緣之外部。膊橈骨筋與長外橈骨筋之間。下層有迴後筋。循橈骨動脈之分枝。及頭靜脈。分布橈骨神經之後枝。外膊皮下神經。

療法　針五分。灸五壯乃至十壯。

主治　齒神經痛。頰頷組織炎。瘰癧。肘臂神經麻痺。半身不遂。中風。顏面神經麻痺。乳癰。

【二四九】　上廉

位置　三里之下一寸。

解剖的部位　在橈骨小頭前下部。膊橈骨筋與長外橈骨筋之間。循尺骨動脈之分枝。分布尺骨神經及外膊皮下神經。

療法　針五分灸五壯乃至十壯。

主治　膀胱括約筋麻痺淋疾半身不遂中風喘息腸雷鳴。

【一五〇】下廉

位置　上廉之下一寸曲池之下四寸。

解剖的部位　在橈骨小頭前下部膊橈骨筋與長外橈骨筋之間循橈骨動脈之分枝分布橈骨神經及外膊皮下神經。

療法　針五分灸六壯。

主治　膀胱麻痺尿黃色便血下腹部痙攣腸雷鳴心胸神經痛喘息乳癰。

【一五一】溫溜

位置　下廉之下一寸曲池之下五寸。

解剖的部位　有膊橈骨筋與長外橈骨筋之間循橈骨動脈之分枝分布橈骨神經及外膊皮下

神經。

療　法　針五分。灸五壯乃至三十壯。

主　治　腸鳴雷。下腹痙攣。舌炎。舌肥大加答兒性口內炎。癰疔。

【一五二】偏　歷

位　置　腕後三寸。

解剖的部位　在總指伸筋腱與拇指伸筋腱之間。循橈骨動脈。分布橈骨神經之後枝。及外膊皮下神經。

療　法　針五分。灸五壯乃至七壯。

主　治　衄血。耳鳴。耳聾。齒神經痛。肩胛肘腕部神經痙攣。癲癇。咽喉乾燥。扁桃腺炎。

【一五三】陽　谿

位　置　腕中之上側。兩筋之間。

解剖的部位　在舟狀骨橈骨之間。橈腕關節外面之陷中。當短伸拇筋與長伸拇筋之間。循橈骨動脈及頭靜脈。分布橈骨神經。及外膊皮下神經。

療　法　針三分。灸五壯。

主　治　頭痛。耳鳴。耳聾。扁桃腺炎。齒神經痛。半身麻痺。

【一五四】 合　谷

位　置　手之大指次指。岐骨之間。

解剖的部位　在第一掌骨與第二掌骨之骨間中央部。長伸拇筋與總指伸筋之腱膜間。循橈骨動脈。分布橈骨神經。

療　法　針五分。灸三壯乃至七壯。

主　治　頭痛。肩胛神經痛。角膜白翳。視力缺乏。耳聾。耳鳴。衄血。下齒神經痛。扁桃腺炎。

【一五五】 三　間

位　置　手之大指次指內側本節之後。

解剖的部位　在固有示指伸筋腱之外緣。循指掌動脈及頭靜脈。分布橈骨神經。

療法　針三分。灸三壯。

主治　扁桃腺炎。呼吸困難。肩背神經痛。上膊神經痛。下齒痛。舌肥大。口腔乾燥。唇焦。腸雷鳴。下痢。眼瞼瘙痛等。

【一五六】二間

位置　大指次指之內側。本節之前。

解剖的部位　在總指伸筋腱之附着部。循指背動脈。及頭靜脈。分布橈骨神經。

療法　針三分。灸三壯。

主治　喉頭加答兒。扁桃腺炎。食道狹窄。急性口輪諸筋萎縮。頷膊組織炎。肩背上膊神經痛。齒疽。衄血。齒神經痛。

【一五七】商陽

位置　大指次指之內側。去爪甲。如韭葉。

解剖的部位　在總指伸筋末端附着部。循指背動脈。及頭靜脈。分布橈骨神經之指背枝。

療法　鍼一分灸三壯。

主治　肋膜炎。喘息。間歇熱。發汗。腦充血。顏面組織炎。扁桃腺炎。頤頷炎。口部諸筋萎縮。口內炎。喉頭加答兒。下齒神經痛。耳聾。耳鳴等。

（五）自上膊後側之中部。經尺骨鷲嘴突起至無名指之尺側指端之線。凡十二穴。

【二五八】消濼

位置　肩之下。臑之外。

解剖的部位　在上膊骨結節之後下方。螺旋狀溝部。有三頭膊筋。循橈骨動靜脈。中頭靜脈。分布後膊皮下神經。及橈骨神經。

療法　針五分。灸三壯乃至七壯。

主治　頭痛。頸項部組織炎及痙攣麻痺。肩胛部諸筋痙攣。癲癇。關節僂麻質斯。

【二五九】清冷淵

位置　肘上二寸。

解剖的部位　在上膊之後側鶯嘴突起之尖端上方。三頭膊筋內緣。循下尺側副動靜脈。分布內膊皮下神經。及尺骨神經。

療法　針三分灸三壯乃至七壯。

主治　肩胛部痙攣。上肢痙攣及麻痺。

【二六〇】天井

位置　肘外大骨之上一寸。

解剖的部位　在上膊之後面。鶯嘴突起之上方。三頭膊筋腱之內緣。循肘關節動靜脈網。分布內膊皮下神經。及尺骨神經。

療法　針三分乃至五分。灸三壯乃至五壯。

主治　氣管枝炎。咽喉加答兒。憂鬱症。耳聾。眼瞼緣炎。頸項神經痛。腰椎神經痛。中風。

【二六一】四瀆

位置　肘前五寸。

解剖的部位　在橈骨與尺骨之間。總指伸筋與外尺骨筋之間。循骨間動脈。分布橈骨神經之後枝及下膊皮下神經。

療法　針六分。灸三壯乃至七壯。

主治　咽喉加答兒。腎臟炎。前膊痙攣及麻痺。耳聾。下齒痛。

【一六二】○三陽絡（禁鍼）

位置　腕後四寸。

解剖的部位　在橈骨與尺骨之間。總指伸筋與小指伸筋之陷中。下層有長屈拇筋短屈拇筋。循骨間動脈。分布橈骨神經之後枝。及下膊皮下神經。

療法　灸七壯。

主治　耳聾。下齒神經痛。寄生蟲。眼疾。

【一六三】支溝

位置　腕後三寸。兩橈之間。

（兩橈。卽橈骨與尺骨也。）

解剖的部位　在橈骨與尺骨之間。總指伸筋與外尺骨筋之間。循骨間動脈。分布後下膊皮下神經。及正中神經。

療　法　針五分。灸五壯。

主　治　限局性痙攣。肋膜炎。惡寒發熱。上膊神經痛。急性舌骨筋痙攣。嘔吐。常習便秘。產後血暈。

【二六四】會　宗

位　置　腕後三寸。支溝之旁。

解剖的部位　在尺骨筋固有小指伸筋之間。有總指伸筋。循後骨間動脈。分布橈骨神經之分枝。及後下膊皮下神經。

療　法　針分五。灸五壯乃至七壯。

主　治　舞蹈病。聽覺器麻痹。皮膚疼痛。

【二六五】外　關

位　置　腕後二寸。

解剖的部位　在總指伸筋與固有小指伸筋之間。循後骨間動脈。分布後下膊皮下神經。及橈骨神經之後枝。

療　法　針五分灸三壯乃至七壯。

主　治　耳聾。肘臂神經痛。上肢關節炎。

【二六六】▲陽池（禁灸）

位　置　手之表。腕之上陷中。

（手之表。即手背之側也。）

解剖的部位　在尺骨與腕骨之關節部。有總指伸筋。循腕骨背側動脈。分布後下膊皮下神經。尺骨神經。及橈骨神經後枝。

療　法　針三分。

主　治　間歇熱。糖尿病。腕關節炎。

【二六七】中渚

位置　手之小指次指本節之後。

解剖的部位　在第四掌骨之前下方。小指側之骨間陷中。循第四骨間指動脈。分布尺骨神經。

療法　針三分。灸三壯乃至五壯。

主治　眩暈頭痛。耳聾。咽喉腫痛。角膜白翳。肘臂神經痛。關節炎。手之五指屈伸不能。

【二六八】液門

位置　手之小指次指本節之前。

解剖的部位　在環指第一節與第二節之中間。小指之側。總指伸筋腱中。循第四骨間指背動脈。分布尺骨神經。

療法　針一分。灸三壯。

主治　頭痛。耳聾。齒齦炎。角膜白翳。肘臂部痙攣。

【二六九】關衝

位　置　小指次指之外側。去爪甲。如韮葉。

解剖的部位　在第四指骨第三節之內側。爪甲之發生根部。卽總指伸筋之附着部。有固有小指筋。循手背動脈。分布尺骨神經之手背枝。

療　法　針一分。灸三壯。

主　治　乾嘔。頭痛。食慾減退。肘臂神經痛。角膜白翳等。

（六）於上膊後側之下部。自上膊骨內上髁。與尺骨鶯嘴突起之間。至小指尺側爪端之線。凡八穴。

【二七〇】小　海

位　置　肘之大骨外廉。去肘之端五分。

解剖的部位　在上膊骨與尺骨之中間。鶯嘴突起之後側。尺骨筋起始部。循下尺骨副動脈。分布尺骨神經之主幹。

療　法　針二分。灸五壯。

主　治　頸骨部組織炎。肩膊肘臂諸筋神經痛及痙攣。眼球黃色。聽覺器麻痺。齒齦炎。舞蹈病。下腹神經痛。

【一七一】支　正

位　置　腕後五寸。

解剖的部位　在尺骨後面之中央。外尺骨筋中。循骨間動脈。分布尺骨神經及中膊皮下神經。後下膊皮下神經。

療　法　鍼六分。灸三壯乃至七壯。

主　治　精神病。腦神經衰弱。眩暈。頭痛。顏面充血。上膊神經痛。肘臂痙攣。手指疼痛。握手不能。眼瞼麥粒腫。

【一七二】養　老

位　置　手之髁骨上之一空。腕上一寸。

（髁位尺骨莖狀突起一空。與莖狀突起之上際凹陷部也。）

解剖的部位　在尺骨莖狀突起之正中部。外尺骨筋腱側。循腕骨背側動脈。分布尺骨神經。

療　法　針三分。灸三壯乃至五壯。

主　治　肩臂運動神經痙攣及麻痺。眼球充血。視力減退。

【二七三】陽　谷

位　置　手之外側。腕中銳骨之下陷中。

（腕中銳骨尺骨莖狀突起也。）

解剖的部位　在尺骨莖狀突起之下際。固有小指筋之內部。循腕骨背側動脈。分布尺骨神經之手背枝。

療　法　鍼三分。灸三壯乃至五壯。

主　治　眩暈。耳鳴。耳聾。癲癇。口內炎。齒齦炎。頰頷組織炎。肋間神經痛。尺骨神經痛。小兒搐搦。疳蟲等。

【二七四】腕　骨

位　置　手之外側，腕之前，（外側。小指側也。）

解剖的部位　在第五掌骨腕骨之間。外尺骨筋之停止部。於外轉小指伸筋中。有豆骨掌骨韌帶。循腕骨背側動脈。分布尺骨神經之分枝。

療　法　針五分。灸三壯乃至七壯。

主　治　上肢關節炎，頰頷炎，角膜翳。淚液過多。耳鳴，頭痛，嘔吐。肋膜炎。

【二七五】後谿

位　置　手之小指外側。本節之後陷中。

解剖的部位　在第五掌骨內一部之前下方。短小指屈筋之旁。有外轉小指筋。循指背動脈。分布尺骨神經之分枝。

療　法　針三分，灸三壯乃至五壯，

主　治　頸項痙攣，回顧不能。肘臂痙攣。癲癇，衄血。耳聾。角膜炎。白膜翳。疥瘡。

【二七六】前谷

位置 手小指本節之前。外側。陷中。

解剖的部位 在第五指骨第一節基底。第五掌骨之關節部前內側。短小指屈筋之旁。有外轉小指筋。循指背動脈。分布尺骨神經之分枝。

療法 針二分。灸三壯。

主治 癲癇。咳逆。吐血扁桃腺炎。頰部焮衝。耳鳴。鼻孔閉塞。前膊神經痛。產後乳閉。

【二七七】小澤

位置 小指之外側。去爪甲。如韭葉。

解剖的部位 在第五指骨第三節內側爪甲之發生根部。總指伸筋腱之停止部。有外轉小指筋。循尺骨動脈之指背枝分布尺骨神經之指背枝。

療法 鍼一分灸三壯乃至五壯。

主治 咳嗽頭痛扁桃腺炎。心臟肥大。前膊神經痛。頸項神經痙攣。白膜翳。產後乳閉。

第十一節　下肢（參照第六圖）

（一）自鼠蹊窩之中部經大腿骨内上髁勿過内踝之前側至𧿹趾外側（小趾側）爪端之綫。凡十一穴。

【二七八】陰　廉

位　置　羊矢之下去氣衝二寸。陰股皺陷之中。

（羊矢鼠蹊部之淋巴腺也。）

解剖的部位　在恥骨突起之下端内轉筋之内緣。循外陰部動脈。分布股神經及腰鼠蹊神經。

療　法　鍼三分灸三壯。

主　治　不姙症子宮後屈症。

【二七九】五　里

位　置　陰廉之下一寸。

解剖的部位　在恥骨突起下端長内轉股筋之内緣，循外陰部動脈。分布股神經及閉鎖神經。

療法　針五分。灸五壯。

主治　胸膜炎。慢性感冒後衰弱。

【二八〇】陰包

位置　膝上四寸。股之內廉兩筋之間。

（兩筋。大腿前側之筋與內側之筋也。）

解剖的部位　在大腿內側上踝上方。四頭股筋之內緣。循股動脈及上外膝關節動脈。分布內股皮下神經。

療法　針五分。灸三壯。

主治　腰臀部痙攣。下肢痙攣。尿閉。月經不順。

【二八一】曲泉

位置　膝內輔骨之下橫紋頭。曲膝取之。

解剖的部位　在脛骨內關節踝下際。半腱及半膜樣筋之停止部。循膝關節動脈。分布脛骨神經。

及薔薇神經。

療　法　針六分灸三壯乃至七壯。

主　治　腸神經痛。陰股神經痛及痙攣。胸腹部痙攣。四肢神經痛。尿閉。陰門瘙癢。陰門腫痛。子宮脫出。

【二八二】膝關

位　置　犢鼻之下二寸旁。陷中。

解剖的部位　在脛骨內側之上部。有腓腸筋。循膝關節動脈及脛骨動脈。分布脛骨神經及薔薇神經。

療　法　針四分灸五壯。

主　治　關節僂麻質斯膝關節內側疼痛。

【二八三】中　都

位　置　內踝之上七寸。骺骨之中。

（䯒骨。脛骨體之後緣也。）

解剖的部位　在脛骨部。有脛骨筋。循脛骨動脈分枝。分布脛骨神經。

療法　針三分。灸三壯。

主治　膝關節炎。咽喉加答兒。

【二八四】蠡溝

位置　內踝之上五寸。

解剖的部位　在脛骨之內面。有脛骨筋及比目魚筋。循後脛骨動脈。分布脛骨神經。

療法　針三分。灸三壯乃至七壯。

主治　腸神經痛。下腹痙攣。神經性心悸亢進症。脊髓炎。下肢麻痺。尿閉。子宮內膜炎，月經不順。

【二八五】中封

位置　內踝之前一寸。

解剖的部位　在第一楔狀骨內側。舟狀骨節之上部。前脛骨筋腱之外側。循前內踝動脈。及前脛骨動脈之枝別。內蹠骨動脈。分布大薔薇神經。及深腓骨神經。

療法　鍼四分。灸三壯乃至五壯。

主治　膀胱加答兒。淋疾。黃疸。食慾減退。全身麻痺。下肢冷却。

【二八六】太衝

位置　足之大趾本節之後二寸。

解剖的部位　在第一第二蹠骨與第一楔狀骨關節之前部。長伸蹈筋與短伸蹈筋之間。循趾背動脈。分布淺在腓骨神經。及內足蹠神經。

療法　針三分。灸三壯乃至七壯。

主治　胸脇神經痛。腰神經痛。下腹痙攣。淋疾。子宮出血。

【二八七】行間

位置　大趾與次趾之間本節之後。

解剖的部位　在第一及第二蹠骨間腔。內轉蹈筋之附着部。循趾背動脈。分布淺在腓骨神經。及內足蹠神經。

療法　針三　灸五壯乃至七壯。

主治　腦貧血。腹膜炎。神經性心悸亢進。腸神經痛。便祕。遺尿。陰莖痛。糖尿病，月經過多。小兒急性搐搦。

【二八八】　大敦

位置　大趾之外側，去爪甲如韮葉。

解剖的部位　在第一趾骨第二節之外側爪甲之發生根部。即短伸蹈筋腱中。循趾背動脈，分布趾骨神經之終枝。

療法　針三分。灸五壯乃至七壯，

主治　上腹部及臍部膨脹。又冷却。腸疝痛。腰神經痛。便祕。遺尿。陰莖痛。淋疾。糖尿病，月經過多。子宮脫出。

(二)自大腿前內側之中部。經膝蓋骨之內側。勿過內踝之中部。至踇趾之內側爪端之綫凡十一穴。

【二八九】○箕門（禁針）

位置　股之內廉。魚腸之上。兩筋之間。血海之上六寸。動脈應手。（魚腸。股之內側軟所也。兩筋。大腿內側之筋與前側之筋也。動脈。股動脈也。）

解剖的部位　在大腿骨內部。有縫匠筋、薄股筋。及內大股筋。循股動脈。分布皮下神經。閉鎖神經。股神經。

療法　鍼五分。灸三壯。

按：原本禁針。甲乙經刺入二分。延命山玉森氏本針五分。

主治　淋疾。尿閉。遺尿。鼠蹊腺炎。

【二九〇】血海

位置　膝臏之上。內廉。白肉之際二寸中。

（膝臏。膝蓋骨也。白肉。大腿前側之筋也。）

解剖的部位　在大腿骨前內下部。有內大股筋。循膝關節動脈。分布內股皮下神經。及股神經。

療法　針三分。灸三壯乃至七壯。

主治　腹膜炎。月經不順。子宮出血。子宮內膜炎，

【二九一】▲陰陵泉（禁灸）

位置　膝內輔骨之下陷中。

（內輔骨。大腿骨下端之內關節踝。與脛骨下端之內關節踝合。）

解剖的部位　在下腿內側之上位。脛骨頭之關節窩。比目魚筋與腓腸筋三角腔。二頭股筋之附着部。循後脛動脈。分布薔薇神經。脛骨神經。

療法　針五分乃至八分。

主治　上腹部厥冷。胸膜炎。消化不良。限局性痙攣。吐瀉。腸神經痛。遺屎尿閉。膣內炎。

【二九二】地機

位　置　膝下五寸。內髁之上八寸。

解剖的部位　在脛骨後內緣。有比目魚筋。循後頸骨動脈之分枝。分布脛骨神經。薔薇神經。

療　法　鍼四分。灸三壯乃至七壯。

主　治　腰痛。食慾減退。胃痙攣。尿閉。精液缺乏。月經痛。

【一九三】漏　谷

位　置　內髁之上六寸。地機之下二寸。

解剖的部位　在下腿中央之內側。比目魚筋部。循後脛骨動脈之分枝。分布薔薇神經。脛骨神經，

療　法　鍼四分。灸三壯乃至七壯。

主　治　腹鳴。腹部膨脹。消化不良。肩胛部疼痛。脚氣。歇斯的里，

【一九四】三　陰　交

位　置　內髁之上三寸。骨下陷中。（骨下。伸下腿於前取之。）

解剖的部位　在脛骨後內側。後脛骨筋與長總趾屈筋之間。循後脛骨動脈。分布薔薇神經。脛骨神經。

療　法　針四分。灸三壯乃至十壯。

主　治　胃阿篤尼症。食慾減退。消化不良。腹部膨脹。腸疝痛。腹鳴。下痢。四肢厥冷及倦怠。下肢疼痛及痲痺。尿閉。痔疾。小兒遺尿。陰莖疼痛。遺精。早漏。月經過多。子宮出血。產後腦貧血。婦人生殖器病。脚氣。動脈硬化。血壓亢進。

【二九五】　商　丘

位　置　內髁之下少前陷中。

解剖的部位　在內髁前下部之陷凹中。十字靭帶之下側。前脛骨筋與長伸蹈筋之腱間。循內跗骨動脈。分布脛骨神經。

療　法　針三分。灸三壯乃至七壯。

主　治　腹部膨脹。腹鳴。嘔吐。便祕。痔疾。消化不良。黃疸。歇斯的里。百日咳。

【二九六】公孫

位置　足之大趾本節之後一寸。

解剖的部位　在第一蹠骨與第一楔狀骨之關節內側。有外轉蹞筋及長伸蹞筋。循足背動脈。分布薔薇神經。

療法　針三分。灸三壯。

主治　心臟炎。肋膜炎。胃癌。嘔吐。食慾減退。下腹痙攣。腸出血。頭部及顏面浮腫。癲癇。

【二九七】大白

位置　足大趾本節之後。

解剖的部位　在第一蹠骨末端之內側。楔狀骨結節之下陷凹中。有外轉蹞筋。循足背動脈。分布脛骨神經之足蹠枝。

療法　針三分。灸三壯乃至五壯。

主治　胃痙攣。嘔吐。消化不良。便祕。腸疝痛。腸出血。腰痛。下肢疼痛及麻痺。

【一九八】大都

位置　足大趾本節之前。

解剖的部位　在蹲指第一節之前。外轉蹲筋停止部。循足背動脈。分布脛骨神經之足蹠枝。

療法　針三分。灸三壯乃至五壯。

主治　全身倦怠。心內膜炎。胃痙攣。直腹筋痙攣。腰痛。惡疽。小兒痙攣。

【一九九】▲隱白（禁灸）

位置　足大趾之端。去內側爪甲。如韭葉。

解剖的部位　在第一趾第二節之末端內緣爪甲之發生根部。外轉蹲筋之腱膜中。循趾背動脈。分布淺腓骨神經。及內足蹠神經。

療法　針一分。灸三壯乃至五壯。

案：原本禁灸甲乙經灸三壯。延命山玉森氏本灸三壯乃至五壯。

主治　腹膜炎。急性腸加答兒。下肢厥冷。月經過多。小兒痙攣。

(三)於膝關節之內側。自大腿骨內上髁之後側。勿過內髁之後側至足之內緣。更至足蹠之中部線。凡十穴。

【三〇〇】陰谷

位置 膝之內輔骨之後。大筋之間。

(內輔骨。大髁骨下端之內關節髁。與脛骨上端之內關節髁合。大筋。半腱樣筋及半膜樣筋之腱與腓腸筋內頭也。)

解剖的部位 在脛骨內關節髁之內緣後部。有半腱樣筋及半膜樣筋。循膝膕動脈分枝。分布膝膕神經。股神經。及脛骨神經。

療法 針四分。灸三壯。

主治 大腿內側部疼痛。膝膕關節炎。下腹膨脹。淋疾。陰萎。陰莖痛。膣內炎。大陰唇炎。陰門瘙癢。子宮出血。

【三〇一】築賓

位置　內踝之上五寸。腨分之中。

（腨分腓腸也。）

解剖的部位　在比目魚筋與腓腸筋下垂部之境。循脛骨動脈。分布脛骨神經。

療法　針五分。灸乃三壯至七壯。

主治　精神病。鉛毒症。胎毒。比目魚筋痙攣。

【三〇二】復溜

位置　築賓之下三寸。內踝之上二寸。

解剖的部位　在脛骨後部。有後脛骨筋及長總趾伸筋。循後脛骨動脈。分布淺在腓骨神經。

療法　針三分。灸五壯。

主治　脊髓炎。腹膜炎。淋疾。睾丸炎。腹鳴。水腫病。下肢痲痺。盜汗過多。腰部痙攣。發齒痛。

【三〇三】交信

位置　內踝之上二寸。復溜之前。三陰交之後下方一寸。

解剖的部位　在脛骨後部。有後脛骨筋及長總趾伸筋。循後脛骨動脈。分布淺在腓骨神經。

療　法　針四分。灸三壯乃至七壯。

主　治　淋疾。尿閉。便祕。腸加答兒。下腹偏痛。水腫病。內肢神經痛。月經不調。子宮出血。

【三〇四】水　泉

位　置　大谿之下一寸。

解剖的部位　在跟骨結節之內側前上凹陷部。有長伸蹠筋及外轉蹠筋。循後脛骨動脈。分布脛骨神經。

療　法　鍼四分。灸五壯。

主　治　月經不通。月經減少。近視眼。

【三〇五】照　海

位　置　內踝之下一寸。陷中。

解剖的部位　在跟骨與舟狀骨之間。陷中。外轉蹠筋中。循後脛骨動脈。分布脛骨神經。

療　法　針三分灸三壯乃至五壯，

主　治　咽喉乾燥。四肢倦怠，歇斯的里。扁桃腺炎，腹疝痛陰莖膨起過多。淋疾。子宮脫出，月經不調。

【三〇六】太　鐘

位　置　足跟之上。大谿之下。水泉之上。横紋之中。

解剖的部位　在阿喜利氏腱（卽腓腸筋及比目魚筋之下端。附着跟骨强大之腱。）之內側。陷中。有長腓骨筋。循後脛骨動脈。分布脛骨神經之分枝，

療　法　鍼三分灸三壯乃至七壯。

主　治　神經性心悸亢進。歇斯的里。口內炎。嘔吐。食道狹窄。便秘。淋疾。子宮痙攣。

【三〇七】大　谿

位　置　內踝之後。跟骨之上。動脈。

（動脈後脛骨動脉也。）

解剖的部位　在內踝與跟骨之中間陷中。循後脛骨動脈。分布脛骨神經之分枝。

療法　針三分灸三壯乃至五壯。

主治　熱病後四肢厥冷。心內膜炎。肋膜炎。橫膈膜痙攣。咽喉加答兒。口內炎。喘息。咳嗽。吃逆嘔吐。便秘。子宮痙攣。

【三〇八】然　谷

位置　內踝之前起骨之下。

解剖的部位　在舟狀骨與楔狀骨之關節部。外轉蹞筋與長屈蹞筋附着部之間。循後脛骨動脈、分布脛骨神經及內足蹠神經。

療法　針五分。灸三壯乃至五壯。

主治　咽喉炎。心臟炎。扁桃腺炎。流涎。嘔吐。盜汗。膀胱加答兒。尿道加答兒。睾丸炎。精液缺乏。遺尿。糖尿病。不妊症。月經不調。子宮充血。子宮脫出。陰唇充血。陰門瘙癢。瘡毒症。小兒強直痙攣。

【三〇九】湧泉

位置　足心陷中。曲足卷趾取之。

解剖的部位　在蹈趾根膨隆部之後外側。長屈蹈筋之外側。短總趾骨筋之內側。循後脛骨動脈之末枝。內足蹠動脈。分布頸骨神經之末枝內足蹠神經，

療法　針五分。灸三壯乃至七壯。

主治　舌骨筋麻痺。嘶嗄失聲。咳嗽。急性扁桃腺炎。心臟炎。心悸亢進。黃疸。眩暈。子宮下垂。不姙症。

（四）自大轉子之前側。經腓骨小頭。勿過外踝之中部。至第四腓側爪端之線。凡十四穴。

【三一〇】環跳

位置　髀樞之中。

（髀樞。大轉子也。）

解剖的部位　在大腿骨大轉子與髀臼關節上緣中間之後部。上層有大臀筋。下層有中臀筋。循

上臀動脉。分布薦骨神經之後枝。

療法　針一寸。灸七壯乃至二十壯。

主治　血管硬化。腰部大腿部及膝部組織炎。坐骨神經痛。

【三一一】中瀆

位置　髀骨之外。膝上五寸。分肉之間。陷中。

（髀骨。外股也。）

解剖的部位　在大腿之外側。股鞘與外大股筋之間。循外迴旋股動脉。分布外股皮下神經。上臀神經。

療法　針五分。灸五壯乃至七壯。

主治　下肢麻痺及痙攣。脚氣。

【三一二】▲陽關（禁灸）

位置　外輔骨之上。膝之旁。陽陵泉之上三寸。

解剖的部位　在大腿骨外上髁之上際。四頭股筋停止部之外側。二頭股筋腱之前方。循上外膝關節動脈。分布股神經之分枝。

療　法　針五分。

主　治　膝關節炎。大腿部麻痺。

【三一三】陽陵泉

位　置　膝之下。骺之外廉。

解剖的部位　在腓骨小頭之前下部。長腓骨筋與長總趾伸筋之間。循前脛骨動脈之分枝。及後返迴脛骨動脈。分布腓骨神經。

療　法　針六分。灸七壯乃至十壯。

主　治　膝關節炎。血管硬化。顏面浮腫。常習便秘。脚氣。下肢痙攣。舞蹈病。坐骨神經痛。

【三一四】陽　交

位　置　外踝之上七寸。

解剖的部位　在腓骨部。有長總趾伸筋及長腓骨筋。循前腓骨動脈之分枝。分布深腓骨神經之分枝。

療　法　針六分。灸三壯乃至十壯。

主　治　喘息。肋膜炎。歇斯的里。坐骨神經痛。

【三一五】　外　丘

位　置　外踝之上七寸。陽交稍後。

解剖的部位　在腓骨與脛骨之間。長總趾伸筋與長腓骨筋之間。循前脛骨動脈。分布淺腓骨神經。

療　法　針四分。灸三壯。

主　治　肋膜炎。頸項部疼痛。惡寒發熱。小兒佝僂病。癲癇。

【三一六】　光　明

位　置　外踝之上五寸。

解剖的部位　在腓骨之前緣。長總趾伸筋與長腓骨筋之間。後部有比目魚筋與腓腸筋。循前脛骨動脈。分布淺腓骨神經。

療法　鍼六分。灸七壯。

主治　脛腓部疼痛。精神病。

【三一七】陽輔

位置　踝外之上四寸。

解剖的部位　在腓骨與脛骨間。有長總趾伸筋與長腓筋。循前腓骨動脈。分布深腓骨神經。

療法　針六分灸五壯乃至十五壯。

主治　腰痛。膝關節炎。全身疼痛。腰部冷却。內外背疼痛。扁桃腺炎。腋下腺炎。瘰癧。

【三一八】懸鐘

位置　外踝之上三寸。

解剖的部位　在腓骨之前緣。長總趾伸筋與長腓筋之中央。循前腓骨動脈。分布淺腓骨神經。

療法　針六分。灸五壯乃至十五壯。

主治　肋膜炎。胃擴張。脚氣。扁桃腺炎。腎臟炎。衄血。鼻孔乾燥。頸項部疼痛。下肢疼痛。中風。血管硬化症。

【三一九】丘墟

位置　外踝之下如前陷中。

解剖的部位　在脛腓關節下端與跗骨之關節部。長總趾伸筋腱中。循前外踝動脈。及腓骨動脈穿行枝。分布淺腓骨神經。

療法　針五分。灸三壯乃至七壯。

主治　肺充血。肋膜炎。呼吸困難。腸疝痛。腋下腫痛。角膜炎。白膜翳。腓腸筋痙攣。

【三二〇】臨泣

位置　足小趾次趾本節後之間。陷中。去俠谿一寸五分。

解剖的部位　在第四蹠骨之後外側與第五蹠骨之後內側之間。長及短總趾伸筋腱中。循外跗骨動脈，分布脛骨神經交通枝。

療　法　針三分灸五壯。

主　治　間歇熱。全身痲痺及疼痛。心內膜炎。眩暈。呼吸困難。月經不順。乳房炎。

【三二一】▲地五會（禁灸）

位　置　足小趾次趾本節之後陷中。

解剖的部位　在第四蹠骨與第五蹠骨間腔之中央前端部。循外跗骨動脈分布脛骨神經交通枝。

療　法　針二分。

主　治　腋下疼痛。乳房炎。

【三二二】俠　谿

位　置　足小趾次趾本節之前。

解剖的部位　在第四趾骨與第五趾骨第一節之前。岐骨之間。長及短總趾伸筋腱附着部。循趾背動脈。分布趾背神經。

療　法　針三分。灸三壯乃至五壯。

主　治　肋間神經痛。耳聾。眩暈。外眥炎。頰頷炎。下肢痲痺。

【三一三】竅　陰

位　置　足小趾次趾之端。去爪甲如韭葉。

解剖的部位　在第四趾骨第三節之外側。爪甲之發生根部。長及短總趾伸筋附着部之外側。循趾背動脈。分布趾骨神經。

療　法　針一分。灸三壯乃至五壯。

主　治　肋膜炎。心臟肥大。咳逆。頭痛。口內乾燥。耳聾。眼球疼痛。乳癰。

（五）自大腿前側之上部。經膝蓋骨之外側。勿過外踝之前側。至第二趾外爪側端之綫。凡十五穴。

【三一四】髀　關

位　置　膝上一尺二寸。

解剖的部位　在腸骨前下棘之外下側。內有大腿骨。循大臀筋部之上臀動脈。分布外股皮下神經、閉塞神經。腰鼠蹊神經、

療　法　針六分。灸三壯乃至七壯。

主　治　腰痛。內外股筋痙攣。膝蓋部厥冷。下肢麻痺。閉塞神經痛。

【三二五】伏　兔

位　置　膝上六寸。起肉之間。

（起肉之間。大腿前側之筋與內側筋之間也。）

解剖的部位　在大腿骨之前外側。直股筋之外端。循外迴旋股動脈之分枝。分布外股皮下神經。及股神經筋枝。

療　法　針六分。灸三壯乃至七壯。

主　治　膝蓋部厥冷。下肢痙攣及冷却。癮疹。頭痛。脚氣。

【三一六】▲陰市（禁灸）

位置　膝上三寸。伏兔之下。

解剖的部位　在大腿骨之前外側。有外大股筋。循外迴旋股動脈下行枝。分布外股皮下神經。及股神經筋枝。

療法　鍼四分。灸三壯乃至五壯。

案：原本禁灸。延命山、玉森氏本灸三壯乃至五壯。甲乙經灸三壯。

主治　腰部大腿部膝蓋部冷却及麻痺。脚氣。腹水。子宮痙攣。糖尿病。

【三一七】梁丘

位置　膝上二寸。

解剖的部位　在大腿骨之前外側，有外大股筋。循外迴旋股動脈下行枝。分布外股皮下神經。及股神經分枝。

療法　針四分。灸五壯。

主　治　腰痛。膝蓋部疼痛及麻痺。乳房炎。乳頭痛，

【三一八】犢　鼻

位　置　膝下。骱骨上大筋之中。

(骱骨脛骨結節也。大筋。膝蓋靭帶也。)

解剖的部位　在脛骨上端之外側。即膝蓋靭帶之外下側。循膝關節動脈網。分布股神經。脛骨及腓骨神經之關節枝。

療　法　針三分。灸三壯。

主　治　膝關節炎。膝蓋部疼痛及麻痺。脚氣。

【三一九】三　里

位　置　膝下三寸。去骱骨之外一寸。

(骱骨。脛骨體前緣也。)

解剖的部位　在脛骨上端與腓骨小頭關節部之下方。有前脛骨筋。與長總趾伸筋。循前脛骨動

脈。及返迴脛骨動脈分布深腓骨神經。及脛骨神經。

療法　針五分乃至八分灸七壯乃至二十壯。

注意　未滿七歲之小兒不可灸。

主治　消化不良。胃痙攣。食慾減退。羸瘦。口腔疾患。腹膜炎。腹鳴。便秘。動脈硬化。血壓亢進。四肢倦怠及麻痺。脚氣。頭痛。眩暈。逆上。眼疾。神經系諸疾患。

【三三〇】巨虛上廉

位置　三里之下三寸。

解剖的部位　在脛骨與腓骨之間。即前脛骨筋與長總趾伸筋之間。循前脛骨動脈。分布深腓骨動脈。

療法　針五分。灸三壯乃至七壯。

主治　腸加答兒。腸疝痛。腹鳴。大腸冷却。消化不良。脚氣。四肢麻痺。

【三三一】條口

位　置　上廉之下二寸。

解剖的部位　在脛腓兩骨之間。有長總趾伸筋。循前脛骨動脈。分布深腓骨神經。

療　法　針五分。灸三壯乃至七壯。

主　治　下肢麻痺，膝關節炎，脚氣。

【三三二】　巨虛下廉

位　置　條口之下一寸。

解剖的部位　在脛腓兩骨之間。有長總趾伸筋。循前脛骨動脈。分布深腓骨神經。

療　法　針五分。灸三壯乃至七壯。

主　治　肋間神經痛。下腹部痙攣。扁桃腺炎。腦貧血。流涎。食慾減退。脚氣。

【三三三】　豐　隆

位　置　外踝之上八寸。

解剖的部位　在脛腓兩骨之間。有長總趾伸筋。循前脛骨動脈。分布深腓骨神經。

療　法　針三分灸三壯乃至五壯。

主　治　肋膜炎肝臟炎下肢痙攣及麻痺。精神病。頭痛、便祕。尿閉。歇斯的里。

【三三四】 解　谿

位　置，外踝之前。衝陽之後一寸五分。足腕之上。陷中。

解剖的部位　在前脛骨筋之腱與長總趾伸筋腱之間。當環狀靭帶部。循前脛骨動脈。分布深脛骨神經。

療　法　針五分灸三壯乃至七壯。

主　治　顏面浮腫。眩暈頭痛。癲癇。歇斯的里。下腹膨脹。便祕。

【三三五】 衝　陽

位　置　內庭之上五寸。骨間動脈。（骨間動脈足背動脈也。）

解剖的部位　前足背之最高所。第二第三楔狀骨與第二第三蹠骨之關節部。當長伸拇筋與短伸拇筋之間。循背骨間動脈。分布淺腓骨神經。

療法　鍼三分。灸三壯乃至五壯。

主治　顔面麻痺。齒痛。齒齦炎。癲癇。嘔吐。腹部膨脹。食慾減退。下肢麻痺。

【三三六】陷谷

位置　內庭之上二寸。

解剖的部位　在第二第三蹠骨間之中央前端部。有短總趾伸筋腱。循前脛骨動脈之總枝。分布淺腓骨神經。及深腓骨神經。

療法　針三分。灸三壯。

主治　顔面浮腫。眼球充血。欠伸。腹鳴。腸疝痛。間歇熱。

【三三七】內庭

位置　足大趾與次趾之外間。陷中。

解剖的部位　在第二趾骨第一節之前外部。長及短總趾伸筋腱中。循第一骨間足背動脈。分布深腓骨神經。及淺腓骨神經。

療法　針三分灸五壯。

主治　間歇熱及發汗顏面神經麻痺。上齒齦炎。衄血。欠伸。咽喉痙攣。

【三三八】厲兌

位置　足大趾次趾之外間陷中。

解剖的部位　在第二趾骨第三節之背面外側。爪甲之發生根部。當長總趾伸筋附着部。循前脛骨動脈之終枝。分布淺及深腓骨神經之末枝。

療法　針一分灸三壯。

主治　肝臟炎。消化不良。腦貧血。精神病。扁桃腺炎。齒齦炎。鼠蹊神經痛。腹水。水腫病。口輪匝筋萎縮。急性鼻加答兒。

（六）自大轉子與坐骨結節之間。徑膝膕窩之中部。勿過外踝之後側。至小趾之外側爪端之線。凡十八穴。

【三三九】▲承扶（禁灸）

位置　尻臀之下。陰股之上。約文之中。

（尻臀爲臀肉。陰股與內股也。約文。臀皺襞也。）

解剖的部位　在臀下皺襞橫紋之中央。即大臀筋之下際。有大內轉股筋。循下臀動脈。分布下臀神經後枝。及坐骨神經。

療法　鍼八分。

主治　腰背神經痛及痙攣。痔疾。便祕。尿閉。臀部焮衝。坐骨神經痛。

【三四〇】▲殷門（禁灸）

位置　承扶之下六寸。

解剖的部位　在大腿後面之中央部。即二頭股筋與半模樣筋之間。循股動脈。分布坐骨神經。

療法　針七分。

主治　腰背部疼痛。大腿部焮衝及痙攣。坐骨神經痛。

【三四一】浮郄

位　置　委陽之上一寸。曲膝取之。

解剖的部位　在大腿後下部外側、二頭股筋內側。循膝膕動脈之分枝。分布膝膕神經。腓骨神經。

療　法　針五分。灸三壯乃至七壯。

主　治　吐瀉。限局性痙攣。便祕。尿閉。下肢外側麻痺。

【三四二】委陽

位　置　膕中外廉。兩筋之間。曲膝取之

（膕中。爲膝膕窩兩筋。二頭股筋之腱與股鞘也。）

解剖的部位　在二頭股筋之內側。循膝膕動脈。分布膝膕神經。腓骨神經。

療　法　針七分。灸三壯乃至五壯。

主　治　腰背部痙攣。膝膕窩神經痛。腓腸筋痙攣。下腹痙攣。癲癇。

【三四三】▲委中（禁灸）

位　置　膕之中央。約文中之動脈。

（動脈。膝膕動脈也）

解剖的部位　在大腿骨與下腿骨之關節部。腓腸筋之二頭間。循膝膕動脈。分布脛骨神經。

療　法　針五分。灸三壯乃至五壯。

主　治　下腹膨脹。膝關節炎。大腿關節炎。中風。

【三四四】合　陽

位　置　膕中約文之下二寸。委中之下二寸。

解剖的部位　在腓腸筋部，循後脛骨動脈。分布後脛骨神經。膝膕神經。

療　法　針五分。灸五壯乃至七壯。

主　治　腰背疼痛。下腹痙攣。膝膕部組織炎。腸出血。睪丸炎。子宮出血。子宮內膜炎。

【三四五】○承　筋　（禁針）

位　置　腨腸之中央

（腨腸。腓腸部也。）

解剖的部位　在腓腸筋部。循後脛骨動脈。分布後脛骨神經。

療法　灸三壯乃至七壯。

主治　限局性痙攣。吐瀉。便秘。痔疾。腰背部痙攣。腓腸部痙攣及麻痺。

【三四六】承山

位置　腨腸之下。分肉之間。陷中。

解剖的部位　在腓腸筋部。循後脛骨動脈。分布後脛骨神經。

療法　針七分。灸五壯乃至十五壯。

主治　限局性痙攣。吐瀉。便秘。淋疾。脚氣。小兒痙攣。

【三四七】飛陽

位置　外踝之上七寸。骨之後。

（骨之後。腓骨後側也。）

解剖的部位　腓骨之外側部。當腓腸筋之外緣。循腓骨動脈。分布腓骨神經。
療法　針五分。灸三壯乃至七壯。
主治　痔疾。關節僂麻質斯。脚氣。眩暈。癲癇。

【三四八】跗陽

位置　外踝之上三寸。
解剖的部位　在腓骨之外側部。有腓腸筋。循前腓骨動脈。分布深腓骨神經。
療法　針五分。灸五壯乃至七壯。
主治　限局性痙攣。吐瀉。腰痛。顔面神經痛。大腿部神經痛。四肢麻痺。

【三四九】崐崙

位置　外踝之後。跟骨之上。陷中。
解剖的部位　在外踝阿斯利氏腱之中央陷凹中。循後外踝動脈。分布淺腓骨神經。及脛骨神經。
療法　鍼三分乃至五分。灸三壯乃至七壯。

主　治　頭痛。眩暈衂血肩背部痙攣。腰痛。坐骨神經痛。跟踝關節炎。脚氣。腺病，佝僂病。陰門腫痛。

【三五〇】僕　參

位　置　跟骨之下陷中。

解剖的部位　在跟骨結節後下部之稍偏於外側之所。卽阿斯利氏腱停止部之外側。循腓骨動脈之枝別。分布淺腓骨神經。及脛骨神經交通枝。

療　法　針三分。灸三壯乃至七壯。

主　治　脚氣。淋疾。膝關節炎。腓腸筋及足蹠筋麻痺。限局性痙攣。癲癇。

【三五一】▲申　脈　（禁灸）

位　置　外側之下陷中入爪。

解剖的部位　在外踝之微下。外轉小趾筋之上端。循腓骨動脈穿行枝。分布脛骨神經交通枝。

療　法　針三分。灸三壯乃至七壯。

案：原本禁灸。其他各書。不列禁灸。

主治　頭痛。眩暈。腰部及下肢疼痛。脛骨部麻痺。動脈硬化症。子宮痙攣。

【三五二】金門

位置　外髁之下一寸。

解剖的部位　在外踝之前下方五分。跟骨與骰子骨間之陷凹部。短總趾伸筋中。循腓骨動脈穿行枝、分布脛骨神經交通枝。

療法　鍼五分。灸三壯乃至七壯。

主治　前頭痛。下腹痙攣。腹膜炎。膝蓋部麻痺。嘔吐。限局性痙攣。癲癇。小兒搐搦。

【三五三】京骨

位置　足之外側。大骨之下。

（大骨。骰子骨也。）

解剖的部位　在足背與足蹠之境界部。骰子骨與第五蹠骨關節部之陷中。有外轉小趾筋。循足背動脈之分枝。分布外足蹠神經之深枝。

療　法　針三分乃至五分。灸三壯乃至七壯。

主　治　心臟病。腦膜炎。腦充血。腰痛。間歇熱。佝僂病。

【三五四】束　骨

位　置　足小趾之外側本節之後。

解剖的部位　在第五蹠骨之側前部。長總趾伸筋腱中。循足背動脈之分枝。分布外足蹠神經之深枝。

療　法　針三分。灸三壯乃至五壯。

主　治　頭痛。眩暈。耳聾。淚管狹窄。內眥炎。眼球黃色。顱頂部疼痛。項筋收縮回顧不能。腰背神經痛。腓腸筋痙攣。癰、疽、疔瘡等惡腫物。

【三五五】通　谷

位　置　足小趾外側本節之前。

解剖的部位　在第五趾第一節之前外側。長總趾伸筋腱中。循趾骨動脈。分布趾背神經。

療法　針二分灸三壯乃至五壯。

主治　頭痛。眩暈。衄血。頸項部疼痛。慢性胃加答兒。

【三五六】至陰

位置　足小趾外側。去爪甲。如韭葉。

解剖的部位　在第五趾第三節之外側。爪甲之發生根部。長總趾伸筋附着部之外緣。循趾背動脈。分布趾背神經。

療法　針二分。灸三壯。

主治　頭痛。鼻孔閉塞。眼球充血。白膜翳。尿閉。失精。

針穴學終

高等鍼灸學講義

乙 孔穴學

孔穴學者。為日本文部省經穴調查會審定之經穴也，以我國衛生署。尚無經穴調查會之設立，爰依照日本文部省審定之穴。以為根據。並介紹其歷史及其審定之理由如下。

大正二年。文部省經穴調查會既成立。爰命醫學博士三宅秀。醫學博士理學博士大澤岳太郎。醫學博士文學博士富士川游。富岡兵吉。町田則文。吉田弘道諸氏為經穴調查會委員以專其責。閱時六載。始克完成。其審查之結果。於經穴六百六十穴之中。除刪去身體局部無關重要之穴外。得下記之一百二十穴。

諸穴之中。除頭部正中線。腹部正中線。及背部正中線外。於身體左右所存在之孔穴合算之。得一百二十一穴。比古經穴幾少去三分之二。

從來取穴。雖有折量分寸法。而其說未能劃一。故用解剖學上之位置。俾讀者得知孔穴準確之部位。

本編所示橫徑。在大人以術者之指爲標準。在小兒則以被術者(即小兒自身)之指爲標準。

孔穴學之名稱、以歷史上關係。經富士川氏涉獵古針灸科諸書而定。其部位經大澤氏由於解剖學的觀察而愼加訂定。復經吉田富岡二氏針灸屍體指示其部位而加確定。以爲標準。

第一章　穴名部位

第一節　頭部　顏面部　頸部　(參照第一圖)

【一】　頭部正中線

自眉間中央後方起點向後方走正中至項部之線。凡六穴。

神庭　眉間上四指橫徑。

(此穴在眉間正中之上。相當於髮際部。)

顖會　大顖門部。

(此穴在前頭骨與左右顱頂骨前上隅之縫合部。卽前頭顖門。)

百會　旋毛之陷中。連於左右顱頂結節綫之中央部。

（此穴自頭蓋正中綫與左右顱頂結節引橫線而相當於十字紋之部。）

後頂　自百會後方約一指半橫徑。自外後頭結節約三指橫徑部。

（此穴在顱頂骨後上隅之縫合部即後頭顱門。）

腦戶　外後頭結節之直上部。

（此穴相當於外後頭結節之直上部。）

瘂門　自外後頭結節下方二指橫徑部。

（此穴相當於項部之正中髮際。）

【二】　頭部第一側線

自上眼窠孔起點。離正中綫之外方二指橫徑。於正中線並行。至後方之線。凡四穴。

曲差　神庭之外方二指橫徑部。

（此穴當眼之瞳孔上方。相當於髮際。）

承光　曲差之後方二指半橫徑部。
（此穴相當於冠處縫合部前頭顳門之外側。）

通天　承光之後方二指橫徑部。
（此穴相當於百會之外側二指橫徑。）

天柱　當瘂門之外方二指橫徑部僧帽筋腱之外側。
（此穴相當於後頸部之髮際僧帽筋腱之外側。）

【三】　頭部第二側線

自顳顬線之起始部起點。離正中線之外方四指橫徑。於第一側線並行。至後方之線。凡五穴。

臨泣　神庭外方四指橫徑部。
（此穴相當於顱頂結節部。）

正營　臨泣後方一指半橫徑部。
（此穴相當於冠處縫合之外部。）

承靈　正營後方二指橫徑部。

（此穴相當於顱頂結節部）

腦空　承靈之後方二指橫徑部。

（此穴當乳嘴突起之上方。相當於顱頂結節與外後頭結節之中間。）

風池　腦空之後方髮際陷中。相當於僧帽筋與胸鎖乳嘴筋之間。

【四】　額部

額部凡二穴。

攢竹　眉毛內端之下方。正中線之外方一指橫徑部。

陽白　眉毛中央之上方一指橫徑部。

【五】　顳顬部

顳顬部凡三穴。

頭維　顳顬窩之前上部。神庭之外方約四指半橫徑部。

(此穴爲顳顬窩之前上部。相當於髮際。)

曲鬢　顳骨弓上方約一指橫徑之凹陷部，

(此穴爲顳骨弓之上方。相當於髮際。)

紫竹空　眉毛外端凹陷部。

【六】顱頂部

顱頂部凡二穴，

率谷　顱頂結節下方一指橫徑部。

竅陰　乳嘴突起基底之後方部，

【七】耳前部

耳前部凡二穴。

上關　顴骨弓之上際部。

聽會　耳珠下。少前方之凹陷部。

【八】耳下部

耳下部凡一穴。

翳風　耳垂與乳嘴突起間之凹陷部。

【九】顏面部

顏面部凡九穴。

迎香　鼻翼之旁凹陷部。

（此穴爲鼻唇溝之上部。）

四白　下眼窩緣之下方一指橫徑部。

巨髎　鼻孔之外方約一指橫徑部。

（此穴當第一小臼齒齦部。）

地倉　口角之外方半指橫徑部。

下關　顴骨弓之下方。下顎關節前方之凹陷部。

頰車　下顎骨隅之後端部。

大迎　下顎骨隅之前方約一指半橫徑部。

顴髎　顴骨之下緣部。

（此穴相當於顴骨結節之下緣。）

水溝　鼻柱之下部。人中。

【十】　頸部

頸部凡二穴；

天鼎　前頸部。喉頭結節外方。至胸鎖乳嘴筋前緣部。

（此穴爲上頸三角部。相當於胸鎖乳嘴筋前緣之中部。）

天突　胸骨頸狀截痕直上部。

（此穴相當於胸骨上窩之中央部。）

第二節　胸部　腹部　（參照第二圖）

【一】胸部副胸骨線

離胸部正中線當副骨線。凡六穴。

俞府　第一肋間。胸骨外方部。

彧中　第二肋間。胸骨外方部。

神藏　第三肋間。胸骨外方部。

靈墟　第四肋間。胸骨外方部。

神封　第五肋間。胸骨外方部。

步廊　第六肋間。胸骨外方部。

【二】胸部乳線

胸部乳線凡五穴。

氣戶　第一肋間。乳線部。

庫房　第二肋間。乳線部。

屋翳　第三肋間。乳線部。

膺窗　第四肋間。乳線部。

乳根　第六肋間乳線部。

【三】　胸部前腋窩線凡一穴

中府　庫房之外方二指橫徑部。

（此穴爲前腋窩線之上部相當於第二肋間。）

【四】　腹部正中綫

自鳩尾起點。下行正中至恥骨縫際部之線。凡七穴。

鳩尾　胸骨下端下方一指橫徑部。

（此穴相當於心窩之中央部。）

巨闕　鳩尾之下方約一指橫徑部。

上脘　巨闕之下方約一指橫徑部。

中脘　上脘之下方約一指横徑部。
腱里　中脘之下方約一指横徑部。
下脘　腱里之下方約一指横徑部。
關元　臍之下方約三指横徑部。

【五】　腹部第一側綫

離鳩尾之外方半指横徑。於正中綫並行。至下方之綫。凡八穴。

幽門　巨闕下方半指横徑部。
通谷　幽門下方一指横徑部。
陰都　通谷下方一指横徑部。
石關　陰都下方一指横徑部。
商曲　石關下方一指横徑部。
肓俞　商曲下方一指横徑部。

四滿　肓兪下方一指横徑部。

大赫　四滿下方二指横徑部。

【六】　腹部第二側綫

離第一側綫外方二指横徑。於肋骨下緣起點於第一側線並行下方之綫。凡八穴。

不容　幽門外方二指横徑部。

（此穴相當於第八肋軟骨附着部之下方。）

承滿　不容下方一指横徑部。

梁門　承滿下方一指横徑部。

關門　梁門下方一指横徑部。

太乙　關門下方一指横徑部。

天樞　太乙下方二指横徑部。

（此穴與臍並行。）

外陵　天樞下方一指横徑部。

水道　外陵下方三指横部徑。

第三節　側腹部　（參照第三圖）

【一】側腹部

側腹部凡六穴。

腹哀　季肋部。相當於乳綫部。

（此穴在乳綫。當第九肋軟骨附着部之上方。於正中綫之鳩尾與臍之中間並行。）

大横　腹哀下方三指横徑。臍之外方。

（此穴當第九肋軟骨之下方。與臍並行。）

腹結　大横下方約二指横徑部。

（此穴當第九肋軟骨附着部之下方。與腸骨節並行。）

衝門　腸骨前上棘之內下方五指横徑部。

（此穴當第九肋軟骨之下方。相當於腸骨前上棘之內下方，陰股皺襞之外端。）

脇髎　第十一肋骨端之下方部。

五樞　脇髎下方約四指橫徑部。

（此穴當第十一肋骨前端之下方。相當於腸骨前上棘之上部。）

第四節　背部　（參照第四圖）

【一】　背部正中線

自第七頸椎棘狀突起起點。下行至尾閭骨尖端之線，凡四穴。

大椎　第七頸椎棘狀突起部。

（此穴相當於第七頸椎棘狀突起與第一胸椎棘狀突起之間。）

身柱　第三胸椎棘狀突起之下方部。

（此穴相當於第三與第四胸椎棘狀突起之間。）

命門　第二腰椎棘狀突起之下方部，

（此穴相當於第二第三腰椎棘狀突起之間）。

長強　尾閭骨尖端部。

【二】背部側線

離正中線之外方二指橫徑。於正中線並行至下方之線。凡十三穴。

大杼　第一胸椎棘狀突起與第二胸椎棘狀突起之間外方。約二指橫徑部。

肺俞　第三胸椎棘狀突起與第四胸椎棘狀突起之間外方。約二指橫徑部。

心俞　第五胸椎棘狀突起與第六胸椎棘狀突起之間外方。約二指橫徑部。

膈俞　第七胸椎棘狀突起與第八胸椎棘狀突起之間外方。約二指橫徑部。

肝俞　第九胸椎棘狀突起與第十胸椎棘狀突起之間外方。約二指橫徑部。

胃俞　第十二胸椎棘狀突起與第一腰椎棘狀突起之間外方。約二指橫徑部。

腎俞　第二腰椎棘狀突起與第三腰椎棘狀突起之間外方。約二指橫徑部。

大腸俞　第五腰椎棘狀突起下外方約二指橫徑部。

白環俞　尾骨之側方部

上髎　腸骨後上棘之下方部。

（此穴相當於第一後薦骨孔。）

中髎　上髎之下方一指橫徑部。

（此穴相當於第二後薦骨孔。）

次髎　中髎下方一指橫徑部。

（此穴相當於第三後薦骨孔。）

下髎　次髎下方一指橫徑部。

（此穴相當於第四後薦骨孔。）

第五節　肩胛部　上肢部　（參照第五圖）

【一】　肩胛部

肩胛部凡二穴。

曲垣　肩胛骨棘狀突起根之上部中央。

肩胛　肩胛骨內側。第一胸椎與第二胸椎間之外方部。

（此穴接近於肩胛骨上內隅。）

【二】　上肢部

上肢部凡十三穴。

消濼　在上膊外面之中央。三角筋停止部少後下方。

清冷淵　肘之上方二指横徑部。

（此穴爲上膊之後側。相當於尺骨鶯嘴突起上方二指横徑部。）

四瀆　肘之下方五指横徑。尺骨外側部。

（此穴爲前膊之後側。鶯嘴突起之下方二指横徑。相當於尺骨外側。）

天井　尺骨上端之上方一指横徑部。

（此穴爲上膊之後側，相當於鶯嘴突起之上方一指横徑部。）

俠白　上膊內面。尺澤之上方五指橫徑部。

(此穴相當於上膊前面之中央。)

尺澤　肘關節前面。肘窩內側部。

曲池　上膊骨外上髁之直前部。

(此穴曲肘。相當於肘窩橫皺之外端。)

三里　曲池之下方二指橫徑部。

(此穴爲前膊骨側之上部。自肘窩橫皺相當於下方二指橫徑。)

肩髃　肩峯突起之肘外方部。上膊上凹陷之所、

(此穴爲上膊外側之上部。相當於肩峯突起之下端。)

肩貞　肩峯突起之後外下方部。

(此穴爲上膊後側之上部。相當於肩峯突起之後外方二指橫徑。)

支溝　腕關節之背側。上方三指橫徑部。

合谷　第一掌骨與第二掌骨間之部。

（此穴相當於手背之第一與第二掌骨之間。）

陽池　腕關節背面部：

（此穴相當於腕關節背面之中央部。）

第六節　下肢部（參照第六圖）

下肢部凡十一穴。

陰廉　鼠蹊溝之中央部。

環跳　大轉子之前方。

承扶　臀部下溝之中央部。（臀皺襞）

中瀆　大腿骨外上髁上方五指橫徑部。

陽陵泉　膝之下方一指橫徑部。

（此穴爲下腿外側之上部。當膝蓋骨之下方。相當於腓骨小頭之前際。）

三里 膝之下方三指横徑部。

（此穴爲下腿前側之上部。相當於膝蓋骨之下方。脛骨結節之外部。）

陰陵泉 脛骨關節髁後緣之直下部。

（此穴爲下腿內側之上部。相當於脛骨內關節後緣之直下部。）

飛陽 足之外髁上方七指横徑部。腓骨之後側。

三陰交 足之內髁上方三指横徑部。

懸鐘 足之外髁上方三指横徑部。

水泉 足之內踝後下方一指横徑部。

孔穴學終

海氏帶與鍼灸術

海氏帶者。言其人體內之疾病。關聯身體某部分。而來神經過敏之現象。因感其部之疼痛。而起痙攣等而作也。於內臟疾病起時。其臟器於相當一定之皮膚面而生知覺過敏。此說依古時「奇迪那姆」「隆蓋洛斯」學者之說而知之。其後依「海賚篤」「孟蓋奇」兩氏之研究。而證明此過敏帶。係一種反射作用。因此證明。遂有「海賚篤』氏之名。而以冠海賚篤氏之名稱。用爲臨床

海氏帶模型

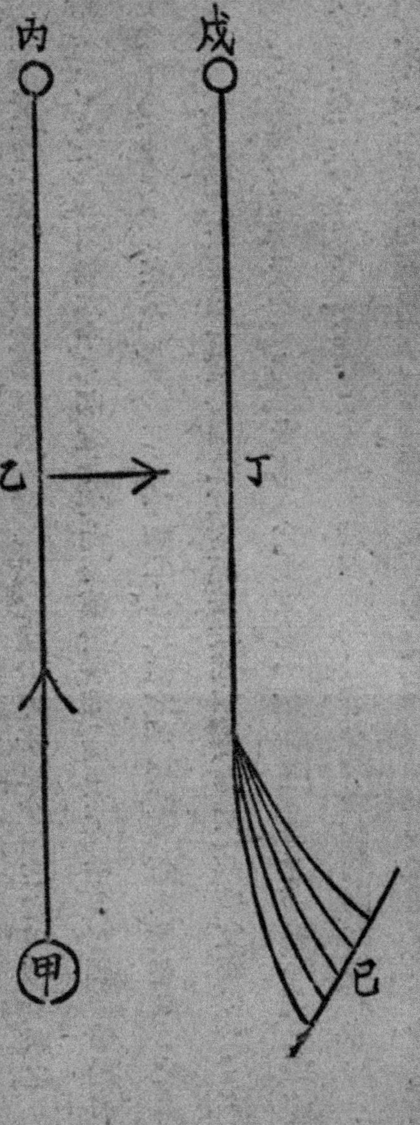

上之應用。因海賫篤氏發現此過敏帶。係因一種特異之反射徑路也。今由右之模型說明之。發自內臟（甲）之疾病。刺戟其中心部之所。例如腦傳於脊髓(丙)。在途中(乙)鄰接傳於神經(丁)。從丁之中心而達(戊)。在(戊)刺戟之途中卽(丁)。從他之神經感傳而來。故在自己之末梢之皮膚(己)。刺戟以感之。斯之謂一種特異之反射徑路。故因內臟(甲)之疾病。宜刺戟於(己)(處。

又孟蓋奇氏就盲腸研究所發表者。與海賫篤氏之假定說一致。卽因盲腸之炎症不絕的病的刺戟。介於交感神經而傳達於脊髓。當脊髓達刺戟時。卽鄰接於脊髓而達細胞。例如傳近接於甲乙丙之細胞。是今假定甲爲知覺神經。乙爲運動神經。丙爲他之臟器。卽聯接於膀胱之不論何種細胞。連於知覺神經之甲細胞。於其末梢皮膚。生知覺過敏帶。繼於運動神經之乙細胞。來直腸筋及橫腹筋之痙攣。而至膀胱丙細胞。呈尿意頻數。或利尿困難等是也。

此等假定說。亦有幾多學者唱爲反對說。謂內臟疾病起於一定地位之皮膚知覺過敏，卽海賫篤氏帶於事實不能實現云。

◎海氏帶之檢出法

海賚篤氏帶檢出者。先以術者之拇指與食指。按患者之皮膚上。調其最強痛之部位。但此際祇能按皮膚。不能加壓迫於內部之臟器。不如此則有內部感覺之誤。若皮下結締組織或筋肉少之部位。其皮膚接着筋肉或骨上。而生檢出困難時。可以五六號毫針或三菱針之類。輕輕刺衝。以檢出其強痛覺過敏之處。但小兒或知覺之遲鈍者。往往難得正確檢出。於此情形之下。應用後藤道雄博士感電氣。頗能得良好成績。此法在弱之皮膚上。貼感電氣。漸次加強感電至一定強度。即起電氣固有之感電。以此方法。隨處試驗。容易得其強度之差異。而知覺過敏帶與健康部亦易鑑別矣。海賚篤氏帶概有帶狀發現。但往往竝無帶狀。只有一點現出。又帶之中。特有一點着知覺過敏帶之事。總之無論何處海賚篤氏有「高頂點」或「最高頂點」之名。此高頂點於內臟疾病回復之期。常常存在。

◎海氏帶之應用

海賚篤氏帶者。各疾病不發現於一定之皮膚上。以之檢出者也。其檢出法。不需何等特別之裝置。手續簡單。應用之而能補助診斷。不能應用於治療的方面。唯僅在海賚篤氏知覺過敏帶。塗敷「

可開因「軟膏。貼用芥子泥。未聞收何種效果。後藤道雄氏云。古來醫家。多行濕布冰囊。例如患腦膜炎者。冷却頭部。患心臟病者。冷却胸部。或行鎮痛法之溫罨法。或行鍼灸。由經穴施行海賫篤氏帶之治療的應用、在理論上容易明瞭。依多年之經驗所得。尤於經穴依海賫篤氏帶而易得。針灸術宜依各病而異經穴。且須期位置之正確。除對於循環系之作用滿足。不必選經穴於身體表面何部位施術。同其效果外。不可不選正當之經穴。海賫篤氏帶之作用。能正確之。

◎海氏帶與經穴之位置關係

全身之經穴。是否全部與海賫篤氏帶一致。尚須研究。雖心臟疾患者加以冷却身體之表面。外表之血管收縮。血液內部輻輳。却生亢進心悸之害。故對於心臟疾患。行海賫篤氏帶之相當部。能收效沉降心悸之良果。此微之事實而得者也。經穴必相當於海賫篤氏帶。今舉左之各疾病與海賫篤氏帶之高頂點。與經穴之位置關係。以資參考。海賫篤氏帶分全軀幹為頸部(C。)胸部(D。)腰部(I。)薦骨部(S。)四部。列如左表。

心臟疾患	C3 D1—4	氣舍 小海 靈門 屋翳 膺窗 風池 大杼 肺兪 膏盲 心兪
肺臟疾患	D1—7	小海 靈門 屋翳 膺窗 步廊 食竇 幽門 大杼 肺兪 膏盲 心兪 膈兪 陽綱 肝兪
食道	D5—6 D8	步廊 食竇 章門 食竇 章門 京門
乳腺	D4—5	膺窗 步廊 心兪 膈兪
胃	D6 D8—9	食竇 章門 京門 肝俞 痞根 肓門
腸	D10 D—12	帶脈 五樞 衝 門 痞根 肓門 志室 小腸俞 胞肓

第一圖

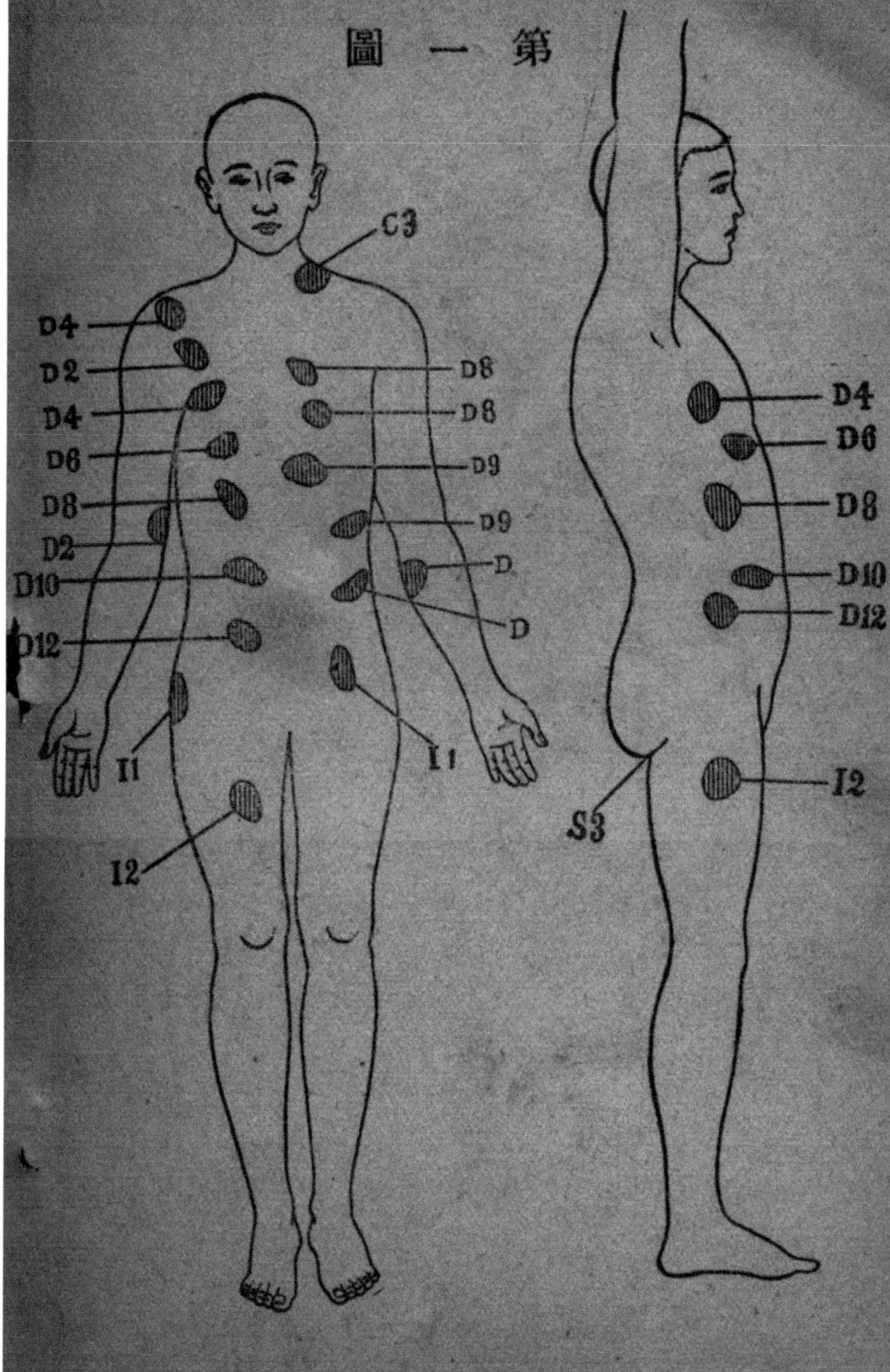
C3
D4
D2
D4
D6
D8
D2
D10
D12
I1
I2
D8
D8
D9
D9
D
D
I1
D4
D6
D8
D10
D12
I2
S3

梅氏帶與針灸術

第二圖

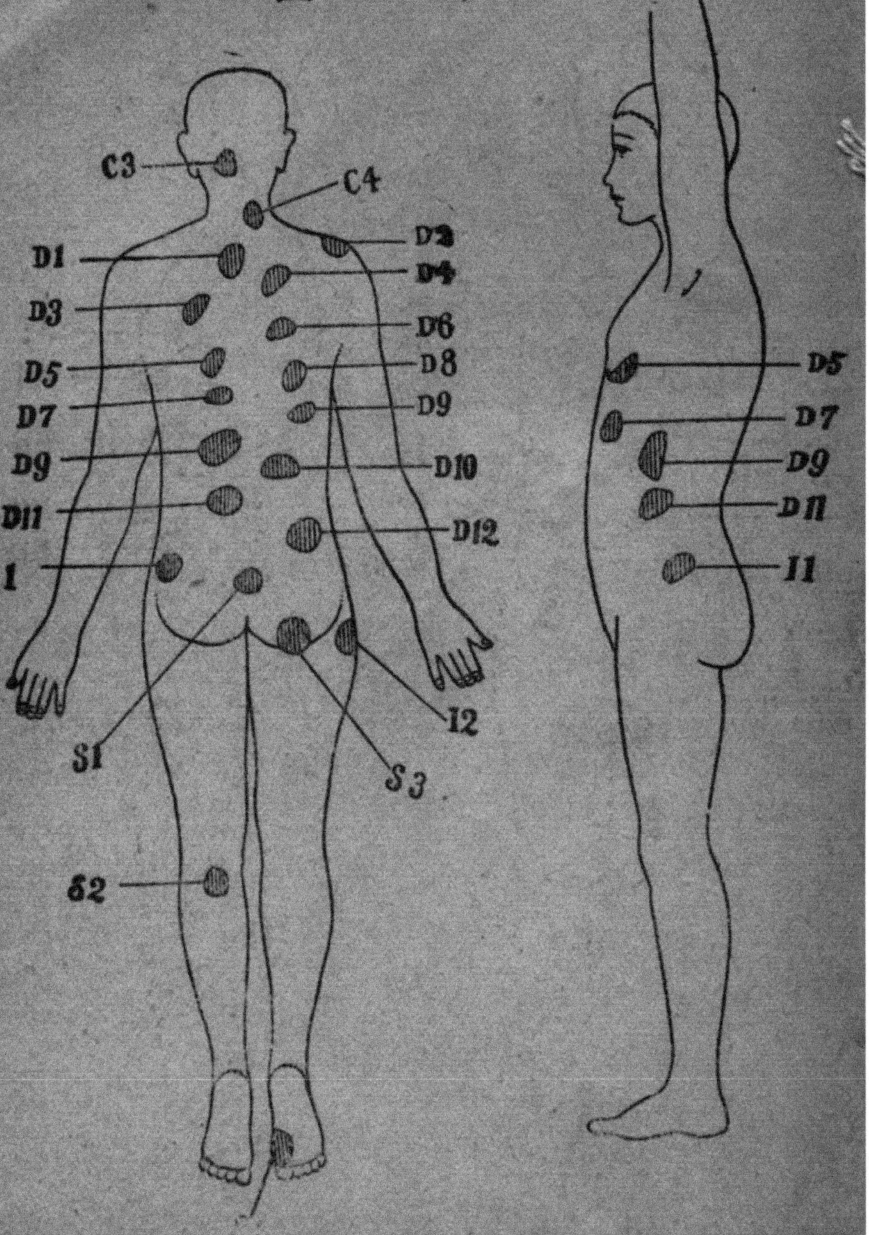

七

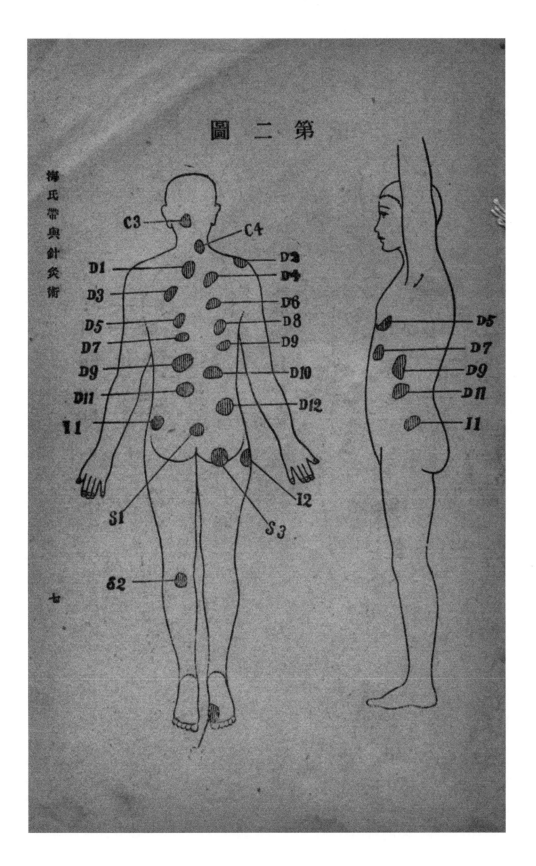

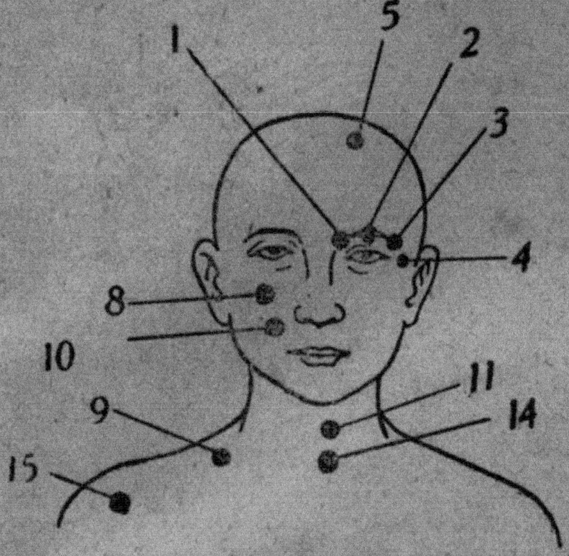

第三圖

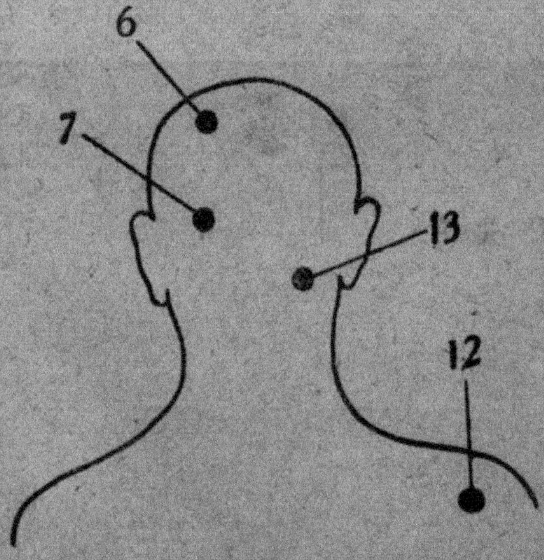

第四圖

肝臟 D7—10	幽門 章門 京門 帶脈 陽綱 痞根 肓門 志室	
腎臟及輸尿管 D10—11 L1	帶脈 五樞 氣衝	
膀胱 S2--4	犢鼻 殷門 會陽	
睾丸及卵巢 D10	帶脈 志室	
子宮口 S1—4	大白 犢鼻 殷門 會陽	
子宮 D10—12 I1	帶脈 五樞 衝門 氣衝 志室 小腸俞 胞肓	
眼鼻上門齒	鼻前額帶（1）	攢竹
遠視	中部眼窠帶（2）	曲差
耳及心臟	顳顬前額帶（3）	紫竹空
緣內障	顳顬帶（4）	客主人

中耳疾患	頂天帶（5）	承光
耳及胃	顱頂帶（6）	通天
後部咽喉及腹部臟器之一部	後頭帶（7）	玉枕
虹彩膜炎及玻璃體	上顎帶（8）	耳門
上臼齒	下顎帶（9）	頰車
鼻及齒髓	鼻唇帶（10）	禾髎
舌背及智齒	上部咽頭帶（11）	人迎
門齒及犬齒	頤帶（12）	大迎
扁桃腺舌下側臼齒	舌骨帶（13）	翳風
咽頭	下部咽頭帶（14）	水突

但肋膜疾患。海賚篤氏帶不現。

海氏帶與針灸術終

海氏帶與針灸術終

中華民國二十年十月初版
中華民國二十五年九月再版
定價一元三角

高等鍼灸學講義 經穴學孔穴學

不准翻印

編譯者 四明張俊義
校閱者 鄞縣張聖翊
出版者 東方鍼灸書局
印刷者 蔚文印刷局
發行者 東方鍼灸書局

發行所 東方鍼灸書局
浙江寧波江東泥堰頭中興里一號

東方

经络俞穴歌诀（姜贯虹）

提 要

一、作者小传

姜贯虹，曾从事记者工作，1934年考入江苏省立医政学院卫生特别训练班。该训练班对学员的入学条件要求严格，要求学员年龄须为35岁以下且从事中医行业3年以上；设立宗旨为授以各种中医基础知识包括西医相关知识；入学与毕业考试也极为严格。姜贯虹先生于1935年7月7日毕业于该训练班。

二、版本说明

《经络俞穴歌诀》著于民国二十四年（1935）四月，具体出版信息不详。

三、内容与特色

全书未进行章节划分，共分十一部分。第一部分为“经络俞穴歌诀”，该部分主要介绍十四经的经脉循行歌诀、经脉穴位总歌诀、经脉分寸歌诀、经穴摘要歌诀，重点介绍每条经脉常用腧穴的定位、主治、针灸操作以及作者根据临床经验总结的配伍规律。重点讲解的穴位如下：手太阴肺经7穴，手阳明大肠经9穴，足阳明胃经14穴，足太阴脾经8穴，手少阴心经5穴，手太阳小肠经8穴，足太阳膀胱经28穴，足少阴肾经8穴，手厥阴心包经6穴，手少阳三焦经11穴，足少阳胆经14穴，任脉9穴，督脉10穴。第二部分为“百症赋”，该部分对腧穴的含义进行了阐述，将腧穴的由来进行了解释，并将经验效穴进行了整理和总结。第三部分为“十二经脉腧穴禁针禁灸歌诀”，该部分将禁针与禁灸的穴位通过歌诀形式进行了阐述。第四部分为“十二经行针补泻手法一览图表”，该部分以图片加注释的形式将补泻手法的具体动作生动地展现出来。第五部分为“十三鬼穴名称”。第六部分为“针法、灸法之生理作用”，该部分对针法与灸法的作用机制进行了简单总结，并通过表格的形式简单明了地体现出来。第七部分为“晕针的治疗方法”。第八部分为“针刺难出针的处理方法”，即介绍针刺常见异常情况的处理方法。第九部分为“十二井荥输经合的意义、主治”。第十部分为“补泻迎随与促进、减缓之小释”，主要介绍尺度法、天地人之针法。第十一部分为“施针法及施针前后应注意事项”。

该书内容以歌诀的形式展现，简单易懂，易于记忆，对后世学习经络、腧穴有一定的意义。

现将该书的特色介绍如下。

（一）化零为整，执简驭繁

该书简洁易懂，通过朗朗上口的歌诀形式，将经络、腧穴中基础且复杂的经脉循行、经穴分布、经穴主治、经验效穴、针刺及艾灸禁忌、行针补泻手法等知识进行总结。如《手太阴肺经总穴歌》云：“太阴肺经十一穴，中府云门天府列，侠白尺泽与孔最，列缺经渠太渊涉，鱼际少商如韭叶。”《手少阴心经穴分寸歌》云：“少阴心起极泉中，腋下筋间动引胸，青灵肘上三寸觅，少海肘后五分充，灵道掌后一寸半，通里腕后一寸同，阴郄去腕五分的，神门掌后锐骨缝，少府小指本节末，小指内侧是少冲。”这些简单的歌诀将零散又复杂的针灸基础知识串联在一起，可提高读者的学习兴趣，帮助读者记忆。

（二）图文并茂，补泻相宜

该书在介绍补泻手法时将绘图与文字相结合，使内容更加生动形象，便于读者学习。该书对补泻手法进行了总结，如将手三阳、足三阴之补泻法总结为“补（左）针头捻转向右边大指向后退，食指向前进，补（右）针头捻转向左边大指向前进，食指向后退；泻（左）针头捻转向左边大指向前进，食指向后退，泻（右）针头捻转向右边大指向后退，食指向前进”，将手三阴、足三阳之补泻法总结为“泻（左）针头捻转向右边大指向后退，食指向前进，泻（右）针头捻转向左边大指向前进，食指向后退；补（左）针头捻转向左边大指向前进，食指向后退，补（右）针头捻转向右边大指向后退，食指向前进”，将任督二脉补泻法总结为“补法悉向左转，大指向前进，食指向后退；泻法悉向右转，大指向后退，食指向前进”。

（三）阐述机制，博古通今

该书除了对穴位的针灸方法、施术部位、配伍应用进行阐述，还从现代医学的角度对针法及灸法产生作用的机制进行了简单的总结，这在当时是十分先进的。该书对针法与灸法的机制阐述总结如下：

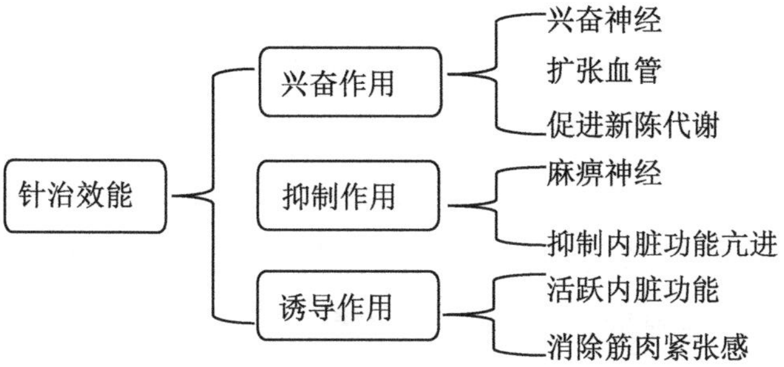

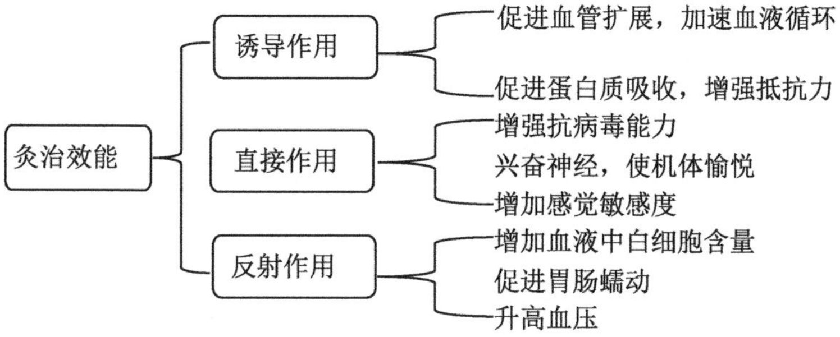

①艾灸能增加白细胞、血小板含量，促进血清变化，增强免疫力，强大旺盛新陈代谢之功能；②灸法刺激毛细血管及各神经，使血管扩张或收缩，加强血液循环功能；③艾灸温热刺激能促进血压上升，使人体分泌作用旺盛；④灸法刺激能促进胃肠蠕动，增加血液中的含糖量；⑤施灸后血管扩张、血压增高、血液及淋巴中糖分增加；⑥施灸对于知觉神经（将神经末梢受到的刺激传导至神经中枢的神经，称为“知觉神经”，如视神经、听神经）兴奋引起的疼痛过敏者能起到止痛作用，其原理为促进血清中的化学变化而产生止痛因子；⑦灸法刺激具有抑制感觉的作用；⑧灸法能使血液产生抗病毒因子，能在抵抗外邪的同时排出疮毒病菌，起到身体自愈的作用。通过对古术灸法的研究，该书作者否定了当时因认为中医缺乏机制研究而定其为玄学的言论，进一步证明了针灸是科学的，为针灸的日后发展奠定了坚实的基础。

（四）天、地、人法，三才之道

自古以来各家对“三才”的研究颇为广泛。三才，指天、地、人，语出《易传·系辞下》：“有天道焉，有人道焉，有地道焉。兼三才而两之，故六。六者非它也，三才之道也。”首先，该书对人体天、地、人三才的位置进行了总结，认为胸部以上为天部，胸部至脐为人部，脐以下为地部。其次，该书对三部进针的深浅进行了总结，认为天部宜轻刺、浅刺，地部宜深刺、重刺，人部宜适中针刺，同时强调了天部若针刺不慎，患者出现晕针的情况如何处理。最后，该书对针刺天、地、人三部时的行针手法进行了总结：“天、地、人者，乃刺至肌肉之内谓人刺，至筋骨部分谓地刺，至皮肉之内谓天刺。……行针手术先刺入天部再刺至地部，复退至人部而后方行补泻手术，直待病者感觉内里酸楚麻胀，乃为针气含接之效，则宜稍停针数分钟，令针气散尽，然后接补泻疾徐法，则出针。即可谓天、地、人之针法乃为施治虚、实、寒、热、凉、暑、湿之成法也。”

（五）启古纳今，中西合璧

该书的创作时间是民国二十四年（1935），虽创作时间较早，但全书内容较为新颖，语言简洁，整体思想较为先进。民国时期中医发展极为艰难，很多人因受西方思想的影响而主张废除中医，当时的南京国民政府卫生部曾在1929年2月召开第一届卫生委员会议，拟通过《规定旧医登记案原则》，这条议案间接认同了废止中医，对当时中医界影响巨大。该书所著年代正是主流社会对中医质疑且对西方文化思想极为推崇的时期，作者并没有随波逐流，一味否定中医，而是通过撰写该书，传达和肯定了中医学作为一门科学应该存在，同时作者提倡中西医结合，这也是极为先进的思想。作者在前言部分就阐述了两个观点。①针灸学的由来深远，在治疗疾病中具有起沉疴、拔痼疾的作用，效如桴鼓，将针灸应用到人体上对人体功能有显著的作用，虽然针灸仅取一针一艾之微，但可以与西方的光学、电学、理学、化学、机械学之新疗法相抗衡，其效绩实驾于西洋新疗法之上。中医学是一门科学，科学的理论来源于宇宙万物，宇宙发展是科学之母，无论西医科学如何猛进、机械如何新奇，我国中医传统科学一直遵循宇宙科学之理，因此数千年来中医学能岿然独存，留下许多经验与疗效为后世流传。那些醉心于科学的人未曾深入探究祖国医学高深精细之处，未研究其机制、原理，却笼统地将其与玄学相提并论，是非常不合适的。②中、西医学各有擅长之处，不可偏颇地说哪种方式更加有作用，不可因西方思想的传入而出现崇洋媚外的思想，西方人将中医视为一门科学进行研究，中国人也应抱着科学的心态去看待西医，而不是一味推崇。以针灸为例，针灸术作为祖国医学的物理疗法，外国专家纷纷对其进行研究，例如美国医学博士黑特所发明神经过敏点，美国国立大学庞勋麒也曾做神经科治疗万病之论，这些都与针灸治疗疾病密不可分。针灸古术为科学原理，并非玄学，日本创立了针灸学院，英国各大学也将针灸列入专业课程，外国人尚能对中医针灸进行如此研究，国人更应好好研究经络、腧穴的原理，证明针灸学的科学性，并将其发扬光大。

弁言

鍼灸學由來久矣其於治療疾患能起沉痾拔痼瘵其效如桴鼓呈不可思議之功績者良由此術於人體生理上具有偉大之機能作閑在也雖一鍼一艾之微竟敢與西人之光學電學理學化學機械等科學之新療法相抗衡其效績實駕乎彼西洋新療法上而上之蓋我國醫學寓於哲理所謂哲理者乃宇宙萬有之原理也亦即此新世紀科學之母任彼西人之科學如何猛進機械如何新奇吾國哲理俱包羅之今其不能越雷池一步故歷時數千載我鍼灸學尚能巍然獨存效驗昭著凡醉心歐化者每追隨人後步趨未遑奚能窺究我祖國高深精細之醫學乎堂奧未窺宜其視爲神秘

玄學不適於時勢潮流但中西醫學各有擅長未可偏廢然機械科學終有窮盡之日我國哲理則廣大無垠仰之彌高鑽之彌堅不得其門而入者恆巧言令色獨媚外洋以逞其假新學機械式之欺人使俩殊不知西人尚兢兢業業注事研究并用誠懇之態度以表示欽佩公認我針灸古術為東方唯一之物理療法即美醫神經學專家海資篤氏所發明之海氏神經帶美博士黑特氏所發明神經過敏點及美國國立手術大學畢業之麗珈麒氏亦曾作神經可治療萬病之論調綜上數点觀之莫不與我國鍼灸術相暗合惟其如斯我鍼灸古術既合於科學原理日本既創立鍼灸學院英國各大學又列為專家外人尚孜孜兀兀發揮更應急起

宜逐詳加深究如經絡俞穴之解剖治療之原理在在須用整理證明庶湮沒無聞之鍼灸絕學得有發揚光大之日書此願與諸同志共勉之

中華民國二十四年四月蘇東貫虹氏識於鎮江江蘇省立醫政學院

經絡俞穴歌訣

蘇東姜貫虹編述

壹 手太陰肺經

(一) 太陰肺經脈絡歌

太陰肺經中府尖　下絡大腸出賁門　上膈屬肺從肺系　橫出腋下臑中行　肘臂寸口上魚際　大指內側爪甲根　支絡還從腕後出　速接次指隸陽明

(二) 太陰肺經總穴歌

太陰肺經十一穴　中府雲門天府列　俠白尺澤與孔最　列缺經渠太淵涉　魚際少商如韭葉

(三) 手太陰肺經穴分寸歌

太陰中府三肋間　上行雲門寸六許　雲在璇璣旁六寸　天府腋三動脈求　俠白肘上五寸主　尺澤肘中約紋是　孔最腕側七寸擬　列缺腕上一寸半　經渠寸口陷中取　太淵掌後橫紋頭　魚際節後散脈裏　少商大指內側端　鼻衄喉痹刺即已

手太陰肺經穴摘要歌（一）

1中府

中府（四）乳上三肋間　瀉除胸熱治不難　喘逆脘悶並氣塞　上氣咳逆功能兼

穴在乳上第三肋間仰卧取之就乳頭直上三寸在横外開八寸針三分深留五呼灸五至四十壯

（叙按）此穴並針肺俞大椎可治肺炎咳嗽等症

2尺澤

尺澤肘中約紋心　吐血肘痛筋急靈　傷寒驚風瘈瘲瘧　四肢瘇痛汗不清

穴在肘中約紋之中心以手平伸取之針五分至一寸留七呼禁灸

（叙按）針此穴兼針中脘肺俞內関列缺養療肺癰

3列缺

列缺腕側骨罅中　養治寒嗽偏頭風　尿血精出陰中痛　氣刺乳中針有功

穴在腕上寸半以兩手拇指交叉食指盡處兩骨罅中針四分留三呼灸七壯

（虹按）此穴與太淵肺俞丰隆並針可治痰熱咳嗽

4經渠

經渠主治瘧綿纏　胸背拘急脹滿療　喉痹咳
逆氣數欠　心痛吐逆效堪瘥
穴在腕後五分寸口脈上針入三分留三呼禁
灸

（虹按）此穴治瘧从正虛甚靈但須加針大椎間使
其效尤著

5太淵

太淵齒痛最堪針　肘腕無力痛難伸　兼治咳
嗽氣息急　偏正頭疼奏效神
穴在寸口前横紋上按之甚痛針二三分留五
呼灸三壯

（虹按）如因臟腑風寒而咳嗽者與天突肺俞列缺
同針甚效

6魚際

魚際主灸牙齒疼　審淡在兩左右分　兼治傷
寒汗不出　更療瘧疾勢防增
穴在本節後白肉際去太淵一寸左針五分深

留三呼灸五壯

7 少商

（虹按）風火牙痛並針合谷有效

少商大指內側邊　專刺驚風瘧其咽　昏迷失

覺風暴中　起死回生斯穴先

穴在大指內側之端去離爪甲約韭葉許針一

分留三呼瀉熱宜用三稜針刺出血禁灸

（虹按）此穴效用甚大如雙單乳蛾及喉痛潰爛與

合谷並針有效如吞强吞癢因於熱邪上壅者

先刺舌下出血再刺此穴與少沖出血可愈

貳　手陽明大腸經

（八）手陽明大腸經脈歌

陽明之脈是大腸　次指內側起商陽　循指上廉出合

谷　兩筋岐骨循臂走　入肘外廉循臑外　肩端前廉

巨骨秀　從肩上系缺盆內　絡肺下膈屬大腸　支從

缺盆直上頸　斜貫頰前下齒當　環出人中交左右

上夾鼻孔注迎香

(六)陽明大腸經絡穴歌

手陽明穴起商陽　二間三間合谷藏　陽谿偏歷溫溜
長　下廉上廉手三里　曲池肘髎五里近　臂臑肩髃
巨骨當　天鼎扶突禾髎接　鼻旁五分號迎香

(三)　手陽明大腸經穴分寸歌

商陽食指內側邊　二間尋來本節前　三間節後陷中
取　合谷虎口岐骨間　陽谿腕上筋間是　偏歷交叉
中指端　溫溜腕後去五寸　池前四寸下廉看　池前
三寸下廉中　池前二寸三里逢　曲池曲肘紋頭盡
肘髎大骨外廉近　大筋中央尋五里　肘上三寸行向
裡　臂臑肘上七寸量　肩髃肩端舉臂取　巨骨肩尖
端上行　天鼎扶下一寸真　扶突人迎後寸五　禾髎
水溝旁五分　迎香禾髎上一寸　大腸經穴是分明

(四)　手陽明大腸經穴摘要歌9穴

1 商陽

商陽主治病非輕　瘀痰暴厥致昏沉　傷寒中
風兼疾瘧　三稜針刺立回生

穴在食指内側端如韮葉與爪甲相去針一分
留一呼灸三壯
(虹按)此穴屬大腸經為消化系統如患陽明燥疾
或濕熱内蘊熱勢燥原除另服清涼除熱或甘
寒益陰劑以外可刺此穴與少商少衝少澤同
出血以泄其毒熱甚效

2 二間

刺到二間止牙疼　頷腫頭痛喉風清　飲食減
惡心寒慄　三壯灸之痛即平
穴在食指本節前之内側針二分留六呼灸三
壯
(虹按)此穴治牙疼固然有效但須加針合谷魚際
較驗

3 三間

鼻衄熱病三間闢　下齒齲痛目眥急　喉痺咽
痛氣閉塞　腸鳴洞泄瘧寒熱
穴在本節後陷中針三四分留三呼灸三壯
(虹按)此穴與陰郄亦針可治惡寒戰慄與中脘長

[illegible]同針可療腸鳴痛泄

4合谷

合谷傷風易治平　瘧痛還兼患急筋　亦針頭面諸般痛　水腫難產小兒驚

穴在虎口岐骨間針五分至一寸留六呼灸三壯（孕婦禁針）

（蚊按）此穴爲治牙痛主穴凡關於消化系統各部所发之病亦皆有效与少商曲澤咽痛可療合足三里大小腸俞中膂俞痢疾堪治

5陽谿

陽谿主治熱如蒸　瘾疹痂疥俱宜針　頭疼齒疼咽喉痛　狂妄驚恐見鬼神

穴在手腕横紋之上側兩筋間陷中針二三分留七呼灸三壯

（蚊按）此穴与肩髃同針治熱核隱疹

6手三里

手三里治舌風舞　腰背連臍痛殊苦　頭痛目眩臂頑麻　齒痛項强手難举

穴在曲池下二寸針三分至八寸灸五壯

（亟按）手指紅腫灸此穴與合谷外關手指疼痛麻木加灸曲池甚效

7 曲池

曲池主治暴中風　手麻筋急滿胸中　喉痹傷寒兼癃疾　遍身風癬灸為功

穴在肘外輔骨隔中以手拱胸前取之針八分至二寸留七呼灸八壯至數十壯

（亟按）凡患溫毒或大頭瘟者亟取此穴與委中及十井穴出血有效

8 肩髃

肩髃專治癱瘓疾　手攣肩腫四肢熱　精神憔悴還宜灸　更療癭氣如瘰癧

穴在肩端下寸許舉臂有空陷針六分至八寸留五呼灸七壯至七七壯

（亟按）此穴與曲池合谷並針治風火筋攣甚效如半身不遂加針頭維風池環跳陽陵泉足三里亦效

9 迎香

迎香主治鼻不通　兼治面癢若行虫　淚多有

瘕生瘜肉 此穴淺刺禁火攻

穴在鼻准外五分針四五分不可灸

（取按）如鼻塞不通不聞香臭此穴由上星亦針有

叁 效 陽明胃经

（一）足陽明胃经经脉歌

足陽明胃交鼻起 下循鼻外下入齒 還出挾口繞承漿 頤後大迎頰車裏 耳前髮際至頭顱 支下人迎缺盆底 下膈入胃絡脾宮 直者缺盆下乳裏 一支幽門循腹中 下行直合氣街逢 遂由髀關抵膝臏 胻跗中指內間同 一支下膝注三里 前出中指外間通 支者別走足跗上 大指之端經已終

（二）陽明胃經穴總歌

四十五穴足陽明 頭維下關頰車停 承泣四白巨髎經 地倉大迎對人迎 水突氣舍連缺盆 氣户庫房屋翳屯 膺窗乳中延乳根 不容承滿梁門起 關門

太乙滑肉穴　天樞外陵大巨存　水道歸來氣衝次
髀關伏兔走陰市　梁邱犢鼻足三里　上巨虛連條口
位　下巨虛跳上豐隆　解谿衝陽陷谷中　内庭厲兌
經穴終

(六) 足陽明胃經穴分寸歌

胃之經兮足陽明　承泣目下七分尋　四目白下方一
寸　巨髎鼻孔旁八分　地倉俠吻四分近　大迎頷前
寸三分　頰車耳下曲頰陷　下關耳前動脈行　頭維
神庭旁四五　人迎喉旁寸五真　水突筋前迎下在
氣舍突外穴相乘　缺盆舍外橫骨内　相去中行四寸
明　氣户璇璣旁四寸　至乳六寸又分明　庫房屋翳
膺窗近　乳中正在乳頭心　次有乳根出乳下　各一
寸六不相侵　却去中行須四寸　以前穴道為君陳
不容巨闕旁二寸　却近幽門寸五新　其下承滿與梁
門　關門太乙滑肉門　上下一寸無多少　共去中行
二寸尋　天樞臍旁二寸間　樞下一寸外陵安　樞下

二寸大巨穴 樞下三寸水道全 水下一寸歸來好
共去中行二寸邊 氣衝鼠谿上一寸 又在曲骨二寸
間 髀關膝上有尺六 伏兔膝上六寸是 陰市膝上
方三寸 梁邱膝上二寸記 膝臏陷中犢鼻存 膝下
三寸三里至 膝下六寸上廉穴 膝下七寸條口位
膝下八寸下廉看 下廉之旁豐隆係 却是踝上八寸
量 解谿跗上繫鞋處 衝陽跗上五寸喚 陷谷庭後
二寸間 內庭次指外間陷 厲兌大次指外端

（四）足陽明胃經穴摘要歌 45穴

1 頭維 頭風疼痛刺頭維 三分刺入祇沒皮 目痛不
明淚多出 針之則愈灸不宜
穴在額角入髮際去神庭旁四寸五分針三分
沒皮向下留五呼禁灸
（虹按）此穴与風池太陽并治偏正頭痛与上星光
明同療目痛羞明

2 頰車 頰車宜灸牙不開 口眼歪斜去語難 手風面

腰不可判　偏正頭痛何憂哉
穴在耳下八分曲頰之端近前陷中針五分留
五呼灸三至七七壯炷如小麥
(附按)如身體虛弱風邪中絡因而頸項強急口歪
者可針此穴左歪治右右歪治左加針風府風
池大椎神效

3 地倉

口眼喎斜灸地倉　唇弛頰腫失音吭　牙關不
開目不閉　瞤動視物目晄晄
穴在口角旁四分針三分灸七至七七壯留五
呼病左治右病右治左艾炷宜小過大則口反
歪灸承漿可愈
(附按)與頰車同治口眼歪斜但針頰車針頭須向
地倉針地倉針頭須向頰車務要深透

4 乳根

膺腫乳癰灸乳根　小兒龜胸有名稱　噎藏膈
氣逆難下　胸悶臂痛治尤能
穴在乳中下一寸六分仰而取之針五分至一

寸留五呼灸五壯

（钦按）此穴爲肺俞中脘氣海足三里同灸加針天突治老年痰飲咳嗽奇效

5天樞

天樞主灸脾胃傷　泄瀉痢疾甚相當　兼治鼓脹癥瘕病　艾火多加體必康

穴在臍旁二寸針五分至一寸留七呼灸五至百壯妊婦禁針

（钦按）各種鼓脹此穴爲水分氣海腎俞足三里陰陵泉三陰交同灸近來流行之黑熱病如腹痛便泄爲中脘足三里同灸亦效

6伏兔

膝冷須尋伏兔中　亦療腳氣痛痹風　若逢穴處生瘡癤　說爲醫人莫用功

穴在膝上六寸正跪坐而取之針五分至一寸禁灸

（钦按）如腿痠膝冷行路艱難此穴爲膝関犢鼻同針甚效

7 陰市

陰市堪愈痿痹深　腰膝沉寒似水侵　兼刺兩

足拘攣疝　寒疝少腹痛難禁

穴在膝上三寸屈膝取之針五六分留五呼灸

十數壯

(欽按)寒濕蘊蓄下肢致知覺神經麻痺腿腳痿痿

者此穴爲委中足三里承山同針即愈

8 足三里

足三里治氣上攻　諸虛耳痛及耳聾　噎膈

臌脹水腫喘　寒濕腳氣兼痹風

内在膝眼下三寸坐而垂膝取之針寸許至三

寸留七呼灸七壯

(欽按)此穴爲肺俞膏肓同灸善治肺癆爲合谷列

缺未隆并刺堪療實喘此穴常灸可以強健腸

胃增進血行殺滅細菌故有健身穴之號

9 豐隆

豐隆可治病癲狂　頭疼面癱心痛恙　婦人喘

嗽兼氣急　腿膝痿疼癱反常

穴在外踝上八寸針六七分至一寸留七呼灸

三壯

（虹按）如灸氣管炎痰厚如膿樣物者此穴加針肺俞太淵列缺即效

10 解谿

解谿治療風水氣　腹足虛腫目生翳　氣逆發熱頭目眩　悲泣顛狂兼驚癇

穴在足跣上繫鞋帶處針五分留五呼灸五壯

（虹按）此穴與中脘足三里同針治胃痛吐逆消化不良有效

11 衝陽

衝陽主治病兆胃　足痿跗腫難進退　針刺之時須留神　不教出血斯爲貴

穴在足跗上五寸針三分留五呼灸三（一）壯 一說不宜灸

（虹按）此穴無特效且爲動脈之下以恐易於出血須慎之

12 陷谷

何病最宜刺陷谷　腹脹腸鳴兼疝痛　面腫善噫痰瘧作　無汗振寒水氣腫

穴在次趾外本節後去內庭二寸針五分留五

呼灸三壯

（虹按）此穴與下脘同針治腹脹腸鳴

13 内庭

內庭堪瀉痞滿堅 腹鳴振寒痛其咽 逆瀉婦人 石蠱脹 行經頭暈腹痛痙

穴在次中二指之間針五分留五呼灸三壯

（虹按）此穴與脾俞足三里同灸治腹痛結塊

14 厲兑

厲兑專治尸厥病 兼療驚狂面腫行 喉痺足寒膝臏中 隱白同消夢魘驚

穴在足次趾外側爪甲角針一分留三呼灸一壯

四 足太陰脾經

足太陰脾經脈歌

太陰脾起足大指 上循内側白肉際 核骨之後内踝前 上腨循胻經膝裡 股内前廉入腹中 屬脾絡胃與膈通 俠喉連舌散舌下 支絡從胃注心中

太陰脾經穴總歌

二十一穴脾中州　隱白在足大指頭　大都太白公孫盛　商邱三陰交可求　漏谷地機陰陵穴　血海箕門衝門開　府舍腹結大横排　腹哀食竇連天谿　胸鄉周榮大包隨

(三) 足太陰脾經穴分寸歌

大趾内側端隱白　節前陷中求大都　太白核前白肉際　節後一寸公孫呼　商邱踝前陷中遺　踝上三寸三陰交　踝上六寸漏谷是　膝下五寸地機朝　膝下内側陰陵泉　血海膝髕上内廉　箕門穴在魚腹取　動脈應手越筋間　衝門横骨兩端同　去腹中行三寸半　衝上七分府舍求　舍上三寸腹結算　結上三寸是大横　却與臍平莫胡乱　中脘之旁四寸取　便是腹哀分一段　中庭旁五食竇穴　膻中去六是天谿　再上寸六胸鄉穴　周榮相去亦同然　大包腋下有六寸　淵腋之下三寸絆

(四) 足太陰經穴摘要詩 8穴

1 隱白 隱白原治脾病科 腹脹喘滿不得和 尸厥足寒見驚悸 並治婦人天癸多

穴在足大趾內側爪甲縫際去爪甲角如韮葉針一分留三呼禁灸

(虹按)此穴有補脾益氣之功促進新陳代謝之能與中脘足三里同針治脘腹悶脹有驗與大敦脾俞曲骨厥陰俞洞刺夜夢鬼交甚靈如婦女血崩漏下此穴與百會同灸再刺長強即可挽回一說禁灸虹意非不宜灸乃不宜過灸詞細心思之耳

2 大都 大都主治濕熱病 骨痛腰痿臥不定 厥逆傷寒嘔煩悶 胎產百日灸弛禁

穴在大趾內側本節前第二節後針三分留三呼灸三壯

(虹按)此穴與經渠合谷同針治熱病汗不出者有效如病久水分大傷之際宜審慎行之

3 太白 太白主治腰間痛 大便不爽痢血膿 臍滿腹

脹食不化　骨痛胻痠與身重

穴在核骨下微前赤白肉際針二分留三呼灸三壯

（虹按）與腎俞命門同灸治因於脾虚而胃脹冷痛者甚效

4 公孫

積痰壅積取公孫　下血腸風寒熱蒸　兼治婦人氣蠱病　隨機補瀉見功能

穴在核骨後赤白肉際足背最高骨之下針五六分留五呼灸三壯

（虹按）與長强承山同針善治腸風下血

5 商丘

脾虚須向商丘記　寒熱疸黄蒸痔氣　腹脹胃痛脚背疼　嘔吐腸鳴還瀉痢

穴在内踝骨下微前陷中針五分留五呼灸三壯

（虹按）此穴與二白同灸加針承山堪療痔瀉

6 三陰交

三陰交治痞滿堅　痼冷疝氣脚氣纏　婦人

不孕及難產　帶下遺精淋濁安
穴在内踝上三寸針五六分留七呼灸五壯
（妊婦禁針灸）

陰陵泉

陰陵泉治氣成淋　水腫腹堅卧不寧　小便
諸疾足膝腫、遺尿泄瀉或遺精
穴在膝下内輔骨下陷中與陽陵泉相對去膝
横間一寸餘針三分留五呼灸二壯正坐屈膝
取之
（虹按）腿膝無力用此穴與風市陰市陽陵泉並灸
心胸痞悶與内關承山同刺如小便閉結取此
穴與中極足三里同針皆驗

三陰交（虹按）此穴功用甚大與血海陰陵泉小腸俞腎俞
合針男子淋濁可治與帶脈中極歸來并灸赤
白帶下堪療與解谿陰陽陵泉陽輔足三里并
刺兼醫脚氣浮腫如大便閉結針本穴與支溝
照海不弱下斯下拉潤腸之功孕婦禁鍼慎之

8 血海

血海堪醫經不調　腎風臟脹未能消　崩漏帶下婦人疾　熱瘡濕痒痿癩搔

穴在膝臏上二寸半股之內側　針五分至一寸留七呼灸五壯

（虹按）此穴與關元歸來三陰交治月經不調有效如先期用針法過期宜灸治如對宮寒不孕者之婦為灸此穴與中極歸來關元地機效驗有百分之四十但子宮傾斜或異位及其他腎臟疾患與衰倖老婦不在此限

伍　手少陰心經

一　手少陰心經脈訣

手少陰脈起心中　下膈直與小腸通　支者還從心系走　直上喉嚨繫目瞳　直者上肺出腋下

臑後肘内少海從　臂内後廉抵掌中　銳骨之端

注少衝

二　手少陰心經總穴謌

九穴午時手少陰　極泉青靈少海深　靈道通里

陰郄後　神門少府少衝尋

三　手少陰心經穴分寸謌

少陰心起極泉中　腋下筋間動引胸　青靈肘上

三寸覓　少海肘後五分充　靈道掌後一寸半　通里腕

後一寸同　陰郄去腕五分的　神門掌後銳骨縫　少府

小指本節末　小指内側是少衝

四　手少陰心經穴摘要謌　5穴

十　少海　少海主刺腋下瘰　手顫痛瘰肩氣滿　心痛云

穴在肘内廉曲腋端五分针五六分禁灸

（钦按）此穴治手臂麻木甚效曾治一妇人年五十余体肥壮患

半身不遂致手足不能屈伸经中西医诸治无效为之两上取穴

此穴与曲池手三里外关肩髃中渚后谿下取环跳足三里风市承筋委

中太谿丘墟足三里通治数愈（少海禁灸）可合瘰疬治法

2 灵道 灵道常治心胃痛 骨寒病淅髓冷共 癔痴暴喑

不能言 此穴施针神妙功

穴在掌后一寸五分针三分留五呼灸五壮

（钦按）此穴与脾俞胃俞同灸堪治胃脘疼痛

3 通里 主治温热久延蔓 懊憹心悸兼无汗 喉痹苦嗌

舌强癔哑 妇人崩漏效最堪

穴在掌后一寸针三分留三呼灸三壮

（钦按）与大钟同灸并治肺虚而倦言嗜卧

4 少府 久疟宜寻少府针 肘腋拘挛痛引胸 妇人阴挺

痒而痛 男子遗尿功效同

穴在手小指本节末直劳宫针三分留三呼灸三壮

（钦按）此穴与大椎间使同刺善治久疟不愈合曲池小海并刺堪疗

厥陰術學

5少衝 少衝主治心服寒、怔忡、癲狂、發嗽噉 熱赤、痰寒、
熱病 熱燥上氣心滿煩

（五行）穴在小指內廉之端 針一分 灸三壯
此穴爲補瀉心 如邪熱有餘證候暴者可用此穴和少府
瀉穴同時封其血氣

陸 手太陽小腸經

一 手太陽小腸經脈發

手太陽經小腸脈 小指之端起少澤 循手外廉出踝
中。循臂骨內廉出肘內側 上循臑外出後廉 直過肩解
繞肩胛 交肩下入缺盆內 向腋絡心循咽嗌 下膈
抵胃屬小腸 一支缺盆貫頸頰 入目銳眥卻入耳
復從耳前仍上頰 抵鼻升至目內眥 斜絡於顴別
絡接

手太陽穴一十九 少澤前谷後谿藪 腕骨陽谷養老繩 支
正小海外輔肩 肩貞臑俞接天宗 髎外秉風曲垣首
肩外俞連肩中俞 天窗乃與天容偶 銳骨之端上顴髎
聽宮耳前珠上走

三 手太陽小腸經穴分寸歌

小指端外爲少澤 前谷外側節前覓 節後捏拳取
後谿 腕骨腕前骨陷側 兑骨下陷陽谷討 腕後
銳上覓養老 支正腕後五寸量 小海肘端五分好 肩
貞胛下兩筋解 臑俞大骨下陷保 天宗秉風後骨中
秉風髎外舉有空 曲垣肩中曲肩陷 外俞去脊
三寸從 中俞二寸大椎旁 天窗扶突後陷詳 天容耳下曲
頰後 顴髎面鳩銳端量 聽中宮耳大如菽 此爲小腸手

太陽

四 手太陽小腸經穴摘要歌 8穴

1 少澤 少澤堪愈中心煩 喉痹舌強目翳攀 耳聾不眠項背強 婦女生瘍浮乳難

穴在小指端外側去爪甲角如韭菜葉針一分留一呼灸一壯

(虹按)此穴與光明肝俞睛明風池同針治目失障翳有效

2 前谷 前谷治愈瘧與癲 頭項肩臂痛難痊 更治產後不生乳 目翳鼻塞咳聲連

穴在小指外側本節前針一三分留三呼灸三壯

(虹按)如四肢痺痛或僂麻質斯(痛風)此穴與曲池委中承山小海諸穴同針有效

3 後谿 尋得後谿瘧自平 癲癇從此自心清 頸項難顧肘腕痛 脇肋腿疼亦告輕

穴在小指本節後第五掌骨之前外端握拳取之針五分至一寸留五呼灸三壯

（虹按）此穴效用甚大，与中渚、曲池同针，可治手臂麻痹、肩背痛目刺疼；并治多数疟若疟久不痊，可取此穴与大椎、间使同针，功能之大，胜过（截疟饮而上之。

4 腕骨　腕骨能疗臂腕疼，五指诸痛灸宜深，胁疾翻胃食常吐，疸黄瘴疾亦堪针。

穴在掌外侧腕前起骨下陷中，握掌向内取之，针五分，留五呼，灸三壮。

（虹按）此穴与阳池同灸，治手腕无力；与行间、足三里同灸，治脚膝痿疼，皆验。

5 阳谷　头面之疾刺阳谷，胁痛项肿病手蹲，癫狂痔漏阴痿疾，小儿瘛疭治尤速。

穴在手腕之两踝骨间，针五分，留三呼，灸五壮。

（虹按）此穴与肺俞、心俞、身柱、神门、间使、后溪同灸，善治癫痫的里；亦与侠溪同刺，疗颔肿口噤亦灵。

6 支正　七情六郁支正探，肘臂十指尽皆挛，兼治消渴饮不止，补泻分明自可安。

穴在腕側上五寸，針五分，留三呼，灸三壯

（虹按）与飛陽同針治頭目暈眩，因於水分不足者甚效

7

小海 小海肘内五分陷 齒根腫痛刺為便 肘臂肩

臑頸項痛 風眩痹瘲五癇欽

穴在尺骨鶯嘴突起之上端，去肘五分陷中，針五分，留三呼，灸三壯

（虹按）此穴與天柱同針治頸項強痛可愈

8

聽宮 耳内蟬鳴取聽宮 並治腎虛耳暴聾、癲疾

失音心腹滿 心下悲悽惧可攻

穴在耳前珠子傍，針五分，留三呼，灸三壯

（虹按）此穴与聽會翳風治腎虛耳聾或因病後耳聾者有驗

柒 足太陽膀胱經

一 足太陽膀胱經脈歌

足太陽膀胱經脈 目内眥上起額尖 支者巔上至耳角 直

者從巔腦後懸 絡腦還出別下項 仍循肩膊挾脊邊 抵

腰脊臀膀胱内 一支下貫從陰連 貫臀斜膕要中究 一支膊

内左右别 貫脾挾脊過髀樞 臂内從廉膕中合 下端腨内外
踝後 京骨之下指外側

二 足太陽膀胱经穴総歌

足太陽经穴六十七 睛明目内紅肉藏 攢竹眉冲与曲差 五處上
寸半承光 通天絡却玉枕外 天柱後際大筋外 大杼背部第
二行 風門肺俞厥陰四 心俞督俞膈俞强 肝胆脾胃俱挨次
三焦腎氣海大腸 関元小腸到膀胱 中膂白環仔细量 自從大
杼至白環各各節外寸半長 上髎次髎中復下 一空二空腰
髁當 会陽陰尾骨外取 附分挾脊第三行 魄户膏肓
及神堂 譩譆膈関魂门九 陽綱意舍仍胃倉 肓门志室胞
肓遠 二十椎下秩邊場 承扶臀横紋中央 陰门浮郄到
委陽 委中合陽承筋是 承山飛陽踝附陽 崑崙僕参

連申脈 金門京骨束骨忙 通谷至陰小指旁

三 足太陽膀胱經穴分寸歌

足太陽是膀胱經 目內眥角始睛明 眉頭頭中攢竹取 眉冲直上旁神庭 曲差入髮五分際 神庭旁開寸五分 五處旁開亦寸半 細算却與顖會平 承光通天絡却穴 相去寸五調匀看 至枕夾腦一寸三 入髮三寸枕骨取 天柱項後髮際中 大筋外廉陷中獻 自此夾脊開寸五 第一大杼二風門 三椎肺俞厥陰四 心五督六椎下論 膈七肝九十胆俞 十一脾俞十二胃 十三三焦十四腎 氣海俞在十五椎 大腸十六椎下當 十七関元俞穴椎 小腸十八胱十九 中膂穴俞二十椎 白環念一椎下在 以上諸穴可椎之 更有上次中下髎 一二三四骨空好 會陽陰尾尻骨旁 背部第二諸穴了

又從脊上開三寸　第二椎下為附分　三椎魄戶四膏肓
第五椎下神堂尊　第六譩譆膈関七　第九魂门陽綱十
十一意舍之穴存　十二胃倉穴已分　十三肓門端正在
十四志室不須論　十九胞肓廿一秩　背部三行諸穴匀
又從臀下横紋取　承扶居下陷中央　殷門扶下方六寸
委陽膕外两筋鄉　浮郄實居委陽上　相去祗有一寸長
委中在膕約紋裡　此下三寸尋合陽　承筋合陽之下直
穴在腨腸之中央　承山腨下分肉間　外踝七寸上飛陽
跗陽外踝上三寸　崑崙後跟陷中央　僕參跟下脚邊上
申脉踝下五分張　金門墟後申前取　京骨外側骨際量
束骨本節後肉際　通谷節前陷中強　至陰却在小指側
太陽之穴始周詳

四 足太陽膀胱經穴摘要詞 28

1 睛明

睛明常治目不明 雇目生翳或攀睛 目赤睛痛火上炎 胬癢流淚怕風迎

穴在目内眥角一分宛宛中，針三分，留三呼，禁灸

（虹按）此穴為治目疾特效穴，在目内眥角外一分許，不宜深針，其合谷光明同針太陽刺出血可療目赤腫痛，與風池肝俞上星光明合刺治為内翳膜遮睛，其如迎風流淚目痛羞明更可應針取效，惟此穴為眼球甚近，針時須加注意

2 攢竹

眉頭陷處是攢竹 眉間疼痛難張目 腦昏目赤腫子癢 瞤臉瞤動治可決

穴在眉頭陷中，針三五分，留五呼，禁灸

（虹按）如目中漠漠視物不明，可取此穴與三間同針，三次即愈

8 通天

通天頭旋神恍惚 耳鳴項強難轉側 鼻衄偏風口喎斜 青盲内障鼻遠塞

穴在曲差後一寸，即入髮際二寸五分，針三分，留三呼，灸三壯

（虹按）鼻塞不聞香臭，取此穴與上星迎香同刺

4 大杼 （取導大杼治瘧疾 喉痺咳嗽身發熱 頭疼腰脊

項背強 痙厥風痺疼其膝

穴在第一胸椎（即大椎）横開一寸五分針五分禁灸

（虹按）此穴與大椎間使陶道同針堪治瘧疾（麻拉列亞）與肺俞合谷并刺可平身熱咳嗽腰膝酸疼同針委中風市之孿跳腰背強硬取針腰俞腎俞至陽此穴禁灸

5 風門 風門主治易感風 咳嗽風寒痰帶紅 兼治一切鼻中痛 艾火多多加嗅自通

穴在第二胸椎之下旁開一寸五分針一寸留五呼灸三壯

（虹按）患流行性感冒及氣管支炎發熱咳痰者此穴與大椎肺俞同針甚效

6 肺俞 肺俞內傷咳吐紅 兼灸肺痿及肺癰 小兒龜背堪灸治 止嗽須教肺氣通

穴在第三胸椎旁開一寸五分針五分灸五壯

（虹按）此穴與大椎并針堪治肺炎（肺加答兒）與合谷中極同刺可治小遺溺數

7 膈俞 膈俞治痛在胸膈 翻胃吐食兼痃癖 一切失血總

宜針 脾胃塞疾并吠逆

穴在第十七椎下旁開一寸五分 針七分 留五呼 灸五壯

(並按)與期門章門脾俞胃俞風池上脘足三里合針可治神經性胃痛(俞肝胃兼痛)合外関肝俞胃俞三焦俞足三里二十下脘合針反胃病可愈

8 肝俞 肝俞主瀉藏熱清 兼灸氣短語無聲 更向命門同用灸 能令瞽目倍功明

穴在第九椎下旁開一寸五分 灸三壯 針一寸

(並按)此穴與光明命門同灸 善治夜盲雀目與翳風足臨泣并刺足三里療耳鳴耳聾(實則瀉 虛則補 則加針腎俞)與所胆俞脾俞腎俞闌尾大腸俞上脘巨闕不容等治急性胃炎多有良好結果

9 膽俞 膽俞善得胸腹寬 更防驚悸臥不安 翻胃轉酒疸目黃色 面發赤斑口苦乾

穴在十椎下旁開一寸五分 針一寸 灸三壯 留五呼

(並按)此穴與脾俞至陽陽綱合針統治一切黃病 但陰黃須再加灸法

10 脾俞 脾俞治療食過多 吐瀉疳痢積未磨 尤患嬰兒脾虛症 喘急吐血治同科

穴在十八椎之下旁開一寸五分針五分至一寸留五呼灸三壯
(虹按)此穴與三陽絡三里腎俞膏肓同灸治虛勞羸瘦有驗合胃俞
大包章门足三里合灸治肌肉痿痺亦效他若倦怠嗜卧本穴加灸至陽
腹中结塊有形急灸内庭三里(足三里)治惡胃痙攣亦一樣肝俞胆俞胃
俞腎俞大腸俞氣海俞小腸俞上中脘章门足三里大敦厲兌隱白等
穴凡第六脊椎以下胸椎之棘状突起之兩側均可適宜取之務獲多佳

11 胃俞 胃俞堪治黄疸病 食畢頭目即眩暈 瘧疾善飢
不能食 腹脹翻胃均能定
穴在十二椎下旁一寸五分針五分灸三壯
(虹按)為消化不良可取此穴與魂门脾俞幽门上中下脘胆俞手足三里等穴
全針(補)奏效極確

12 三焦俞 三焦俞治多積聚 脹滿膈塞不通利 積塊堅硬
痛不寧 更防赤白休息痢
穴在十四椎下去脊一寸五分針五分至七分灸三壯
(虹按)為大便便血此穴與大腸俞同灸加針長强有效為神經性咽炎(可支
胃病)亦取此穴與天柱風池腎俞大腸俞足三里上廉等穴為保患作
性者須有之肩手成其之效

13 腎俞 下元虛憊腎俞醫 令人有子效多奇 精滑耳聾腸

腰痛 女疾婦帶不能遺

穴在十四椎去脊一寸五分針五分留五呼灸五壯

(紅按)此穴與三焦俞、天樞合灸治休息痢、虛脹如刺、疝痛,合用中脘、足三里,男子補存本育,此穴與命門、志室、腎俞並灸,女子赤白帶下,此穴與小腸俞、帶脈、血海、三陰交並刺,皆可見効

14 大腸俞 大腸俞治大腸瀉 大小便難食積停 臌脹腰痠疼
瀉痢 先補後瀉要分明

穴在十六椎下去脊一寸五分針八分灸三壯伏而取之

(紅按)與合谷、中脘、氣海、足三里同針,治赤白痢疾

15 膀胱俞 膀胱俞治小便澀 遺尿少腹脹滿疼 腰脊強痛
腳膝寒冷 女子癥瘕可消蝕

穴在十九椎下去中行一寸五分針五分至一寸灸三壯

(紅按)如納穀不多,消化不良,或少腹脹滿,或發積痛,可取脾俞合灸

16 膏肓 膏肓一穴灸勞傷 有損諸虛百不良 上氣健忘咳
逆痰 夢遺癆火發癲狂

穴在四椎下五椎上脊骨旁三寸三分針八分灸五壯

(紅按)與魄戶、俞針治肺癆瘵

17 譩譆　譩譆主治久瘧疾　胸腹脹悶萬氣溢　大風熱病汗

不出　肩背膀肋均痛急

穴在第六椎下去中行三寸　針六分　留五呼灸五壯

（虹按）此穴具大特效等於瘧的藥

18 意舍　胸脇滿痛針意舍　小便黃而大便溏　惡寒嘔吐立

時寧　消渴目黃食不愛

穴在第十一椎下去中行三寸　針六七分　灸三壯

（虹按）與中府同針療胸滿噎塞有效

19 委中　腰脊疼痛取委中　熱病汗稀便不通　衄血脊強狂

熱疾　眉髮脫落遇大風

穴在膝膕窩之正中　針一寸至二寸　留七呼　禁灸

（虹按）如腰脊疼痛取此穴與腰俞胃俞合針　如腿軟麻痺難於行

走可用此穴合風市環跳陰陵泉足三里並刺皆效且此穴與曲

池尺澤足三里勞宮陶道湧泉為治療一切急症之特效穴須熟記

20 承山　痔漏須尋承山穴　心胸痞滿逆衄血　轉筋腳氣腰腰

疼　便溏胕腫腿膝痠

穴在委中下八寸腨肉间 針一寸留五呼 灸五壮

(虹按)此患處針治[illegible](霍乱之轉筋特效穴 [illegible]

[illegible]呈現三、足腓腸之症状者 上肢斜曲而下數針此穴

與委中之可見效識紅之之九要穴也

21 飛陽 欲覓飛陽步不前 濕熱痔漏起坐艱 歷節風疼
難伸屈 頭目眩兮效如仙

穴在外踝上七寸 與承山並立 針一寸 灸五壮

(虹按)與環跳、足三里、犢鼻同針 治寒濕蘊蓄下肢步履不前 而尤
性痛風等症甚效

22 崑崙 足腿紅腫崑崙覓 鼻衄頭疼肩背急 霍乱轉筋腰
尻痛 喘欬目眩難步立

穴在足外踝後五分 陷凹中 針三分 留五呼 灸三壮 妊婦禁灸禁
針

(虹按)此穴與合谷(瀉)太冲(補)瀉三陰交 合針治難產及胞衣不下
 即催生針 與曲池、手三里、承山、金門同針 治霍乱筋攣

23 申脈 驟發癇症治若何 速針申脈起沉痾 上牙疼兮
下足腫 頭風偏正盡平和

穴在外踝下微斜前陷中針五分禁不灸

（虹按）與風池頭維太陽合針治偏正頭痛 與曲池承筋委中堪療痙厥

金門

金門不愚瘧難平 尸厥癲癇又轉筋 膝痠疝氣頭風痛 小兒反折成急驚

穴在外踝向前一寸針五分灸三壯

（虹按）如寒熱拘之筋痛手腳腫痛兼之抽搐取此穴與曲池承山委中人中大椎等穴可之針取實效

京骨

京骨原為太陽穴 能治腰背痛如折 項強難顧背難彎 疾瘧癲狂目眥赤

穴在申脈前三寸針五分留五呼灸三壯

（虹按）腰痛如折項難迴旋必取此穴與腰俞命門風池大椎同針

束骨

束骨仍是太陽經 風熱眥紅可治平 項強耳聾腰膝痛 頭疼發背與癰疔

穴在小指外側本節後針五分灸三壯

（虹按）腸癖泄瀉取此穴與中脘天樞同針 耳鳴耳聾求翳風足臨泣

与此穴同刺

27

通谷　頭目眩痛尋通谷　心臟善驚加衄血　胃有留飲

食不消　藏氣逆亂東垣訣

穴在小指本節前針三分灸三壯

（虹按）与支正飛揚同針可療目眩取脾俞胃俞并灸可治消化不良

28

至陰　至陰穴在小指端　能灸婦人橫產難　并針顏

面諸般疾　寒瘧轉筋心內煩

穴在足小趾外側去爪甲角如韭葉針三分

（虹按）与期门章门上脘善治神经性胃痛合承山委中曲池霍乱转筋可愈

足少陰腎經

（八）足少陰腎經脈歌

足腎經脉屬少陰　小指斜趨湧泉心　然骨之下內踝後　別

入跟中腨入侵　出膕內廉上股內　貫脊屬腎膀胱臨

直者屬腎貫肝膈　入肺循喉舌本尋　支者從肺絡心內　仍至胸中部分深

(六) 足少陰腎经總穴歌

足少陰经二十七　湧泉然谷照海溢　水泉太谿通大鐘　復溜交信築賓實、陰谷膝內輔骨後　已上從足走至膝　横骨大赫并氣穴　四滿中注肓俞臍　商曲石関陰都密　通谷幽门寸半闢　折量腹上分十一　步廊神封膺灵墟　神藏彧中俞府畢

(三) 足少陰腎经穴分寸歌

足掌心中是湧泉　然谷踝前大骨邊　太谿踝後跟骨上　照海踝下四分安　水泉谿下一寸覓　大鐘跟後踵筋間　復溜踝上前二寸　交信踝上二寸連　二穴止隔筋前後

太陰之後少陰前 築賓内踝上腨分 陰谷膝下内輔邊
橫骨大赫并氣穴 四滿中注亦相連 五穴上行皆一寸 中行旁
開半寸邊 肓俞上行亦一寸 俱在臍旁半寸間 商曲石
関陰都穴 通谷幽门五穴缠 下上俱是一寸取 各開中行半
寸前 步廊神封靈墟穴 神藏彧中俞府安 上行寸六旁
二寸 俞府璇璣二寸观

（四）足少陰腎经穴摘要歌 8穴

湧泉 欲療熱厥湧泉針 兼治奔狂疝氣疼 血淋氣痛殊
雖忍 男疾如蠱女如妊

穴在足底之中央（去跟）針五分灸三壯
（點按）流行之黑热病為至危險期血球破壞血色素減少因而面色不華呈
現黑色者可取針此穴加灸至陽脾俞陶道若因寒热延綿就為瘧疾可取此
穴由大椎同使陶道同刺小兒急驚風屢用此穴合少商人中中脘同針曾驗（其
穴忌出血針時注意）

2然谷 然谷主瀉腎臟熱，欬血遺精喉痺疾 疝氣温瘧月經差 撮口臍風遠洞泄

穴在内踝前高骨下，去公孫一寸 針五分 留五呼 灸五壯

（虹按）與關元膝來血海三陰交同用治婦女月經不調不孕與行間曲泉陰包氣沖歸來同灸治疝氣寒疝與少府同針善治婦女陰挺取腎俞命門並針 堪療男子滑遺（此穴忌出血）

3太谿 導得太谿治消渴。嘔吐房勞眠不得。婦人水臌胸脇滿。衄血吐血溺色赤。

穴在内踝後五分 針五分 留五呼 灸三壯

（虹按）合谷少商與此穴合刺能治咽喉腫痛合尺澤足三里治吐血多靈至若二消渴飲針此穴與湧泉（再刺舌下金津玉液出血）

4照海 夜間發痙照海攻 消渴咽乾便不通 月事不調胞難下 疝氣噤口並喉風

穴在内踝下斜前四分（開足取之）針三分 留三呼 灸七壯

（虹按）此穴與曲池肩髃中渚足三里環跳陽陵泉合針可治血壓亢進中風半身不遂原理如嗣在上者刺之下先刺上肢諸穴行刺激反誘導作用使其神經活潑排除障碍血液得以循行繼取此穴與足三里環跳陽陵泉等乃為傳遞作用以調節交感神經與夫西醫治中風用瀉血法而降低血壓意義相同他若久瘧不愈合取大椎

間使淋瀝疼痛更求血海腎俞

5 復溜 復溜血淋宜乎灸 氣滯腰痛貴在針 傷寒無汗

尤當瀉 六脈沉伏亦宜升

穴在內踝上二寸後出針七分留五呼灸三壯

(王按)此穴與至陽命門腎俞交信合灸治腰脊痠痛有效合中極交

信陰陵泉合針加灸小腸俞治小便帶血多靈

6 交信 交信能醫癥瘕淺 五淋瀉痢腹痛頻 女人漏血陰

生挺 腰膝酸痛亦可憑

穴在復溜後五分針四五留五呼灸七壯

(王按)此穴與行間曲泉陰包歸來氣沖合灸(用三角灸法)主治小腸疝氣

再長強并刺加灸百会穴治血崩漏下堪愈

7 陰谷 陰谷舌縱涎流長 腹脹煩滿膝難伸 疝痛萎痹下陰

腹痛 婦人漏下及鮮娠

穴在膝內輔骨之下針四分留五呼灸三壯

(王按)鬼烈經亦用此穴與足三里承山委中尺澤中脘同針有效再長強同

針加灸百会穴治婦人崩漏不止如不效加針衝門氣衝定有結果

8 大赫 易尋大赫一病遺精 女人赤帶亦能清 陰萎下縮莖久

中痛 痛屬虛勞總可輕

穴在脐下四寸旁五分针七分留五呼灸五壮

（虹按）并命门关元心俞膂俞同针治梦遗滑精尝验

手厥阴心包络经

（一）手厥阴心包络脉歌

手厥阴心主起胸　属包下膈三焦宫　支者循胸出胁下　胁下
連腋三寸同　仍上抵腋循臑内　太阴少阴两经中　指透中
冲支者别　小指次指络相通

（二）手厥阴心包络经穴歌

九穴心包手厥阴　天池天泉曲泽深　郄门间使内关对
大陵劳宫中衝寻

（三）手厥阴心包络经穴分寸歌

心包穴起天池间　乳后旁一腋下三　天泉曲腋下二寸　曲泽
肘内横纹端　郄门去腕方五寸　间使腕后三寸安　内关
去腕止二寸　大陵掌后两筋间　劳宫屈中名指取　中冲
冲中指之末端

（四）手厥阴心包络经穴摘要歌　6不

1 曲澤 病從曲澤可離身 嘔吐傷寒氣上升 心病善驚身
煩熱 肘臂掣痛不能伸
内在肘内廉下之陷凹中針五分留五呼灸三壯屈肘取之
(配穴)此穴與少商同針堪治口乾咽痛合曲池肩髃臂臑并利肘臂痠痛
能医為傷寒身煩熱嘔吐此穴與内關玉堂并針效果多佳

2 間使 欲治脾寒間使宜 癲狂瘰癧并堪醫 九種心疼五
種瘧 咽中如鯁心如飢
穴在腕後三寸兩中指直針七分灸五壯
(配穴)該穴在治療上頗有價值與大椎陶道為治瘧疾之主要穴屢試屢
驗與後谿神門少府中脘并灸先針後灸加刺鳩尾治癲癇的要穴(藏驗)狂
羊癇癲甚有把握他若與少冲門不容俠谿膈俞同針治傷寒結胸合曲池
支溝上脘治霍亂乾嘔尤其效事

3 内關 欲消氣塊内關攻 肚痛脇疼兩心胸 纏綿之瘧
兼勞熱 支滿肘攣及中風
穴在間使下一寸針五分留七呼灸五壯
(配穴)此穴亦為至要穴之一在治療上甚有地位與肺俞大陵合針主治
心咳並喉中介梗若有物須與加針天突喉痺加針天日有腎俞膏肓而外
關上中下脘足三里分治神經性胃嘔吐(反胃)合外關中脘足三里天樞治噎
凡痢與陰陵承山建里同刺可療心胸痞悶與風府曲池手三里少海治
中風半身不遂人事不省皆有特效

4 大陵 穴號大陵治目赤 嘔血瘧來兼喘咳 胸中疼痛與瘡疥 附骨癰疽均可脫

穴在手腕横纹之中兩筋之間針五分灸三壮

（虹按）熱病汗不出取大都經渠同刺甚效為肺俞中脘列缺治喘咳嘔血為氣穢見先刺舌下出血加針此穴亦多佳良

5 勞宮 胸疼痰火刺勞宮 小兒口瘡鵝掌風 滿手生瘡兼黃疸 大便小便血流紅

穴在掌中屈拳中指無名指之間針三分留三呼灸三壮

（虹按）此穴為小腸俞中極陰陵泉治小便溺血合至陽脾俞同刺堪治疸黃為手掌潰爛瘡生鵝掌風者取此穴多灸更有特效

6 中衝 中衝能止夜兒啼 頭痛如刺身如燒 心中煩滿舌腫痛 熱病中風最易消

穴在中指之端針一分留三呼灸三壮

（虹按）此穴為顖会五枕風府（全灸加刺）治慢性頭痛為人中承漿風府啞門治中風不省人事口噤暴瘖者結果多佳韻後約百分之七十其治舌下腫痛為廉泉同刺更有特效（此穴只有灸一二壮不可多灸）

手少陽三焦经

（一）手少陽三焦经脈歌

手少陽经三焦脈 起自小指次指端 兩指岐骨手腕表 上出

三六

臂外兩骨间 肘後臑外循肩上 少陽之後交别傳 下入缺盆膻中分 散络心包膈裏穿 支者膻中缺盆上 上頸耳後耳角旋 屈下至頤仍注頰 一支出耳入耳前 却從上関交曲頰 至目内眥乃盡焉

(二)手少陽三焦经総穴歌

二十三穴手少陽 関冲液门中渚旁 陽池外関支溝正 会宗三陽四瀆長 天井清冷渊消濼 臑会肩髎天髎堂 天牖翳風瘈脉青 顱息角孫絲竹張 和髎耳门聽有常

(三)手少陽三焦经穴分寸歌

無名指外端関冲 液门小次指陷中 中渚液上衹一寸 陽池手表腕陷中 外関腕後方二寸 腕後三寸支溝容 支溝横外取会宗 空中一寸用心攻 腕後四寸三陽络 四瀆肘前五寸着 天井肘外大骨後 骨罅中间一寸膜 肘後二寸清冷渊 消濼對液臂外落（臑会下二寸） 臑会肩前三寸量 肩髎臑下陷中央 天髎毖骨陷内上 天牖天容之後旁 翳風耳後尖角陷 瘈脉耳後雞足張（在翳風上一寸） 顱息亦

在青络上　角孫耳廓上中央　耳门耳缺前起肉　和髎
耳前鋭髮交鄉欲知絲竹空何在　眉後陷中仔细量

手少陽三焦經穴摘要歌八穴

関冲　無名指側関冲穴　三焦腎熱唇焦涸　咽乾難調心
煩熱　速取金針刺出血
穴在無名指端外側去爪甲如韭葉許一分灸三壯
（虹按）此穴與少商同刺治扁桃腺炎合曲池内関治霍亂氣喘又上臂神经痛
取此穴加針手三里少海臂臑治白喉咽中腫閉亞針曲池手三里合谷穴合并刺
此穴與少商商陽少冲出惡血立可熱退

液门　液门可治咽喉痛　手臂红腫出血灵　目眩耳聾
難得睡　刺入三分始安寧
穴在小指無名指之間合縫處針五分至一寸留五呼灸三壯握拳取之
（虹按）如咽頭炎或猩紅熱此穴與魚際同針手臂红腫刺此穴出穴瘀有效驗

中渚　中渚善治四肢麻　戰振蹺攣力不加　肘臂連肩红
腫痛　手背生癰亦易瘥
穴在無名指本節後卯手腕背第四五兩掌骨之間針七分留五呼灸三壯
握拳取之
（虹按）手指痠痛麻痺取此穴合谷陽池外關先針後灸中風肢臂不任此穴亦

曲池手三里肩髃小海外關同刺加灸後谿效驗在百分之九十

4 陽池 病名消渴取陽池 煩悶口乾痺有時 兼治折傷手
腕痛 不能舉臂力難持

穴在腕後橫紋陷中適當小指而無名指之直下 針三分留五呼灸三壯
(虹按)此穴而大椎間使可治麻拉里亞(即瘧疾)合腕骨後谿同灸堪
医手腕無力

5 外關 外關主治臟腑熱 指臂俱疼兼脇肋 吐衄不止血妄
行 胸頭瘰癧成結核

穴在陽池後二寸兩筋間 針五分灸三壯
(虹按)如病下嚥口即取此穴內關中脘天樞足三里(仝針翻胃吐食(即神
經性嘔吐)未此穴而風池三焦俞足三里內關上中下脘並刺多有
效果

6 支溝 中惡心痛取支溝 三焦相火盛難收 大便不通脇肋
痛 產後血暈亦可瘳

穴在外關後一寸 針五分至一寸灸三壯

(虹按)此穴与三阴交同为泻法合照海穴针治肝脑或胆囊之火大症或大便秘结
与阴谷足三里承山委中尺泽治霍乱呕吐

7 天井 瘰癧瘡瘍天井间 治愈惊悸及癲癇 臂腕難運

肘腫痛 吐膿寒熱治還兼

穴在肘尖上一寸陷凹處针三分留三呼 灸三(七)壮

(虹按)此穴与少海同刺治頸淋巴腺腫脹与陶道并療瘧疾合手三里曲

池肩髃臂臑同針臂腕肘痛尚有小效其他并無特長

8 翳風 翳風善治耳聾病 中風暴瘖口還噤 牙車急痛

頰腫兮 項下瘰癧俱不定

穴在耳根後距耳约五分之陷凹處针五分留五呼 灸三壮

(虹按)为因肝胆之火上炎耳聾氣闭者即水分不充所致之病取此穴与

听会足臨泣同針(泻)与風府承浆啞門治脑充血中風不省人事口噤

暴瘖者甚效

9 角孫 同翳生成取角孫 齒齦瘇痛緣失井 唇吻燥裂

頸項強 此穴宜灸不宜針

穴在耳角上壳之陷凹處 灸三壮不宜针

(虹按)此穴除上述治療法外無特殊效果

10 耳门 牙痛傷寒針耳门 耳中諸疾聽不聞 聤耳流膿

生瘡疖 此间手術有異功

二六

絲竹空 穴在耳前肉峯下缺口陷外針五分留三呼灸三壯

（虹按）此穴治齒痛而絲竹空誤然有效但係指與取一處之齒痛而言

絲竹空中治頭風 目痛難安腫且紅 若從此穴針流血 目眩頭痛均堪鬆

穴在眉毛梢外端針五分沿皮向耳上角針留五呼禁灸

（虹按）除前耳門治齒痛外兼目赤腫痛（即眼球炎）刺此穴出血有效此穴禁灸須記之

足少陽膽經

（八）足少陽胆經脉歌

足脉少陽是胆经 始從兩目銳眥生 抵頭循角下耳後 腦空風池次第行 手少陽前至肩上 交少陽右上缺盆 支者耳後貫耳內 出走耳前銳眥循 一支銳眥大迎下 合手少陽抵䪼根 下加頰車缺盆合 入胸貫膈絡肝經 屬胆仍從脇裏過 下入氣街毛際縈 橫入髀厭環跳內 直者缺盆下腋膺 過季脇下髀厭內 出膝外廉是陽陵 外輔绝骨踝前過 足跗小指次指分 一支别從大指去 三毛之際接肝经

(六) 足少陽胆经總穴歌

足少陽经瞳子髎 四十四穴行迢迢 聽會上関頷厭集 懸顱懸厘曲鬢翘 率角天衝浮白次 竅陰完骨本神邀 陽白臨泣目窗闢 正營承靈腦空摇 風池肩井腋堂出 淵腋輒筋相並標 日月横生京門穴 帶脈五樞脇下條 維道居髎相继取 環跳之下風市掐 中瀆陽關陽陵穴 陽交外邱光明宵 陽輔懸鍾邱墟外 臨泣地五侠谿溜 足竅陰在四肢稍

(三) 足少陽胆經穴分寸詞

外眥五分瞳子髎 耳前陷中聽會繞 上關上行一寸是 内斜曲角頷厭照 後行顱中懸厘下廉 曲鬢耳前髮際看 入髮寸半率角穴 天衝率後斜三分 浮白下行一寸間 竅陰穴在枕骨下 完骨耳後入髮際 量得四分須用記 本神神庭旁三寸

入髮五分耳上繫 陽白眉上一寸許 入髮五分是臨泣
臨後寸半目窗穴 正營承靈及腦空 後行相去
寸半同 風池耳後髮際陷 肩井肩上陷解中
大骨之前寸半取 淵液腋下三寸逢 輒筋復前
一寸行 日月乳下二肋逢 期門之下五分存 臍上
五分旁九五 季肋俠脊是京門 季下寸八尋帶
脈 帶下三寸五樞真 維道章下五三定 章下
八三居髎名 環跳髀樞宛中陷 風市垂手中
指尋 膝上五寸是中瀆 陽關陽陵上三寸 陽
陵膝下一寸任 陽交外踝上七寸 外丘外踝七
寸分 此係斜屬三陽絡 踝上五寸定光明
踝上四寸陽輔地 踝上三寸是懸鐘 丘墟踝下
陷中立 丘下三寸臨泣存 臨下五分地五會
會下一寸俠谿是 欲覓竅陰穴何處 小
趾次趾外側尋

（四）足少陽胆經穴摘要訣 14穴

1 聽會

聽會主治耳聾鳴　兼刺迎香患更輕　中風瘈瘲喎斜病　牙車脫臼痛牙齦

穴在耳珠前微前陷中，針三分，留三呼，灸三壯。

（虹按）與翳風並刺可治耳聾耳氣閉，合風府天井啞門中風瘈瘲堪醫。

2 臨泣

臨泣堪療鼻不利　驚癇反視目生翳　日晡發瘧脇下痛　暴厥眵矇流冷淚

穴在目正中之直上入髮五分，針三分，禁灸。

（虹按）此為頭臨泣，尚有足臨泣，計二穴，須分別記清。此穴與迎香上星並刺治鼻塞不利、香臭不聞有效。

3 風池

風池腦後凹陷間　偏正頭風治不難　頭項如拔痛難顧　傴僂項急四肢癱

穴在腦空之後部髮際陷處，針五分，灸三壯。

（虹按）此穴功效甚大，如與太陽穴並刺前後頭神經痛。針此穴加灸上星肝俞，治頭腦昏眩神經衰弱。與肝俞合刺治白內障，加針睛明攢胬肉遮睛及角膜翳等皆有特效。

4 肩井 肩井由来治仆傷 肘臂不舉亦無妨 脚氣痿疼宜
速灸 隨胎厥冷刺尤良

穴在肩上之凹窩正中針五分不可太深留五呼灸三壯妊婦禁針
(叔按)此穴與巨骨少冲公針治腋下疔(即肿癰)合商陽合谷曲池甚療
頸項此穴與膺窗乳根足三里上廉條口治乳癰及乳突萌起之炎(此指乳
上部堅硬)如從於乳下兩堅硬者加針期門太衝足臨泣與尺澤列缺同治乳
吹奇效但此穴不能深入深入則刺激肺尖部恐有危險宜慎之

5 帶脈 帶脈能愈一切疝 偏墜木腎均堪散 婦人急痛小
腹寒 經水不調赤白帶

穴在脇旁八寸半針一寸留五呼灸三壯
(叔按)此穴與中極歸來三陰交同灸加針小腸俞氣海治婦女赤白帶下與關
元照海歸來三陰交亦治月經困難(先期用針過期用灸)

6 環跳 環跳當消風濕症 股膝筋攣腰痛深 委中刺無[illegible]
同功 經絡閉通見[illegible]證

穴在髀樞中側卧伸下足屈上足取之針二三寸留七呼灸數十壯
(叔按)如足濕神經痛或屈膝性關節炎以致足不能步取此穴
與風市陽陵泉同灸如股神經痛或大腿腫瘍(腿股紅腫)
求此穴陰市風市腰痛不能俯仰取此穴與委中腎俞
同針亦皆有效

風市 風市堪治腿中風 兩膝無力腳氣衝 兼治渾身
頑癢痹 艾火燒針皆奇功
穴在膝上外廉兩筋中 垂手中指盡處是穴 針一寸留五呼灸五壯
（虹按）此穴與環跳陽陵泉（針灸並行）治足不能步足踝神經病及脛骨
神經痛 合陰市陽陵泉治膝關節神經痛腿膝無力確有效驗

陽陵泉 陽陵泉治偏風症 腰痠膝腫濕寒攻 霍亂轉
筋俱見效 冷風腳痛可調融
穴在膝下外尖骨前之陷凹處 針六七分 留五呼 灸七壯
（虹按）半身不遂亟取此穴與曲池手三里委中環跳等穴 腳膝拘攣此
穴與犢鼻足三里崑崙公孫針須淺佳良 如霍亂轉筋針此穴與承山委中
曲池手三里

陽輔 兩膝痠疼陽輔尋 腰冷溶溶似水浸 膚腫筋
攣并痹痿 偏風不遂灸功深
穴在外踝上四寸 針五六分 灸五壯
（虹按）腿膝麻木或股神經痛 求此穴與陰陵泉三陰交並灸 腳
水腫尋解谿三陰交陰陵泉足三里針灸並施 可應針取效
也

10

懸鐘　胃熱不食刺懸鐘　腹脹脇痛脚氣逢　脚脛頑

防濕痺瘆　足趾疼痛亦宜攻

穴在外踝上三寸針一寸灸五壯此穴又名絶骨

(虹按)此穴與足三里陽陵泉三陰交同灸治脚膝腫痛與中脘期

門陽陵泉氣海足三里同刺療腹部痙攣脇肋痛

11

坵墟　胸脇滿痛取坵墟　腿胻痠疼及髀樞　足脛

轉筋小腹硬　踝痛足腫亦能治

穴在外踝下微前陷中針五分宜針入留五呼灸三壯

(虹按)此穴除有以上效驗外與崑崙太谿行間仝針治香港脚

草鞋風特效

12

足臨泣　頸漏腋下馬刀傷　并連胸脇乳癰瘡　婦

人月水不調暢　足臨泣穴有奇方

穴在足小趾次指之間本節後去俠谿一寸六分針七分留五呼灸

三壯

(虹按)如耳中腫痛內耳炎或耳鳴耳聾取此穴與翳風仝針有效非

乳癰堅硬如石位居在乳下者取此穴膺窗乳根足三里上廉條口

太衝期門仝刺尤驗

13 侠谿 胸脇痛滿侠谿通 傷寒熱病汗難出 頷腫口噤

不能言 耳痛且聾目還赤

穴在足小指次指歧骨間本節前陷中 針五分留三呼灸三壯

（虹按）此穴與章門不容合刺治胸脇支滿與陽谷並對治頷腫

口噤有效 如腫勢甚大仍須加外科醫治法

14 竅陰 治療脇痛竅陰癖 煩熱咳逆不得息 癰疽疼

痛耳仍聾 喉痹舌強兜如結

穴在足次趾外側小甲角如韭葉許 針一分灸三壯

（虹按）此穴亦合谷肩井環跳百勞印堂合針可治耳下

項、府及耳下腺炎合期門陽陵泉章門中脘支溝

同刺治脇肋氣痛、或脇膜炎痛

足厥陰肝經

（一）足厥陰肝經脈詩

厥陰足脈肝所終 大指之端毛際叢 足跗上廉太

衝分 踝前一寸入中封 上踝交出太陰後 循膕

内廉陰股衝　環繞陰器入少腹　挾胃屬肝絡胆逢
上貫膈裡布脇肋　挾喉頏顙目繫同　脈上巔會
督脈出　支者還生目系中　下絡頰裡環唇内
支者便從膈肺通

(二)足厥陰肝經總穴歌

(十四穴)足厥陰　大敦行間太衝侵　中封蠡溝中都近　膝
関曲泉陰包臨　五里陰廉上急脈　章门常对期门深

(三)足厥陰肝经穴分寸歌

足大指端名大敦　行間大指縫中存　太衝本節後寸半(一
作二寸)　踝前一寸號中封　蠡溝踝上五寸是　中都踝上七寸
中　膝関犢鼻下二寸　曲泉曲膝盡橫紋　陰包膝上方四寸
氣衝三寸下五里　陰廉衝下有二寸　急脈陰旁二寸半　章
门直臍季肋端　肘尖盡處側卧取　期门又在乳直下　四寸之間無差矣

（四）足厥陰肝經穴摘要訣6穴

1 大敦

陰囊腫痛尋大敦　臍衄傷風復血崩　小兒急慢驚風病　七疝五淋治亦能

穴在足大趾外側、爪甲上之毛際，針一分、灸三壯

（虹按）此穴合照海關元用三角灸法治疝氣中痛甚效，如夜夢鬼交取陰包脾俞曲骨厥陰俞合針，陰部用柏油調雄黃擦塗有驗

2 行間

行間本治小兒驚　婦人血蠱惡留停渾身浮腫單腹脹　善施手術自然平

穴在大趾次趾合縫後五分，針五分、留三呼、灸三壯

（虹按）神經性胃痛取此穴與期門章門脾俞胃俞上中脘足三里風池合谷等須後效良

3 太衝

取得太衝治溏泄　步履艱難腫股膝　霍亂吐瀉小腹疼　手足轉筋及遺溺

穴在行間後寸半，針五分、留五呼，灸三壯

（虹按）與天樞中脘長強同針治腹痛便泄，合曲池環跳承山並刺療霍亂筋攣頗收多佳

4 中封

中封主治病遺精　陰縮便難及五淋　鼓脹

三、

癭氣隨年灸　寒疝瘻厥及縮手筋
(虹按)穴在內踝前一寸陷凹處、針五分、留三呼、灸三壯
縮陰症求此穴与會陰曲骨水分長強關元中極
等用艾絨伴麝香灸十數壯神效

5

曲泉

曲泉癀疝四肢強　風勞失精膝脛冷　兼
治女子血癥瘕　少腹冷疼、陰挺癢
穴在膝之內側、曲泉內股橫紋頭、針一寸、留五呼、灸三壯
(虹按)与行間陰包氣冲歸來同針治小腸疝痛与少
府大敦並刺療陰挺癢疼及子宮翻轉症

6

期門

期門穴主傷寒患　又治女人生產難
胸滿痞結脇積痛　熱入血室不可慢
穴在乳頭下約四寸、不容穴旁一寸五分、針六分、
留五呼、灸三壯
(虹按)此穴与中脘大椎肺俞合谷曲池同針治傷寒
(Abdominal Tumor)与氣海中脘脾胃俞
足三里合針治脾臟腫及腹內積塊有效但在女子
尤為重要如神經性胃痛或熱入血室此為必刺
之穴可應針取效

任脈

（一）任經脈訣

任脈起於中極下　會陰腹裡上關元　循內上行會衝脈
浮外循腹至咽端　別絡口唇承漿已　過足陽明上頤間
循面入目至睛明　交督陰脈石海傳

（二）任脈經穴總訣

任脈二五起會陰　曲骨中極關元臨　石門氣海陰交仍
神闕水分下脘配　建里中上脘相連　巨闕鳩尾蔽骨下
中庭膻中慕玉堂　紫宮華蓋璇璣夜　天突結喉上廉泉
承漿相接齦交含

（三）任脈穴分寸歌

任脈會陰兩陰間　曲骨毛際陷中安　中極臍下四寸取
關元臍下三寸連　臍下二寸石門是　臍下寸半氣海全
臍下一寸陰交穴　臍之中央即神闕　臍上一寸為水分

三二

臍上二寸下脘列　臍上三寸名建里　臍上四寸中脘許
臍上五寸上脘在　巨闕臍上六寸步　鳩尾蔽骨下五分
中庭膻下寸六取　膻中却在兩乳間　膻上寸六玉堂主
膻上紫宮三寸二　膻上四八華蓋舉　膻上璇璣六寸四
璣上一寸天突取　天突結喉下四寸　廉泉頷下結上已
承漿頤前下唇中　齦交齒下齦縫裡

（四）任經穴摘要訣　8穴

中極　陽氣久虛取中極　無子失精腹塊結　小便赤澀五淋加　婦人虛冷惡露積

穴在臍下四寸，針八分，留五呼，灸三壯

（編按）此穴亦合谷並針加灸肺俞治小便短數，亦陰陵泉並刺加灸小腸俞治小便淋血，亦帶脈、歸來、三陰交同灸療赤白帶下，與血海、地機、關元俞、歸來同灸治胞宮寒冷不孕者有效驗

關元　關元臍下三寸量　諸虛百損灸斯良　遺精淋濁疝瘕聚　經水不行亦有方

穴在臍下三寸，針一寸至二寸，留五呼，灸三壯

（血按）月經困難取此穴與歸來、血海、三陰交合針，先細用針，近期用灸）
男子精冷不育，此穴與命門、腎俞、關元俞並灸，如花柳白濁，求此穴
而精宮、腎俞、三陰交，先針後灸，有效

3 氣海

氣海統治諸般氣　陽虛不足灸尤利　七疝
奔豚臍下寬今　傷寒卵縮功非細

穴在臍下一寸半，針一寸至二寸，留三呼，灸五壯
（蚯按）各種臟腑虛損灸，水分、天樞、胃俞、足三里、陰陵泉、三陰交
又哮喘病呼吸促迫，取此穴與中脘、足三里、靈台同灸有效
（但病屬性虛者）

4 神闕

神闕宜灸不宜刺　堪治中風不省事　虛瀉
虛脹兒脫肛　納鹽臍中灸百壯

穴在臍中，可灸而不可針，納鹽臍中灸之，須百壯以上
（蚯按）小兒慢驚風，宜灸此穴與關元、百會，陰藏傷寒，水腫臌
脹，此穴與氣海同灸，多有效果

5 水分

水分臍上一寸量　善治腹堅脹腫膨　水氣
不消腸鳴瀉　最不宜針灸乃良

穴在臍上一寸，宜灸不宜針
（蚯按）此穴與氣海、天樞、胃俞、足三里、陰陵泉、三陰交同灸
治臌脹水腫及維腸膜腫瘍甚效

6

上中脘

上脘奔豚與伏梁，中脘主治脾胃傷，兼療脾痛瘧疫暈，痞滿翻胃刺安康。

（虹按）上脘穴在臍上五寸，中脘穴在臍上四寸，針三寸，留七呼，灸五壯。此穴有制止作用，能麻痺神經，收縮神經，抑制內臟機能之亢進，可治療腹部痙攣、腹膜炎及上列各項病症，確有神效。但在臍上肚腹中，針時要注意，不可太深，恐傷及臟器。

7

巨闕

巨闕九種病心疼，痰飲吐水兼息賁，霍亂腹脹黃疸病，須用此穴灸且針。

（虹按）穴在臍上六寸，針六七分，留五呼，灸七壯。此穴與膻中、上脘、中府同為瀉利胸膈之主穴，與上脘、肝俞、膽俞、胃俞、章門合針，治胃圓形潰瘍（胃癌），與脾俞、腎俞、大腸俞、關元俞、上脘、不容同針，治療急性胃炎（即傷食），多有良好之結果。

8

膻中

膈痛飲蓄灸膻中，嘔吐膿血成肺癰，咳嗽哮喘氣癭病，艾燃七壯自成功。

（虹按）穴在二乳中間，不針，灸七壯。此穴亦名氣海，如膈下飲蓄作痛，針此穴與巨闕，加灸脾胃俞、中脘、期門有效。但膻中即是心包處，為心臟之外膜，不可如傷之，或[illegible]，針[illegible]在心，須針之下則宜淺刺。

9

承漿　承漿主治見緊唇　半身不遂偏風汰　女子瘕瘃

男女病　牙疳消渴灸功深

穴在下唇之下溝中開口取之針三分留三呼灸三壯

（虹按）此穴在下唇中陷凹處凡一切暴中厥以致迷悟不省人事刺此穴與人中皮內關交可挽救是能起死回生每治多驗但此二穴（人中承漿）甚痛須預告病家切勿捏揩以免病者之驚恐

督脈

一　督脈經謌

督脈少腹骨中央　女子入繫溺孔疆　男子之絡循陰器　繞篡之後別臀方　至少陰者循腹裡　會任直上關元行　屬腎會衝衍腹氣　入喉上頤環唇當　上繫兩目中央下　始合兩眥屬太陽　上額交巔入絡腦　還出下項肩髆前　俠脊抵腰入循膂　絡腎莖篡等同鄉　此是中明督脈路　總為陽脈之督綱

二　督脈經穴謌

督脈中行廿八穴　長強腰俞陽關密　命門懸樞接脊中　中樞

筋縮至陽迄 靈台神道身柱長 陶道大椎並肩的 啞門風府腦户
浮 強間後頂百會集 前頂顖會上星圓 神庭素髎水溝尋
兑端開口唇中央 齦交唇内任督畢

三 督脈經穴分寸詞

尾閭骨端是長強 二十一椎腰俞當 十六陽關十四命 十三懸
樞脊中央 十椎中樞筋縮九 七椎之下乃至陽 六靈五神三身
柱 陶道一椎之下鄉 一椎之上大椎穴 上至髮際啞門行 風
府一寸腦中取 腦户二五枕之方 再上四寸強間位 五寸五分
後頂強 又寸百會頂中取 耳尖直上髮中央 前頂前行
八寸半 前行一寸顖會量 一寸一寸上星會 入髮五分神庭
當 鼻端準頭素髎穴 水溝鼻下人中藏 兑端唇尖端上取
齦交齒上齦縫鄉

四 督脈經穴摘要詞（二）

長強 長強專治去腸風 小兒驚風閉大小 腰脊強急
難俯仰 小腸氣痛自能攻

穴在尾閭骨端，針五分至一寸，伏地取之，留五呼，灸三壯

（虹按）此穴在尾閭骨端即最下之脊骨下内陷中，凡一切下痢及寒氣侵襲腹痛而便瀉者，小兒傷食泄瀉，此穴亦有奇功，如承山大腸俞三焦俞同針善治腸風下血，配足三里中脘並刺治肚腹泄瀉頗稱佳良，但此穴不宜深刺，恐碍及腸壁，宜慎之

腰俞　膂俞治痛腰脊間　冷痹強急動作難　腰下至足不仁用　月經熱赤亦堪痊

穴在尾閭骨之上部廿一椎之下，針三分，留三呼，灸三壯

（虹按）此穴亦委中並治腰脊閭痛，如腎虧而腰背痛者最為有效

命門　十四椎下命門是　腎虛腰痛防其肆　兼療脱肛痔腸風　弱冠灸之恐乏嗣

穴在十四椎下，針五分至八分，留五呼，灸十數壯

（虹按）除以上之功效外，對腰膝痠人取此穴，與人中大椎至陽風池曲池委中尤有效果

至陽　膂脊強痛胃中寒　胸脇支滿脛骨痠　痞滿喘促身黃疸　取得至陽身便安

穴在七椎之下，針五分，留五呼，灸三壯

（虹按）此穴亦即膈俞陽綱中脘一切黃疸病，但如係陰黃病須加灸法

神道　最患傷寒更痛頭　風癇常發或悲愁　瘈瘲

頻來身寒熱 須由神道乃能瘳

(釘按)穴在五椎下不宜針可灸五壯

法 歆斯的里取此穴亦心俞肺俞間使後谿豐隆同灸有效(一

針十三鬼穴)疾熱暴厥取此穴亦少商湧泉同針亦可痊愈

身柱 癲癇狂走取身柱 咳嗽痰喘均能治 身熱癒

瘀多妄言 肺癆腰痛何難去

(釘按)穴在第三椎下針三五分留五呼灸三壯

此穴亦台靈可治一切疔瘡但病灶仍須加治較為妥當

啞門 啞門髮際五分測 吸血脊強致皮折 中風尸

厥 陽熱張 頸項疼痛語難出

穴在入髮際五分針三分不宜深入留三呼亦不可灸

(釘按)此穴可治中風暴瘖難於語言或因病後不復語言

艱澀者刺此穴有效

風府 傷寒百病尋風府 腦後髮中一寸許 頸項強急癒

癒急 中風舌緩不能續

穴在入髮際一寸針五分不宜灸

(釘按)此穴可承漿中衝環跳陽陵泉同針治腦充血語言艱澀半身

不任有效

9上星　上星通天主鼻渊　瘜肉鼻塞亦能痊　兼治風頭
諸目疾　三稜刺血即安然
穴在入髮際一寸針三分禁灸
（虹按）此穴与風池肝俞同刺可治一切頭腦昏痛或鼻渊鼻痔取灸此穴如目
内生障不明与光明同治亦有效

10水溝　水溝中風噤齒牙　中惡癲癇口眼斜　刺治風水頭
面瘇　灸治兒驚亦不差
穴在鼻下溝之正中　針三分留三呼　灸三壯
（虹按）此穴与前頂穴可治水腫而面浮甚效

百症賦

昔賢謂穴之在於背者曰俞穴俞者輸也注也言經絡之
氣輸注於此也故人身之穴皆得名之曰俞穴不必專指背
部之穴而言經凡十二絡凡十五奇經凡八穴有三百六十五穴
縱橫貫注宜熟誌之他若經外奇穴以及鬼穴等不在其間

百症俞穴再三用心
顖会連於玉枕頭風療以金鍼
懸顱頷厭之中偏頭痛止
強間豐隆之際頭痛難禁
原先面腫虛浮須仗水溝前頂
耳聾氣閉全憑聽会翳風
面上蟲行有驗迎香可取
耳中蟬鳴有声聽会可攻
目眩兮支正飛揚
目黄兮陽綱膽俞
攀睛攻肝俞少澤之所

淚出刺臨泣頭維之處
目中漠漠即尋攢竹三間
目覺䀮䀮急取養老天柱
觀其雀目肝氣睛明行間而細推
審他項強傷寒溫溜期門而主之
廉泉中衝舌下腫痛可取
天府合谷鼻中衄血宜追
耳門絲竹空住牙疼於頃刻
頰車地倉穴正口喎於片時
喉痛兮液門魚際去療
轉筋兮金門丘墟來醫
陽谷俠谿頷腫口噤并治
少商曲澤血虛口渴同施
通天去鼻內無聞之苦
復溜祛舌乾口燥之悲
啞門關沖舌緩不語而要緊
天鼎間使失音囁嚅而休遲

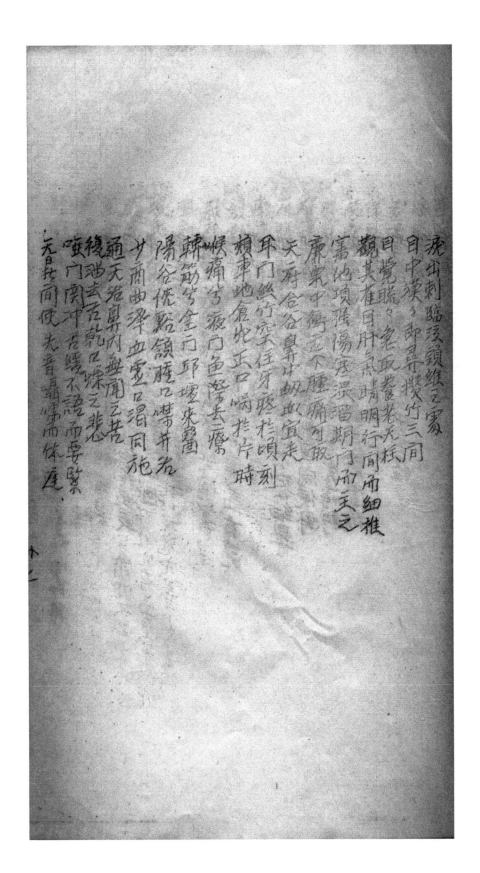

太冲瀉唇喎以速愈　承漿瀉牙疼〻而即移
項强多惡風束骨相連於天柱
熱病汗不出大都更接於經渠
且如兩臂頑麻少海就傍於三里
半身不遂陽陵遠達於曲池
聽宫脾俞祛殘心下之悲凄（下）
建里内關掃盡胸中之苦悶（上）
從知脇肋疼〻痛氣户華蓋有靈
腹内腸鳴下脘陷谷能平
胸脇支滿何療〻章門不容細尋
膈痛飲蓄難禁膻中巨闕便針
胸滿更加噎塞中府意舍所行
胸膈停留瘀血腎俞巨髎宜徵
胸滿項强神藏璇璣宜試
背連腰痛白環委中曾經
脊强兮水道筋縮
目瞤兮顴髎大迎

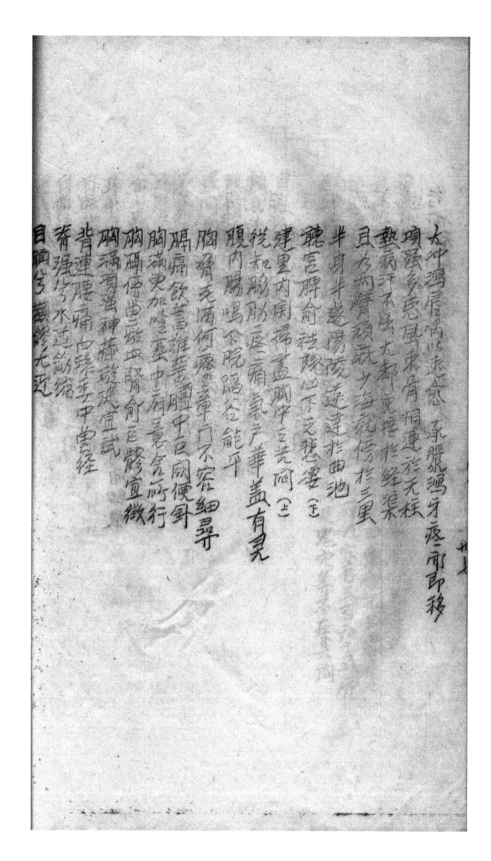

瘂疾非靈息而不愈
脉風瘖然谷而易醒
委陽天池腋腫針而速散
後谿環跳腿疼刺而即輕
夢魘不安厲兌相偕於隱白
發狂奔走上脘同起於神門
驚悸怔忡取陽交解谿勿悞
反張悲哭仗天冲大橫須精
癲病必身柱本神之令
發熱仗少冲曲池之津
歲熱時行陶道復求肺俞理
風癇常發神道還須心俞是
濕寒濕熱下焦定
厥寒厥熱湧泉清
寒慄惡寒二間疏通陰郄諳
煩心嘔吐幽门開徹玉堂明
行間湧泉去消渴之腎竭

陰陵水分治水腫之臍盈
勞瘵傳尸趨魄戶膏肓之路
中邪霍亂尋陰谷三里之程
治疸消黃諧後谿勞宮而看
倦言嗜臥往通里大鍾而明
咳嗽連聲肺俞須迎天突穴
小便赤澀兌端獨瀉太陽經（小海穴）
刺長强與承山善主腸風新下血
針三陰與氣海專司白濁從遺精
且如肓俞橫骨瀉五淋之久積
陰郄後谿治盜汗之多出
脾虛穀以不消脾俞膀胱俞覓
胃冷食而難化魂門胃俞堪責
鼻痔必取齦交　癭氣須求浮白
大敦照海患寒疝而善蠲
五里臂臑生癧瘡而能治
至陰屋翳療癢疾之疼多

府顧陽谿消瘕屋之熱極
抑又論婦人經事既常自有地機血海
女子少氣漏血不無交信合陽
常人之崖崩衝門氣衝宜審
日晡達限天樞水泉須詳
肩井乳癰而極效
商丘痔瘤而最良
脫肛取尾翳百會之所
無子搜陰交石關之鄉
中脘主乎積痢 外邱收乎大腸
寒瘧兮商陽太谿驗
痃癖兮衝門血海強

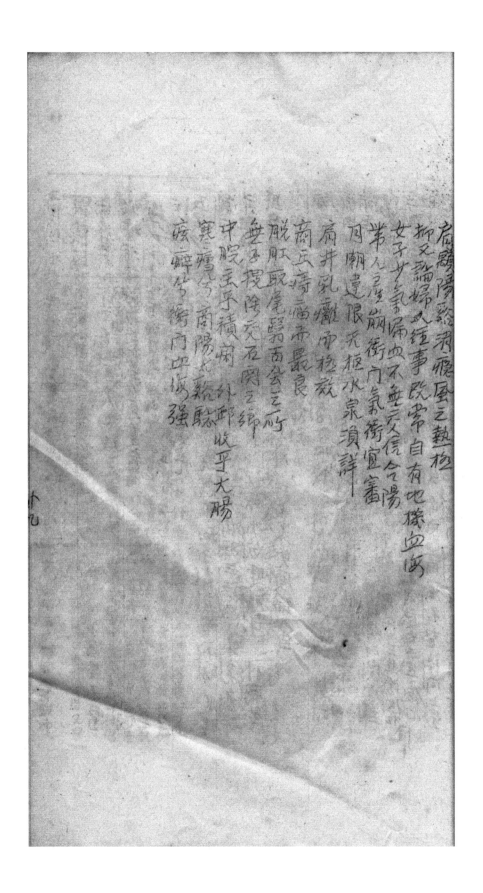

十二经脈俞穴禁鍼禁灸詞訣

凡十二经脉俞穴之于針灸猶为药物之於方剂药物有反悪禁忌醫家不可不知俞穴亦有禁忌習鍼灸者不可不知也药物之反悪畏忌諸書皆编成歌括使学者便于記诵針灸之禁忌则鲜有之今将禁針禁灸之歌编附於後以供 諸同学之研究焉

禁針歌括

五里臂臑及巨骨 皆手陽明大腸穴 心手青灵腧承筋足脾
箕门太陰属 手少陽三焦经穴 会宗角孫三陽络 承灵急脈
足胆肝 神道神庭督脊直 任脈水分建里中 神阙矣
[illegible]蓋[illegible]内 諸穴宜灸不宜針 醫家更須细入目

禁灸歌括

肺手天府与尺泽 經渠少商共四穴 承泣迎香手大腸 頭維
下關並四白 [illegible]人迎伏兔犢 陰市[illegible]膝外側 脾足隱白络
漏谷[illegible]少海心手属 小手[illegible] 足膀睛明对攢竹五
處承光天柱脊 承扶殷门委中膕 僕参申脈為鬼穴 三焦陽池和
[illegible] 瘈脈顱息[illegible]青络 禾髎耳門絲竹空 上列諸穴三焦属
胆足臨泣瞳子髎 陽關陵泉下地五会 命门啞門風府督 强间上星
[illegible]

針灸所禁歌括

胃足承泣々与風中 腦尾淵腋々客主人 会陰々臍々户任督從 六穴針灸皆禁忌 更須鳩尾記懷哀

孕婦禁針歌括

大腸寒口合谷穴 缺盆々天樞々胃經屬 脾三陰交々足踝上 崑崙々肩井々足膀胱 婦人有孕不可針 若誤針之禍非常

孕婦禁灸歌括

更有關門々足陽明 腎足石關々廿陰会 任脈石門々并下脘 建里々中行 按其位皆是禁灸之穴名 留心孕婦須牢記

十二經行針補瀉手術一覽圖表

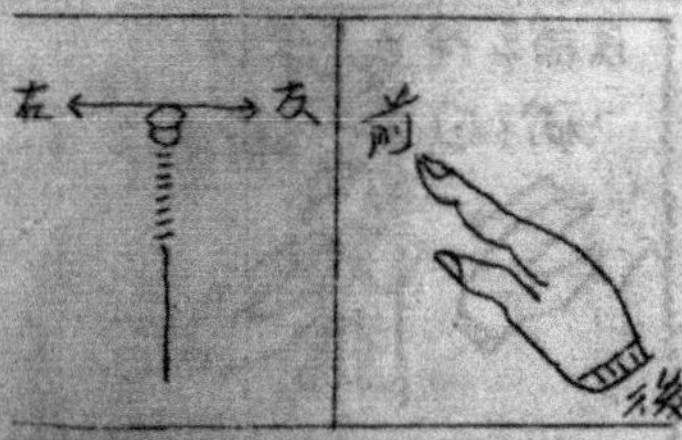

施針手術

針刺入穴時用右手拇食二指即持針直疾捻刺而入之 隨刺隨捻向內進 至達穴刺入幾分廿二度數 即補定之 使之病家之痛失 然後二指持針柄 微捻動 食指不動 拇指向前推 再向後退 轉為時表中之曲然甩動一方向 病者感到痠重否 如不感之痠重 可微捻刺入幾分 或退出幾分 以感痠重而行之補之瀉之法 苟不覺痠重 可再捻運 如覺針下氣緊 即是氣至 可補瀉

補瀉手術

隨而濟之謂之補 迎而奪之謂之瀉 又曰三進一退謂之補 三退一進謂之瀉 又曰提則為瀉 按則為補

凡補瀉針當捻動時 微微進幾分許 提起再捻進 往返行之 出鍼時漸出鍼而

疾按其孔凡屬瀉針當搖動時從內上提分許揷進再提起往返行之出針時疾出針而不按其孔此運針補瀉之真義

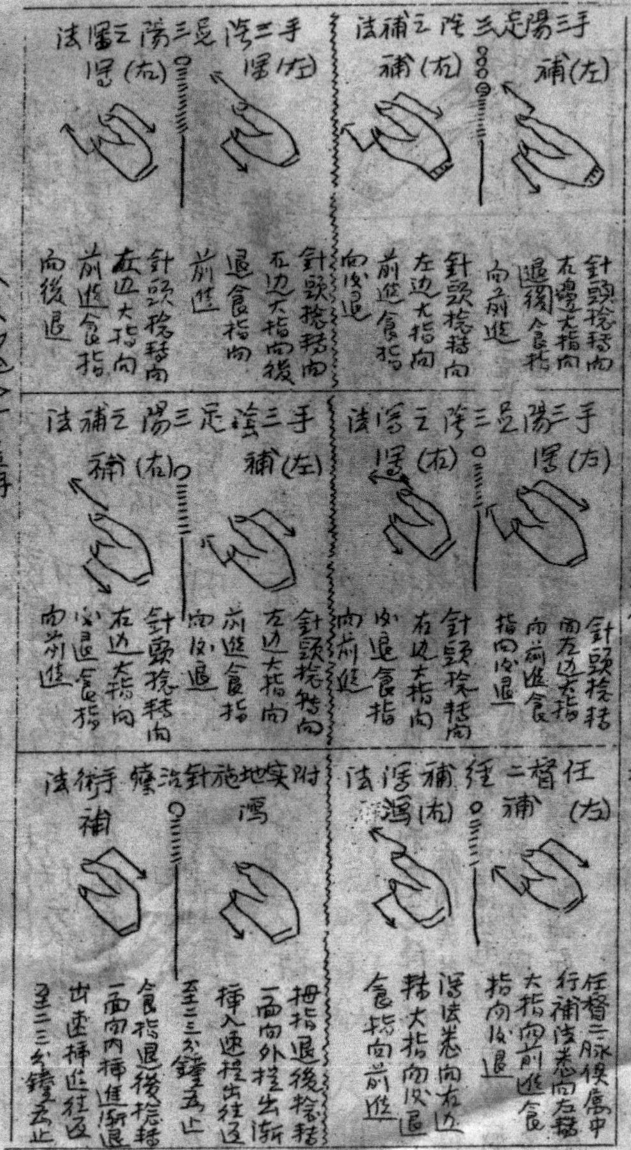

十三鬼穴名稱

（一）鬼宮（人中），（二）鬼信（少商）（三）鬼壘（隱白）（四）鬼心（大陵）（五）鬼路（申脈）（六）鬼枕（風府）（七）鬼床（頰車）（八）鬼市（承漿）（九）鬼窟（勞宮）（十）鬼堂（上星）（十一）鬼藏（男會陰 女玉门）（注）此穴除治溺死卒死外不宜針灸（十二）鬼腿（曲池）（十三）鬼封（舌下中縫）

附（此係真人之鬼穴秘訣主治中惡鬼祟癲狂妄等症針時男左女右……

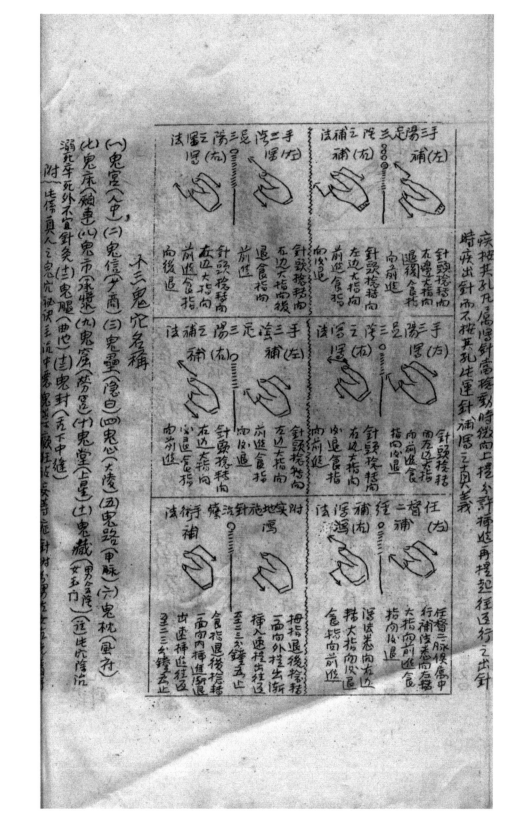

灸治對於人體之生理作用

1、灸能增加白血球及血小板促進血清之变化使免疫性增加殺菌力强大旺盛其新陳代謝之機能

2、毛細管受灸之刺激各神经血管之擴張或收縮得營其循環原動機能

3、艾熱之刺激能促進血壓上升使之分泌作用亢進

4、施灸之刺激能增加腸胃之蠕動力血液中增加積量

5、施灸後血管擴張血壓增高血液及淋巴液之循環旺盛對於皮膚之抵抗力增大

6、知覺神经興奮其疼痛過敏者得血清之化學变化而制止其疼痛

7、灸之刺激能抑制感覺作用故对於感覺之抵抗力極强

8、灸術能於血液中發生或種植抗毒素以抵禦外侵或排泄一切瘖毒病菌有恢復生活體之治愈機能

鍼灸治療效能簡畧表

鍼治效能

- 興奮作用
  - 興奮神经
  - 擴張血管
  - 旺盛其新陳代謝之機能
- 制止作用
  - 麻痺神经
  - 收縮神经
  - 抑制內臟機能之亢進
- 誘導作用
  - 活潑內臟機能
  - 解除筋肉之緊張力

灸治效能

- 誘導作用
  - 血管擴張循環旺盛
  - 蛋白體輸入血液中而生抵抗機能
- 直接作用
  - 促進吸收力增加抗毒素
  - 精神興奮愉快
  - 神經感覺靈敏
- 反射作用
  - 血液中增加白血球
  - 腸胃之蠕動力增强
  - 血壓上升

暈針治法

病人務要緊守方寸切勿恐怕勿畏疼痛勿睹針穴和緩氣息凝神定志自無痛苦或暈針之虞倘有下針後即覺心亂目眩頭痛嘔吐甚或二便不禁目珠上視即屬暈針切須鎮定勿恐力禁大呼小喚慌張哭泣此乃由於病者氣餒針力過猛或空心恐怕之故有以致之惟其效更速凡遇此象切莫出針先令其側身安臥如腿部有針不便安臥者則令人扶持之使倚桃几上再進開水一杯加灸百會穴少頃汗出即安甚有歷時稍久不已者更刺十宣出血繼補足三里或再視其所因針何經之穴而暈更補該經合穴皆可立愈也

十二經脈所行之部位

手陽明大腸經手少陽三焦經手太陽小腸經俱自手而至頭足太陰脾經足厥陰肝經足少陰腎經俱自足而腹是六經悉皆自下而至上謂之手三陽足三陰手太陰肺經手少陰心經手厥陰心包絡俱自胸而至手足陽明胃經足太陽膀胱經足少陽膽經俱自頭而至足斯六經者俱自上而至下謂之手三陰足三陽

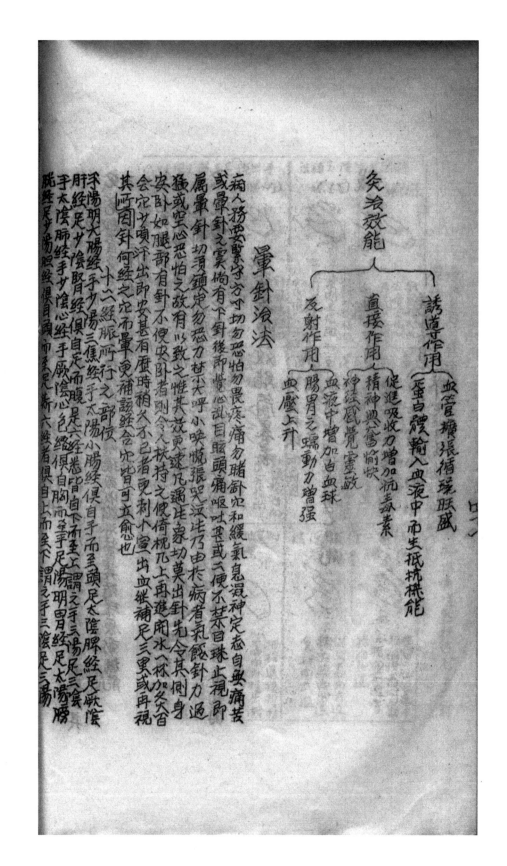

鍼難出穴之種種

針刺入穴後常澀甚而不易拔出病家固覺痛苦醫者亦感困難臨症憾事無逾於此務須謹慎從事庶免貽誤其原因及急救法畧述於下以供諸同學臨證之一助云尔

(A) 難出之原理

(一) 筋肉發生強有力之痙攣將針吸住

(二) 針有缺痕纖維纏繞難出

(三) 病者不慎姿式移動致針絲屈曲

(B) 急救法

(一) 用爪甲切穴旁使其神經受刺激而放鬆俾針易出所謂爪切之是也

(二) 以拇指爪甲於針柄所裹之銅絲上細刮之使穴內發生輕微之震動筋肉鬆弛可以出針

(三) 用左右手食指各蘸唾沫少許於穴之四周抹之摩之約經四五分鐘針即可出

井滎俞經合之意義

內經云「氣之所出為井所流為滎所行為經所注為俞所入為合」其意義乃指內臟之氣與經絡之會合之合而言蓋內臟氣由井穴而出流於滎穴再注輸於俞穴復行過經穴而入於合穴與經絡之氣合前人復從陰陽五行之說以五行配合諸穴特附後備攷

	井	滎	俞	經	合
臟	木	火	土	金	水
腑	金	水	木	火	土

十二經井滎俞經合穴之主治

(A) 井之所治

心下滿痰、井穴可鍼、肝取大敦、胆在竅陰、小腸少澤、心少冲尋、胃在厲兌、隱白脾本、大腸商陽、肺少商鄉、膀胱至陰、湧泉腎藏、三焦為何關冲穴上、包絡何求、中冲針揉、

(B) 滎之所治

身熱取滎、行間肝經、俠谿胆處、小腸前谷、少府心是、內庭胃主、大都脾宣、大腸二間、魚際肺、膀胱通谷、腎將何求、然谷針請、三焦液門、刺之病除、包絡何針、勞宮刺入、

(C) 俞之所治

俞穴主治、體重節疼、肝針太冲、胆臨泣用、小腸何刺、後谿宜攻、神門心從、胃陷谷通、太白穴管、脾臟患、大腸三間、肺太淵焉、論及膀胱、束骨之鄉、又有腎臟、太谿刺康、患至三焦、中渚針妙、心包絡取大陵為高、

(D) 經之所治

喘嗽寒熱、應取經穴、肝定中封、陽輔胆所、再談小腸、陽谷之鄉、靈道心臟、針之則良、胃刺解谿、商邱脾區、大腸何取、陽谿穴宜、肺藏何療、經渠針挑、膀胱崑崙、腎復溜妙、三焦支溝、刺不可苟、心包絡實間使針投、

(E) 合之所治

熱氣而泄、針刺在合、肝臟所會、曲泉之穴、胆之所商、陽陵泉上、小海小腸、少海心鄉、胃刺三里、陰陵脾域、大腸曲池、肺尺澤取、膀胱委中、陰谷腎重、三焦廚稱、天井之裡、心包絡穴曲澤針靈、

尺度法

尺度之法固有定規，依法取之，自無差誤。如頭部直寸，取前髮際至後髮際，折作一尺二寸；前髮際不明者，取眉心上行三寸；後髮際不明者，取大椎上行三寸。頭部橫寸，取內眥角外眥角為一寸。胸腹橫寸，取兩乳間折作八寸。胸腹直寸，取心蔽骨下至臍，折作八寸；如無蔽骨者，取歧骨下至臍心，作折九寸。臍下至毛際橫骨，折作五寸。四肢俱取男左女右中指節橫紋頭為一寸。背部取大椎至尾骶骨，折為三尺。凡量寸宜用稻桿或薄篾為便。其無尺寸所依者，陽部取筋骨之間陷下者為真，陰部取郄膕之內求動脈相應，背部尤宜認清椎骨。其他尚有曲伸取者、張口閉口取者、嚼徵者、握取者，不一而足，當各按其穴之取法，仔細施行，自無錯誤也。

天地人之鍼法

夫所謂天地人者，非宇宙間之三才也。何以言之？人身有天地人之三才，鍼法亦有天地人之三才。凡人身所謂天地人三才者，乃自胸而上為天部，從胸至臍為人部，由臍而下為地部，此則人身中天地人之三才。天部宜輕淺，地部宜深重，人部宜適中。蓋施針於天部宜輕淺以撚之，或恐其時針刺有誤（所謂有誤者，乃指暈針言），則必（不適），男刺足之三里、崑崙，女刺三陰交，或男女均刺臍下一寸五分之氣海穴，補瀉得宜，必能復蘇。而針法之所謂天地人者，乃刺至肌肉之內謂人，刺至筋骨部分謂地，刺至皮肉之內謂天，此則鍼法中之天地人三才也。凡行針手術，先刺入天部，再刺至地部，復退至人部，而後方行補瀉手術。直待病者感覺內裏痠楚麻痹，乃為針氣含接之徵，則宜稍停針數分鐘，令針下氣撒盡，然後接補瀉疾徐法，則出針，即所謂天地人之針法，乃為施治虛實寒熱溫涼之成法也。

補瀉迎隨與促進減緩之小釋

補瀉之法門類殊多有從乎呼吸有在乎手指陰陽各別子午交異內難大成所載率皆詞意深奧無從捉摸實屬困難即家傳秘授大都零乱無章遂致今之學者畏首畏尾裹足不前(則深感無從下手之苦甚或一味顢頇孟浪施行於是顛倒補瀉而錯雜離乱其原因蓋由補瀉之法過於複雜漫無頭緒且學者缺乏精確澈底之認識復無善本以參考故也要之祗須認定隨而濟之迎而奪之八字則補瀉之能事備矣何謂隨而濟之之謂補隨者隨其經氣之行也濟者助其經氣之輸也如手太陰肺經從胸至手若補肺經穴則順其經行而徐捻之徐徐出其針而疾按其穴是謂補也即隨而濟之之謂也(餘經仿此)何謂迎而奪之之謂瀉迎者逆其經氣之來也奪者奪其來之經氣也若瀉肺氣逆其經行而捻之疾出針而緩按其孔是謂之瀉也亦迎而奪之之義也(餘經仿此)更切脈之意義乃審其脈來數急則知血氣進行過於亢進宜緩之所謂實者瀉之是也審其脈來遲緩知其血行緩滯宜從進之所謂虛者補之是也促進(減)緩與補瀉迎隨之要義大畧如斯

施針法及施針前後應注意點

在施針前先認明病症確定治法應取何經何穴認補認瀉再度其病者之肥瘦宜淺宜深胸具成竹然後令病者或坐或臥或伏坐或側臥俾合姿度審定穴道針擦淨用火溫之(以消滅微菌)將左大手指爪切應針之穴上稍稍用力由輕而重(令氣宣散(使該穴皮下神經麻痺以免痛苦)右手大食中三指持住針柄(若長針須用無名指緊抵針身以防針彎)直向穴刺之隨刺隨捻向裏專心着力注視於針至達到刺之部位時稍息即可施以或補或瀉之手術矣至若針前三日內及禁絕房事針後(週內亦然)并須注意起居飲食禁生冷之物忌沐浴出汗勿過勞勿久臥運動有節俾週身之神經舒暢血循環合度否則則效驗減低矣

针灸讲义（陈苣洲）

提 要

一、作者小传

陈芑洲（1893—1972），一名纪周，生于福州。1918年，陈芑洲参加普通文官考试，成绩合格后被调遣至北京盐务署任职。其寓居京师九年期间，曾虚心拜一位东北籍老中医为师，学习祖国传统医学，精研医理及针灸技术，从此走上了行医济世、治病活人的道路。1927年，陈芑洲辞职返回福建，从事教学、医疗工作，创办福州中医学社并教授针灸课。1932年，陈芑洲受聘于福州英华中学，教学之余，兼以针灸为民治病，其针灸技术日趋成熟，疗效甚佳，常受称颂。1953年，陈芑洲任福建中医进修学校针灸教员，为学员讲授古典医著《灵枢》，并编写了《针灸学讲义》，为福建省卫生事业培养了一批针灸人才。1955年，陈芑洲受聘担任福建省人民医院副院长兼针灸科主任，他博采福州地区民间单方、验方，以及针灸经验，将之汇集成册，配以插图，撰写成《福州民间针灸经验录》一书。陈芑洲擅长针灸，重视经络，注重选穴配方，重视手法，以运气行针闻名。

二、版本说明

陈芑洲讲述，私立福州中医专校讲义铅印版。

三、内容与特色

该书据目录看应存16篇，现存绪论、忌禁、经脉、孔穴4篇，后残寸数、取穴、制针、制艾、用针手法、下手次第、用针补泻、灸术善后、针形种类、药灸种类、分症治疗、各家歌诀12篇。绪论篇讲述针灸的历史源流；忌禁篇讲述针灸之禁忌，包括四季人神、逐年人神、逐日人神、十二时人神所在禁针灸等，另附太乙所居九宫之日禁针灸、九宫尻神禁针灸图等；经脉篇讲述十二经及奇经八脉之起止、交会、属络、长短之数等；孔穴篇讲述十二经及奇经八脉之经穴的定位、刺灸法、主治等，并附穴位图，以便读者研究学习。

现将该书特色介绍如下。

（一）重视经穴的作用

作者在孔穴概论部分云："夫针之所刺必由穴入者，以其处为筋肉之隙，针游其内无所痛苦也，且针以得气为主，无孔穴则非气所聚之处，亦非邪所藏之部，刺之徒伤良肉，无所益也。"可见该书对孔穴的讲述非常细致，足见陈苣洲对孔穴之重视。

（二）注释经脉，介绍推崇《黄帝内经》

经脉篇以介绍《黄帝内经》经脉相关原文为主，并加以注释，讲述经脉循行、络脉、是动病、所生病等。可见该书作者重视经脉原文在针灸理论及临床中的指导作用。

針灸講義

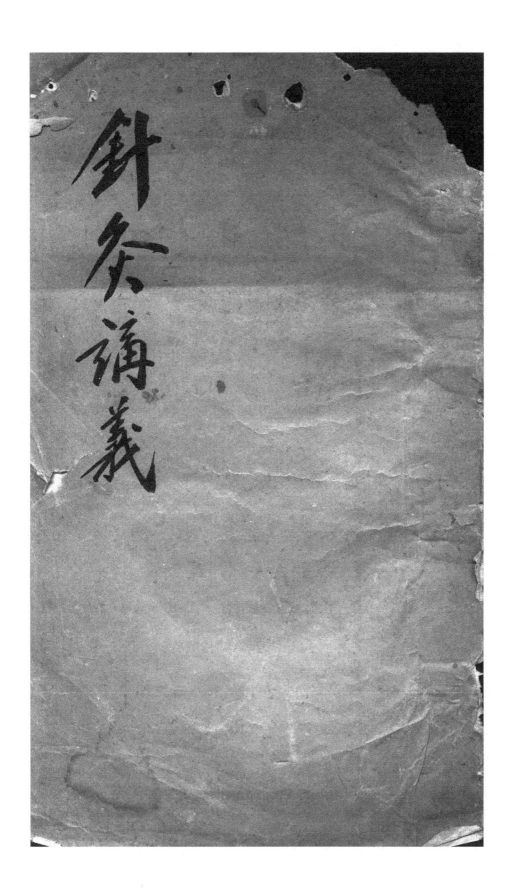

針灸講義

目錄

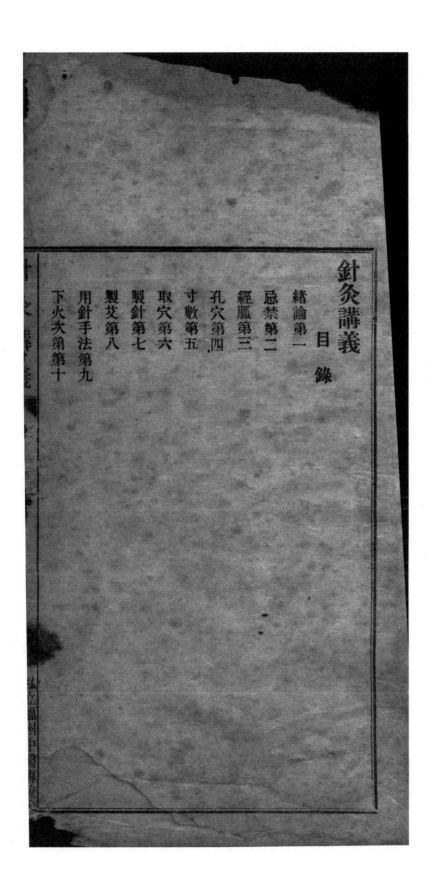

針灸講義

緒論第一

閩侯陳芑洲述

我國古代治病之術始爲祝由繼乃砭石導引針灸而後乃用湯液祝由爲移精變氣之法惟上古天真完固之人用之方能奏效故其術到後代漸廢而不用針灸實砭石之流其術妙其效捷其治病實有不可思議者若秦越人刺三陽五會而起虢太子之尸厥漢華陀鍼腦空療魏武帝之腦痛徐文伯刺合谷陰交下婦人之胞胎狄仁傑刺腦空而墜鼻瘤甄權刺臂臑而止臂痛史册所載指不勝屈歷代中醫大家皆長針術漢之華陀郭玉魏之崔彧李潭元晉之皇甫謐齊之徐文伯馬嗣香隋之北山黃公唐之狄仁傑皆精於針灸而孫思邈甄權諸賢更復富有著述及至宋代仁宗詔王維德考次針灸孔穴鑄爲銅人於是經穴始有標準可循針灸一科研究者遂多丘經歷王纂許希王克明等皆名聞朝野而王執中復著有資生經七卷取穴三百六十六以穴屬病實合千金明堂銅人而一之劉元賓又著有洞天針灸經行世至金元針灸之術亦不稍衰滑伯仁著有十四經發揮三卷考邃穴六

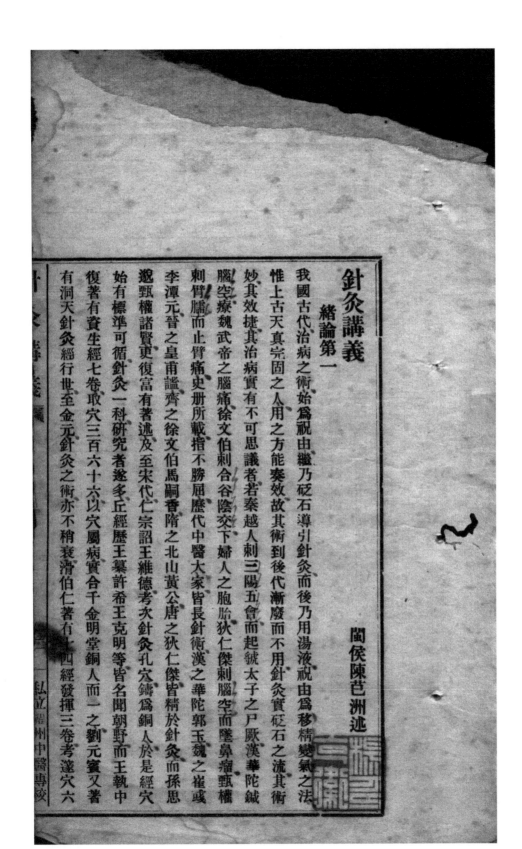

百五十有七竇漢卿著有針經指南有標幽賦張潔古亦精針灸元臣忽泰必列著有金蘭循經王鏡澤得竇氏之傳重註標幽賦傳其子國瑞國瑞傳廷玉廷玉傳宗澤世克其業降之明季有過龍之針灸要覽吳嘉言之針灸原樞汪璣之針灸問答姚亮之針灸圖經陳會之神應經高武之針灸節要與聚英楊繼洲之針灸大成故元明兩代爲我國針灸最盛時代至於滿清此術漸衰一般醫家懾於內經針能殺生人不能起死者之訓更戒於王燾廢針之說相率畏避不敢嘗試一遇沉疴危疾環顧杳嗟終莫奈何間或販夫走卒挾一得之長放痧刺風屢收奇效而中西醫士則瞻望驚駭以爲若有神助針灸學術之不講殊可嘆也時至今日而欲追求古法墜緒茫茫搜求匪易以今證古由流溯源尚屬易行故余之所述槪屬近代之針法而間參考古法以爲佐證非故苟簡勢有所不能也古代之針有九種鑱針頭大末銳以取頭部之熱圓針鋒如卵形以寫肉分之病鍉針鋒如黍粟按脈勿陷以致脈氣鋒針刃三隅以發痼疾鈹針末如劍鋒以取大膿圓利針尖圓利如毫毛調陰陽取暴氣毫針尖如蚊喙微以久留以取痛痹長針長七寸鋒利身薄以取痺痛於骨解腰脊之

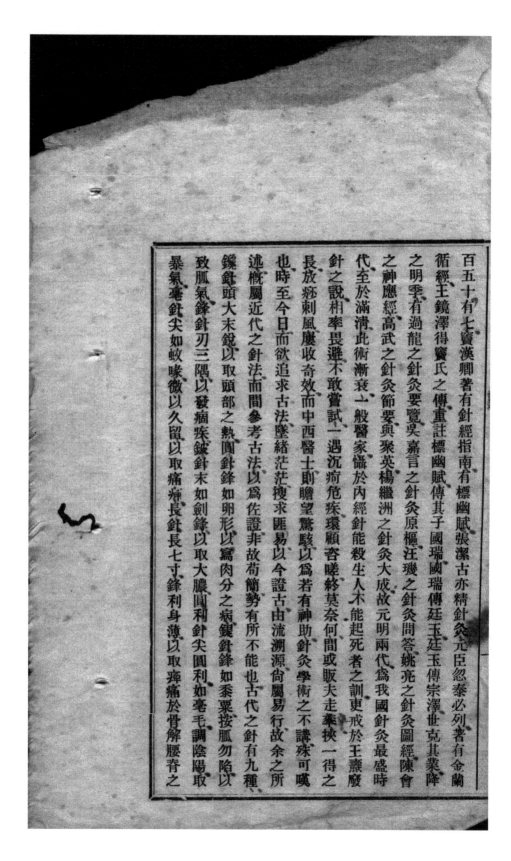

間大針尖如挺取風虛水脹於關節皮膚之間今則除鑱針毫針鋒針圓利針之外其餘五針概不常用矣夫針法雖繁能得其理則操之有要不至流散無窮人病雖多其能影響全體者不過三系一曰經系二曰脈系三曰三焦系斯皆針灸之所及也經系之爲病不過興奮與減退兩種興奮則瀉之減退則補之脈系之爲病不過充血與少血兩種充血則放之少血則灸之三焦系之爲病不過水滯氣結毒聚諸種水氣之病針以通毒結之病灸以取之此針灸之大意也其餘針能發汗者此興奮發汗神經之機能也針能解痛者減退神經興奮之力量也針能解毒者增加白血球之繁殖也此皆近代針灸原理之發明亦不妨述之爲佐證焉

忌禁第二

針灸之術忌禁爲要不諳忌禁輕者益病重則致死不可不察也忌禁之法可分爲五一爲孔穴之禁二爲疾病之禁三爲時期之禁四爲施術之禁五爲部分之禁孔穴之禁可分爲二一禁針之穴如腦戶顖會神庭絡郄玉枕角孫顱息承泣承靈神道靈台膻中水分神闕

箕門脾經穴在陰股內

會陰橫骨氣衝手五里箕門承筋靑靈乳中三陽絡合谷(孕婦忌)三陰交(孕婦忌)石門(女子忌)雲門鳩尾缺盆客主人肩井(五穴均忌深針)衝陽(忌出血)然谷(忌出血)人迎(忌過深)二十二爲禁灸之穴如瘂門風府天柱承光臨泣頭維絲竹空攢竹睛明素髎禾髎迎香顴髎下關人迎天府天牖周榮淵腋乳中鳩尾腹哀肩貞陽池中衝少商魚際經渠地五會陽關脊中隱白漏谷陰陵泉條口犢鼻陰市伏兔髀關申脈委中殷門承扶白環俞心俞腦戶耳門瘈脈氣衝石門承泣瘂門凡禁針禁灸之穴皆因經筋大脈淺露之分及腦髓臟腑要害之處恐有毀傷也疾病之忌有數種仲景云脈浮應以汗解用火灸之則邪無從出因火而盛從腰以下必重而痹名曰火逆又云脈浮熱甚而反灸之此爲實實以虛治因火而動必咽燥唾血又云微數之脈愼不可灸因火爲邪則爲煩逆追虛逐實血散脈中火氣雖微內攻有力焦骨傷筋血難復也岐伯曰用針之道無瀉其不可奪者形肉已脫大奪血之後大汗大泄新產下血此五者皆不可瀉以針又曰刺有五逆病與脈相逆不可刺也熱病脈靜汗已出脈盛躁是一逆也病泄脈洪大是二逆也著痹不移䐃肉破身熱脉偏絕

是三逆也淫而奪形身熱色夭然白及後下血衃血衃篤重是四逆也寒熱奪形脈堅搏是五逆也又云無刺熇熇之熱無刺渾渾之脈無刺漉漉之汗又曰形不足氣不足此陰陽具不足不可刺也又云病先發於心心主痛一日而之肺加欬三日而之肝加脅支痛五日而之脾加閉塞不通身痛體重三日不已死病先發於肺喘咳三日而之肝脅支滿痛一日而之脾身重體痛五日而之胃脹十日不已死病先發於肝頭目眩脅支滿三日而之脾身重體痛五日而之胃脹三日而之腎腰脊少腹痛脛痠三日不已死病先發於脾身痛體重一日而之胃脹二日而之腎少腹腰脊痛脛痠三日而之膀胱背膂筋痛小便閉十日不已死病先發於腎少腹腰脊痛胻痠三日而之膀胱背膂筋痛小便閉三日而上之心心腹脹三日而之小腸兩脅支痛三日不已死病先發於胃脹滿五日而之腎少腹腰脊痛胻痠一日而之膀胱背膂筋痛小便閉五日而之脾身體重六日不已死病先發於膀胱小便閉五日而之腎小腹脹腰脊痛胻痠一日而之小腸腹脹一日而之心身體痛二日不已死諸病以次相傳皆有死期不可刺也間一臟及二三臟乃可刺也故凡虛損危病久病之元氣不

如病耳無所聞目無所見此小腸之氣不通也刺聽宮穴以通之

足者皆不可施以針而現今所謂皮膚病發疹病熱性病傳染病創傷部寄生蟲病及機質起變化之疾病又急性腹膜炎及盲腸炎及高度之貧血高度之衰弱者慢性病之死戰期妊娠之子宮部血壓上升之時均忌施灸而皮膚病熱性病傳染病血栓寄生蟲病血液變敗壞疽等又須忌針至於瘻瘤等無頭之腫物及頸與頭之瘡瘍皆忌針灸之患部療治者也時期之忌厥有多端岐伯曰正月二月三月人氣在左無刺左足之陽四月五月六月人氣在右無刺右足之陽七月八月九月人氣在右無刺右足之陰十月十一月十二月人氣在左無刺左足之陰又曰天溫日明則人血淖液而衛氣浮故血易瀉氣易行天寒日陰則人血凝泣而衛氣沉月始生則血氣始精衛氣始行月廓滿則血氣實肌肉堅月廓空則肌肉減經絡虛衛氣去形獨居是以天寒無刺天溫無疑月生無瀉月滿無補月廓空無治月廓空而治是謂亂經陰陽相錯真邪不別沉以留止外虛內亂淫邪乃起又曰甲乙日自乘（所在也）無刺頭無發矇於耳內（發矇針法之名刺府輸去府病也）丙丁日自乘無振埃於肩喉廉泉（振埃刺陽經去陽病之針法也）戊己日自乘四季無刺腹去爪通水（去

爪刺關節肢絡以通水之針法也）庚辛日自乘無刺關節於股膝壬癸日自乘無刺足脛是謂五禁又曰春氣在經脈夏氣在孫絡長夏在肌肉秋氣在皮膚冬氣在骨髓春刺絡脈血氣外溢令人少氣春刺肌肉血氣環逆令人上氣春刺筋骨血氣內著令人腹脹夏刺經脈血氣乃竭令人解㑊（音懈亦）夏刺肌肉血氣內却令人善恐夏刺筋骨血氣上逆令人善怒秋刺經脈血氣上逆令人善忘秋刺絡脈氣不外行令人臥不欲動秋刺筋骨血氣內散令人寒慄冬刺經脈血氣皆脫令人目不明冬刺絡脈內氣外泄留爲大痺冬刺肌肉陽氣竭絕令人善忘又云大風灸者陰陽交錯大雨灸者諸經絡脈不行大陰灸者令人氣逆大寒灸者血脈蓄滯又曰新內勿刺已刺勿內已刺勿醉已醉勿刺新怒勿刺已刺勿怒新勞勿刺已刺勿勞已飽勿刺已刺勿飽已飢勿刺已刺勿飢已渴勿刺已刺勿渴大驚大恐必定其氣乃刺之乘車來者臥而休之如食頃乃刺之步行來者坐而休之如行十里久乃刺之午前禁灸午後禁針凡行針宜於午前十時以後行灸宜於午後一二時之間此言其常也至於急症之病不得而拘也後世禁忌之說日繁有人神尻神月神太乙所在之禁茲

擇其要列舉於左以備研究蓋此乃後人經驗所得不可概以無稽之談視之也

一 四季人神所在禁針灸

春左脅 秋右脅 冬腰 夏臍

二 逐年人神所在禁針灸

一歲在臍 二歲在心 三歲在肘 四歲在咽 五歲在口 六歲在首 七歲在脊 八歲在腰 九歲在足 十歲復在臍 十一歲復在心 十二歲復在肘 如是周流至於百歲

三 逐日人神所在禁針灸

一日在足大指厥陰之分犯之發胕腫

二日在足外踝少陽之分犯之經筋緩

三日在股內少陰之分犯之少腹痛

四日在腰太陽之分犯之腰僂無力

五日在口舌太陰之分犯之舌强

六日在手陽明之分犯之肛門不利

七日在足內踝少陰之分犯之陰經筋急

八日在手腕太陽之分犯之腕不收

九日在尻厥陰之分犯之病結

十日在腰背太陽之分犯之腰背僂

十一日在鼻柱陽明之分犯之齒面腫

十二日在髮際少陽之分犯之耳重聽

十三日在牙齒少陰之分犯之氣寒

十四日在胃脘陽明之分犯之氣脹

十五日在遍身禁不可針灸

十六日在乳胸太陰分犯之氣逆

十七日在氣衝陽明分犯之息難、
十八日在股內少陰分犯之引陰痛、
十九日在足跗陽明分犯之發腫、
二十日在足內踝少陰分犯之經筋痺、
二十一日在手小指太陽分犯之手不仁、
二十二日在外踝目下胸下少陽分犯之筋緩、
二十三日在肝腧厥陰分犯之煩筋痛、
二十四日在手陽明分犯之咽中不利、
二十五日在足陽明分犯之胃氣脹、
二十六日在胸太陰分犯之喘咳、
二十七日在膝陽明分犯之足經厥逆、
二十八日在陰少陰分犯之少腹急痛、

二十九日在膝脛厥陰分犯之筋痿少力

三十日在足胕陽明分月空無瀉禁不治

四　十二時人神所在禁針灸

子時在踝　丑時在頭　寅時在耳目　卯時在面　辰時在項　巳時在乳肩　午時在胸脅　未時在腹　申時在心主胸脇　酉時在膝背　戌時在腰　亥時在股

五　太乙所居九宮之日禁針灸

太乙於立春日在居留宮於是逐日出遊九宮按八九一二三四五六七之次序九日復歸居留宮如是者五次計四十五日始移至倉門宮又如是者四十五日復移至陰洛宮太乙遊於天之九宮人身之九宮神氣亦隨之而行故神氣之所在須避針灸也列圖如左

六 九宮尻神禁針灸圖

左肩 立夏 四 陰洛宮 巽	頭首 膺喉 夏至 九 上天宮 離	右肩 立秋 二 玄委宮 坤
春分 三 倉門宮 左脅 震	六府 五 膈下 三臟 招搖宮 中央	秋分 倉果宮 七 右脅 兌
艮 天留宮 立春 八 左足	坎 叶蟄宮 冬至 一 腰尻 下竅	乾 新洛宮 立冬 六 右足

一歲從坤，二歲從震，三歲從巽，四歲從乾，五歲從兌，六歲從艮，七歲從離，八歲從坎，九歲從中，十歲復從坤，周而復始。犯之重則喪命，輕則發癰疽。

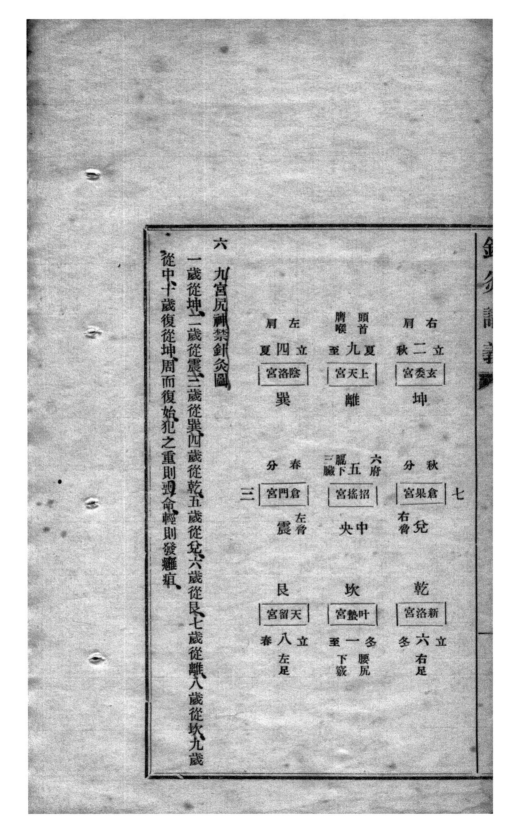

四 三歲 巽 頭乳	九 歲七 離 膝脅	二 坤 一歲 踝
二歲 三 震 牙腨指	九歲 尻肩 中 五	五歲 兌 七 膊手
項腰 六歲 艮 八	八歲 坎 肚肘脚 一	目背面 乾 四歲 六

又通常忌晦朔弦望及八節八節前後各一日不宜針灸此關於時間之禁也至於施術之禁部分之禁不過某部宜淺某部宜深某部之艾宜大宜小宜多宜寡各種問題而已故可

此言刺骨者若針遇筋即宜避去不可遷至骨也餘仿此

刺中脾十日死其動為吞

合而言之岐伯曰病有浮沉刺有深淺過之則內傷不及則生外壅壅則邪從之淺深不得反爲大賊內動五臟後生大病故刺毫毛腠理者無傷皮皮傷則內動肺肺動則秋病溫瘧淅淅然寒慄刺皮無傷肉肉傷則內動脾脾動則四季之月病腹脹煩不飲食刺肉無傷脈脈傷則內動心心動則夏病心痛刺脈無傷筋筋傷則內動肝肝動則春病熱而筋弛刺筋無傷骨骨傷則內動腎腎動則冬病腰痛刺骨無傷髓髓傷則銷鑠胻痠體解㑊然不去矣所謂刺骨無傷筋者針至筋而去不及骨也刺筋無傷肉者針至肉而去不及筋也刺肉無傷脈者至脈而去不及肉也刺脈無傷皮者至皮而去不及脉也所謂刺皮無傷肉者病在皮中針入皮中無傷肉也刺肉無傷筋者過肉則中筋也刺筋無傷骨者過筋則中骨也此謂之反也又刺禁論云臟有要害不可不察肝生於左肺藏於右心部於表腎治於裏脾謂之使胃爲之市鬲肓之上中有父母七節之旁中有小心從之有福逆之有咎刺中心一日死其動爲噫刺中肝五日死其動爲語刺中腎六日死其動爲嚏（腎脈入肺循喉嚨挾舌本故刺其臟則氣上泄而爲嚏） 刺中肺三日死其動爲欬刺中膽一日半死其動爲嘔刺

跗上中大脈血出不止死刺面中溜脈（通於目之動脈）不幸爲盲刺頭中腦戶入腦者死（腦戶在枕骨上百會後四寸半督脈之穴禁針）刺舌下中脈太過血出不止爲瘖刺足下布絡（散布之絡）中脈血不出爲腫刺郄中（委中也）大脈令人仆脫色刺氣街中脈血不出爲腫鼠僕（卽鼠鼷）刺脊間中髓爲傴刺乳上中乳房爲腫根蝕刺缺盆中內陷氣泄令人喘欬逆刺手魚腹內陷爲腫刺陰股中大脉血出不止死刺客主人內陷中脈爲內漏爲聾刺膝髕出液爲跛（音頗足廢也）刺臂太陰脈出血多立死刺足少陰重虛出血爲舌難以言刺膺中陷中肺爲喘逆仰息刺肘中內陷氣歸之爲不屈伸刺陰股下三寸內陷令人遺溺（陰股下三寸無穴道王冰註以爲係少陰之絡）刺腋下脅間內陷令人欬刺少腹中膀胱溺出令人少腹滿刺腨腸（腿肚也）內陷爲腫刺眶上陷骨中脈爲漏爲盲（漏目淚不止）刺關節中液出不得屈伸文曰足陽明者五臟六腑之海也其脈大血氣多氣盛壯熱刺此者不深不散不留不瀉也足陽明刺深六分留十呼足太陽深五分留七呼足少陽深四分留五呼足少陰深三分留四呼足太陰深二分留三呼足厥陰深一分留二呼手之

陰陽其受氣之道近其氣之來疾其刺深者皆無過二分其留皆無過一呼刺而過此者則脫氣又曰嬰兒者其肉肥血少氣弱刺此者以毫針淺刺而疾發針日再刺可也刺肥人者以秋冬之齊刺瘦人者以春夏之齊千金翼云年三十以上若灸頭不灸三里令人氣上眼闇凡灸須熟方足愈病但頭手足肉薄若一時並灸則氣血絕於下宜時歇火氣少時令血氣遂通使火流行積數大足自然邪除疾瘥也醫學入門云頭面爲諸陽之會胸膈二火之地不宜多灸背腹雖云多灸而陰虛有火者不宜惟四肢最妙至於針法則宜審其陰陽虛實從陰引陽從陽引陰瀉陰補陽瀉陽補陰上取下取均無定法神而明存乎其人而已

經脈第三

吾國治病之法重視於六經之形症表裏次第以爲方藥之標準其始蓋由於針灸也蓋針灸之法由外治內故不得不營及經絡之所屬與其表裏逆順出入之會而施補瀉焉其所謂經者卽今之所謂神經也所謂脈者卽今之所謂血管也血管神經常相附並行故吾國古時統稱之爲經脈也今之言解剖者皆知神經出於腦與髓脊而散布於諸組織者也血

管出於心臟而聯絡於各組織者也不知組織與組織間經脈有相聯之關係蓋吾國之針灸有如斯研研之必要故解剖時常置重於外內手足腑臟經脈之聯絡西醫無針灸之法故於此點便忽略視之非西醫解剖之不精而中醫解剖之獨異也今將十二經及奇經八脈之起止交會屬絡長短之數分述於左

一　手太陰之脈起於中焦下絡大腸還循胃口上膈屬肺從肺系橫出腋下下循臑內行少陰心主之前下肘中循臂內上骨下廉入寸口上魚循魚際出大指之端（少商穴）其支者從腕後直出次指內廉出其端交手陽明也（交商陽穴）其脈長三尺五寸多氣少血寅時氣注於此其別者入淵液少陰之前入走肺散之太陽上出缺盆循喉嚨復合陽明其絡名曰列缺起於腕上分肉之間並太陰之經而行直入掌中散於魚際手太陰之氣溫於皮毛者也氣絕則皮焦毛折丙篤而丁死火勝金也其經氣動則病肺脹滿膨膨而喘咳缺盆中痛甚則交兩手而瞀（擊也）而爲臂厥其所主爲肺所生之病如咳上氣喘渴煩心胸滿臑臂內前廉痛厥掌中熱諸病其經之氣有餘則肩臂痛風寒汗出中風而發爲小便數而

五臟六腑之脈皆上走於空竅其走皆從內行故外無經脈穴道之可循

鍼灸講義

欠之象其氣虛則肩臂痛寒少氣不足以息溺色變其絡實(受邪也)則手銳掌熱虛則欠㰦小便遺數

二　手陽明之脈起于次指之端循指上廉出合谷兩骨之間上入兩筋之間循臂上廉入肘外廉上臑外前廉上肩出髃骨之前廉上出于柱骨之會上下入缺盆絡肺下膈屬大腸其支者從缺盆上頸貫頰入下齒中還出挾口交人中左之右右之左上挾鼻孔而交足陽明也其脈長五尺氣血俱多卯時氣注于此其別從手循膺乳別于肩髃入柱骨下走大腸屬于肺上喉嚨出缺盆合于陽明其絡名曰偏歷去腕三寸別入太陰其支上循臂乘肩髃上曲頰偏齒其別者入耳合于宗脈(肺經之大脈也)手太陽氣絕則與手少陰相離離則發泄絕汗乃出旦占夕死夕占旦死(此六陽皆同也)其經氣動則病齒痛頸腫其所主爲津液所生之病如目黃口乾鼽衄喉痺肩前臑痛次指不用氣有餘則當脈所過者熱腫虛則寒慄不復其絡實則齲聾虛則齒寒痺隔

三　足陽明之脈起于鼻之交頞(音遏)中旁約太陽之脈下循鼻外入上齒中還出挾口

洒音銑寒慄貌

骭音幹脛也

環脣下交承漿却循頤後下廉出大迎循頰車上耳前過客主人循髮際至額顱其支者從大迎下人迎循喉嚨入缺盆下膈屬胃絡脾其外行直者從缺盆下乳內廉下挾臍入氣街中其內支起胃口下循腹裏至氣街中而合以下髀關抵伏兔下膝臏中下循脛外廉下足跗入中趾內間其支者下上廉三寸而別(即豐隆穴在下巨虛之外旁)入中趾外間其支者別跗上入大指端交足太陰也其脈長八尺氣血俱多辰時氣注于此其別上至髀別入于腹裏屬胃散之脾上通心上循咽出于口上額顱還繫目系合于陽明其絡名曰豐隆去踝八寸別走太陰其支者循脛骨外廉上絡頭項合諸經之氣下絡喉嗌足陽明之氣絕則與足太陰相離離則絕汗出不日而死其經氣動則病洒洒振寒善呻數欠顏黑病至則惡人與火聞木聲則惕然而驚心欲動獨閉戶塞牖而處甚則欲上高而歌棄衣而走賁響腹脹而為骭厥其所主者為血所生病狂瘧溫淫汗出鼽衄口喎脣胗(音疹瘍也)頸腫喉痺大腹水腫膝臏腫痛循膺乳氣街股伏兔骭外廉皆痛中趾不用氣盛則身以前皆熱其有餘于胃則消穀善飢溺色黃氣不足則身以前皆寒慄胃中寒其絡之病氣逆則喉痺卒瘖

氣實則狂顛虛則足不收脛枯

四　足太陰之脈起于大趾之端循趾內側白肉際過核骨後上內踝前廉上腨內循脛骨後交出厥陰之前上膝股內前廉入腹屬脾絡胃上膈挾咽連舌本散舌下其支者復從胃別上膈注心中其脈長六尺五寸少血多氣巳時氣注於此其別者從髀循本經上行結於咽貫舌中其絡名曰公孫去大趾本節之後一寸別走陽明其支者入絡腸胃足太陰之氣絕則脈不榮肌肉肌肉軟而萎人中滿人中滿則脣反脣反者肉先死甲篤乙死木勝土也其經之氣動則病舌本强食則嘔胃脘痛腹脹善噫得後與氣則快然如衰身體皆重其所主爲脾所生病如舌本痛體不能動搖食不下煩心心下急痛溏瘕泄（即五十七難所謂裏急後重莖中痛之大瘕泄）水閉黃疸不能臥强立股膝內腫厥足大趾不用其絡病則厥氣上逆而爲霍亂絡實則腸中切痛虛則鼓脹其大絡名曰大包出淵液下三寸布胸脅實則身盡痛虛則百節皆縱此脈病則胸脅有羅絡之血皆宜取之也

五　手少陰之脈起於心中出屬心系下膈絡小腸支者從心系上挾咽繫目系其直者復

從心系却上肺下出腋下循臑內後廉行手太陰心主之後下肘內循臂內後廉抵掌後銳骨之端入掌後內廉循小指出其端（少衝穴）交手太陽也其脈長三尺五寸多氣少血午時氣注於此其別者入於淵液兩筋之間屬於心上走喉嚨出於面合於內眥太陽也其絡名曰通里去腕一寸半別而上行循經入心中繫舌本屬目系手少陰之氣絕則脈不通血不流髮色不澤面黑如漆柴壬篤癸死水勝火也其經之氣動則病咽乾心痛渴而欲飲而爲臂厥其所主爲心所生病者目黃脅痛臑臂內後廉痛厥掌中熱痛其絡病實則支膈虛則不能言

六　手太陽之脈起于小指之端循手外側上腕出手踝中直上循臂骨下廉出肘內側兩筋之間上循臑外後廉出肩解繞肩胛交肩上入缺盆（至大椎左右相交於肩上缺盆）絡心循咽下膈抵胃屬小腸其支者從缺盆循頸上頰至目銳眥却入耳中其支者別頰上䪼抵鼻至目內眥斜絡於顴交於足太陽也其脈長五尺多血少氣未時氣注於此其別者由肩解下行入腋走心繫於小腸其絡名曰支正上腕五寸內注少陰其支者上走肘絡肩髃

手太陽之氣絕則與手太陰相離離則絕汗出不日而死其氣動則病嗌痛頷腫不可以顧肩似拔臑似折其所主爲液所生病者如耳聾目黃頰腫頸頷肩臑肘臂外後廉痛其絡實則病節弛肘廢虛則生肬小者如指痂疥

七　足太陽之脈起於目內眥上額交巔其支者至耳上角其直者從巔入絡腦還出別下項循肩髆內挾脊抵腰中入循膂絡腎屬膀胱其支者從腰中下挾脊貫臀入膕中其支者從髆內左右別下貫胛挾脊內過髀樞循髀外從後廉下合膕中以下貫腨內出外踝之後循京骨至小指外側（至陰穴）交足少陰也其脈長八尺多血少氣申時氣注於此其別者自尻下五寸別入於肛屬於膀胱散之腎循膂當心入散直者從膂上出於項復屬於太陽其絡名曰飛揚去外踝七寸別走少陰足太陽之氣絕則與少陰相離離則絕汗出不日而死其氣動則病衝頭痛目似脫項如拔脊痛腰似折髀不可以曲膕如結腨如裂病爲踝厥其所主爲筋所生病如痔瘧狂巔疾頭顖項痛目黃淚出鼽衄項背腰尻膕腨脚皆痛小趾不用其絡實則鼽窒頭背痛虛則爲衄

多氣者其血滑多血者其脈濇

八　足少陰之脈起於小趾之下斜趨足心出於然谷之下循內踝之後別入跟中以上腨內出膕內廉上股內後廉貫脊屬腎絡膀胱其直者從腎上貫肝膈入肺中循喉嚨挾舌本其支者從肺出絡心注胸中交手厥陰也其脈長六尺五寸多氣少血酉時氣注於此其別者自膕中別合於太陽上至腎當十四椎出屬帶脈直者繫舌本復出於項合於太陽其絡名曰大鍾當踝後繞跟別走太陽其別者並經上走於心包下外貫腰脊足少陰之脈氣絕則骨枯而肉不能着也骨肉不相親則肉軟却肉軟却故齒長而垢髮無澤髮無澤者骨先死戊篤巳死土勝水也其經之氣動則病饑不欲食面如漆柴欬唾則有血喝喝而喘坐而欲起目䀮䀮（目不明）如無所見心如懸若饑狀氣不足則善恐心惕惕如人將捕之病爲骨厥其所主爲腎所生病如口熱舌乾咽腫上氣嗌乾及痛煩心心痛黃疸腸澼（下痢也）脊股內後廉痛痿厥嗜臥足下熱而痛其絡之氣逆則煩悶實則閉癃虛則腰痛經病刺經穴絡病刺絡穴也

九　手厥陰之脈起于胸中出屬心包絡下膈歷絡三焦其支者從胸中出脅下腋三寸）

即天池穴在乳後一寸腋下三寸）上抵腋下下循臑內行太陰少陰之間入肘中下臂行兩筋之間入掌中循中指出其端其支者別掌中循小指次指出其端而交于手少陽也其脈長三尺五寸多血少氣戌時氣注于此其別者自肩別下淵液三寸入胸中別屬三焦出循喉嚨出耳後合少陽完骨之下其絡名曰內關去腕二寸出於兩筋之間循經以上繫于心包絡心系手厥陰之脈氣絕其候同于手少陰其經之氣動則病手心熱臂肘攣急腋腫甚則胸脅支滿心中憺憺大動面赤目黃喜笑不休其所主爲脈所生病者如煩心心痛掌中熱其絡實則心痛虛則爲頭强

十　手少陽之脈起于小指次指之端（關衝穴）上出兩指（第四指與小指）之間循手表腕出臂外兩骨之間上貫肘循臑外上肩出足少陽之後前交足少陽入缺盆布膻中散絡心包下膈循屬三焦其支者從膻中上出缺盆上項繫耳後直上出耳上角以屈下頰至䪼（音拙目下骨也）其支者從耳後入耳中出耳前過客主人交頰至目銳眥交于足少陽也其脈長五尺多氣少血亥時氣注于此其別者由耳角上巔下于缺盆走入三焦散於胸中

其絡名曰外關去腕二寸外遶臂注胸中合心主手少陽之脈氣絕則與手厥陰相離離則絕汗出不日而死矣其經之氣動則病耳聾渾渾焞焞（音屯）嗌腫喉痺其所主爲氣所生病如汗出目鋭眥痛頰腫耳後肩臑肘臂外皆痛小指次指不用其絡病實則肘攣虛則手不收

十一　足少陽之脈起於目鋭眥上抵頭角下耳後循頸行手少陽之前至肩上却交出手少陽後入缺盆其支者從耳後入耳中出走耳前至目鋭眥後其支者別鋭眥抵於䪼下加頰車下大迎合于手少陽又下頸入缺盆下胸中貫膈絡肝屬膽循脅裏出氣街繞毛際橫入髀厭中（髀樞也）其直者從缺盆下腋循胸過季脅下合髀厭中以循髀陽出膝外廉下外輔骨之前直下抵絕骨之端下出外踝之前循足跗上入小趾次趾之間其支者別跗上入大趾之間循岐骨內出其端還貫爪甲出三毛交足厥陰也其脈長八尺多氣少血子時氣注於此其別者自髀入季脅之間循胸裏屬膽散之上肝貫心以上挾咽出頤頷中散於面繫目系合少陽於目外眥其絡名曰光明去踝五寸別走厥陰下絡足跗足少陽之脈氣

絕則與足厥陰相離離則絕汗出不日而死其經之氣動則病口苦善太息心脅痛不能轉側甚則面微有塵體無膏澤足外反熱是爲陽厥其所主爲骨所生病者如頭痛頷痛目銳眥痛缺盆中腫痛脅腫馬刀俠癭汗出振寒瘧胸脅肋髀膝外至脛絕骨外踝前及諸節皆痛其絡病實則厥虛則痿躄（音辟足不能行也）坐不能起也

十二　足厥陰之脈起於大趾叢毛之際上循足跗上廉去內踝一寸上踝八寸交出太陰之後上膕內廉循陰股入毛中過陰器抵小腹挾胃屬肝絡膽上貫膈布脅肋循喉嚨之後上入頏顙連目系上出額與督脈會於巔其支者從目系下頰裏環脣內其支者復從肝別貫膈上注肺交於手太陰也其脈長六尺五寸多血少氣丑時氣注於此其別者自跗上上至毛際合於少陽其絡名蠡溝去內踝五寸別走少陽其支者經脛上睪結於莖足厥陰之脈氣絕則筋絕筋者聚於陰器而絡於舌本也筋絕則急而引舌與卵故脣青舌捲囊縮則筋先死庚篤辛死金勝木也其經之氣動則病腰痛不可以俛仰丈夫㿉疝（音頹訕腎囊腫痛）婦人少腹腫甚則嗌乾面塵脫色其所主爲肝所生病者如胸滿嘔逆飧泄狐疝（

男子七疝寒水筋血氣狐㿗）遺溺閉癃其絡病氣逆則睪腫卒疝實則陰器挺長虛則暴痒

十三　任脈起於中極之下（中極穴名在臍下四寸任脈起於中極之下會陰穴）以上毛際循腹裏上關元（在臍下三寸）至咽喉上頤至承漿環脣循面入目會於督脈其絡名曰尾翳下鳩尾散於腹其經長四尺五寸諸陰之海也其脈病男子則內結七疝女子帶下瘕聚其絡實則腹皮痛虛則痒搔取之尾翳（尾翳卽鳩尾穴在歧骨下一寸）

十四　督脈起於少腹以下骨中央（橫骨內中央也）女子入繫廷孔其孔溺孔之端也其絡循陰器合纂間（卽會陰穴）繞纂後別繞臀至少陰與巨陽中絡合於少陰上股內後廉貫脊屬腎其男子循莖下至纂與女子等其從少腹直上者貫臍中央上貫心入喉上頤環脣上繫兩目之下中央其脈之在巔者與太陽俱起於目內眥上額交巔上入絡腦還出別下項循肩髆內俠脊抵腰中入循膂絡腎其絡名曰長强挾膂上項散頭上下當肩胛左右別走太陽入貫膂其經長四尺五寸諸陽之海也其經病從少腹上衝心而痛不得前後爲

難經云衝脈起於氣衝並足陽明之經俠臍上行至胸中而散

難經云陽蹻入於風池

衝疝其在女子爲不孕癃痔遺溺嗌乾治在脊骨之上其絡實則脊强反折虛則頭重而搖取之長强也

十五　衝脈起於氣街並少陰之經挾臍上行至胸中而散其支者上行會於咽喉別絡脣口爲十二經之海病則氣逆裏急取之少陰之穴者也

十六　陽蹻脈長八尺起於跟中（申脈穴在外踝下五分太陽經穴也）循外踝上行與足少陽會於季脅之下八寸三分居髎之穴又上行與手陽明會肩端肩髃之穴又上行夾口吻至目下與手足太陽陰蹻會於目內眥之睛明也陽蹻爲病陽急而陰緩則足不能以收持取之申脈也

十七　陰蹻者少陰之別也脈長八尺起於然骨之後（在足內踝下陷中照海穴）上內踝之上直上循陰股入陰上循胸裏入缺盆上出人迎之前入頄屬目內眥合於太陽蹻而上行氣並相還則爲濡目氣不榮則目不合其爲病也陰急而陽緩則足屈而不可伸取之照海也

十八　帶脈者少陰之別由十四椎出屬帶脈穴於季脅迴身一周（帶脈係少陽經穴在季脅下一寸八分）其爲病腹滿腰溶溶如坐水中取之帶脈也

十九　陽維起於諸陽之會（足太陽外踝下一寸金門穴）循胻骨外廉上行太陽之外上肩項至面經目內眥上巔下項與督脈會於風府啞門也其脈所以維絡諸陽也其氣虛則身體溶溶不能自收持其脈病則苦寒熱

二十　陰維起於諸陰之交（足少陰築賓穴在內踝上三寸腨分爲陰維之郄）循腹上胸維絡諸陰會於任脈之天突廉泉也其氣虛則悵然失志其爲病也苦心痛

以上二十經爲針灸施術之道路蓋合於今之所謂血管神經者血管神經之作用主血管之收縮與擴張而誘起貧血及充血現象針灸術之補瀉方法卽利用此現象者也血管神經可分兩種一曰收縮神經發於延髓由脊髓出其小部分經脊髓神經大部分經交感神經分佈全身惟心臟內之血管收縮神經由迷走神經而來耳一曰擴張神經亦發於延髓出於脊髓一部分入交感神經大部分共脊髓神經至於末梢血管神經之中樞有三部一

爲延髓一爲脊髓一爲血管筋及附近血管之末梢神經節此三部中延髓爲高級之中樞其所轄之部分爲最廣脊髓則較狹血管筋及末梢神經節惟支配局部之血管而已故當血管與一二中樞分離時（有特別障礙者）則由其第三中樞主持其作用至於酸素缺乏炭酸鬱滯精神感動等皆能興奮延髓脊髓之中樞者也是以針術之工拙常在手法之適否手法妙者雖施針於局部之神經節而能感動病者之精神而興奮其最高之中樞使其效力徧及於全體下工則鮮能行之者所以其所治之病至狹也

孔穴第四

素問氣穴論云氣穴三百六十五以應一歲藏俞五十穴府俞七十二熱俞五十九水俞五十七更合頭面頸背胸腹諸穴計三百六十五穴爲經氣之所發針之由行也至於孫絡亦有三百六十五穴會亦應一歲以溢奇邪以通榮衛榮衛稽留於孫絡則衛散榮溢氣竭血著外爲發熱內爲少氣故宜疾瀉血絡以通榮衛所謂見而瀉之無問所會也肉之大會曰谷小會曰谿谿谷之會以行榮衛以會大氣其有邪氣溢壅於谿谷者則脈熱肉敗必將爲

膿內銷骨髓外破大膕留於節湊必將為敗大寒流於谿谷榮衞不居卷肉縮筋肘肋不伸內為骨痺外為不仁命曰不足此微針所及可以法取之谿谷亦三百六十五穴會以應一歲是可取之處千有餘穴矣故銅人三百六十五穴為十二經脈氣之所發其餘絡脈之會谿谷之間其穴不可勝窮故針灸書以天應穴概之或以神授穴名之而已夫針之所刺必由穴入者以其處為筋肉之隙針遊其內無所痛苦也且針以得氣為主無孔穴則非氣所聚之處亦非邪所藏之部刺之徒傷良肉無所益也今將十四經之氣穴列為圖說分述如左

一・手太陰肺經共十一穴起於中府終於少商左右計二十二穴

中府 一名膺俞在雲門下一寸六分乳上三肋間動脈應手陷中肺之募也手足太陰二脈之會針三分留五呼灸五壯主腹脹肢腫食不下喘滿肩背痛咳上氣肺系急肺寒熱胸中悚悚胆熱嘔逆咳唾濁涕風汗出皮痛面腫少氣不得臥傷寒胸中熱瘿瘤

雲門 在巨骨下（卽肩前鎖骨下）俠氣戶傍二寸在璇璣傍六寸陷中動脈應手舉臂取之可灸五壯針入三分刺太深則令人氣逆主傷寒四肢熱不已欬逆不得息胸脅短氣氣上冲心胸中煩滿脅徹背痛喉痺肩痛臂不舉癭氣

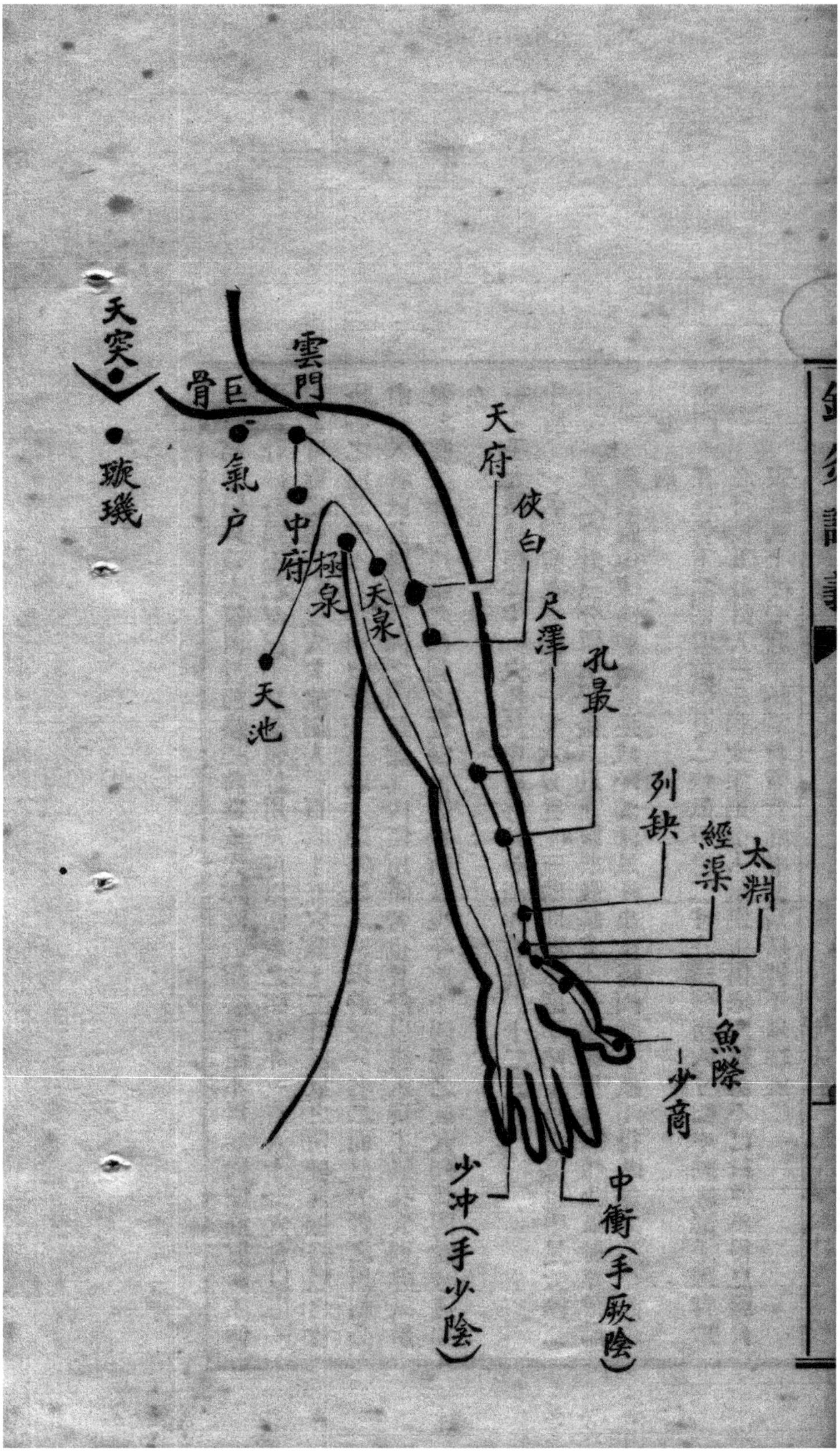
天突
巨骨
雲門
璇璣
氣户
中府
天府
俠白
極泉
天泉
尺澤
天池
孔最
列缺
經渠
太淵
魚際
少商
少冲（手少陰）
中衝（手厥陰）

天府　在腋下三寸動脈中用鼻尖點墨取之禁灸針四分留七呼主暴痺口鼻衄血中風邪泣出喜忘鬼語逆氣喘息寒熱瘧遠視䀮䀮瘿氣

俠白　在天府下去肘五寸動脈中針三分灸五壯主心痛短氣乾嘔煩滿

尺澤　肘中約紋上動脈陷中手太陰之所入爲合肺實則瀉之針三分留三呼灸五壯治風痺肘攣手臂不得舉喉痺上氣舌乾欬嗽唾濁四肢暴腫臂寒短氣勞熱喘滿腰脊强痛小兒慢驚風小便數善嚏悲哭寒熱心煩

孔最　在腕上七寸手太陰之郄側取之灸五壯針三分主熱病汗不出此穴可灸三壯咳逆肘臂厥痛屈伸難手不及頭指不能握吐血失音咽腫頭痛

列缺　手太陰絡去腕側上一寸五分以兩手交叉食指盡處兩筋骨罅中針二分留五呼瀉五吸灸七壯慎酒麪生冷物主偏風口面喎斜手腕無力掌中熱口噤不開寒熱瘧嘔沫咳嗽善笑脣縱健忘溺血精出陰莖痛癇驚妄見面目四肢癰腫肩痺胸背寒慄少氣不足以息

經渠　寸口動脈陷中肺脈氣所行爲經穴針入二分留三呼禁灸灸則傷人神主瘧寒熱胸背俱急胸滿膨膨喉痺掌中熱咳逆上氣傷寒熱病汗不出暴痺喘促心痛嘔吐

太淵　一名太泉在掌後內側横紋頭動脈中肺脈所注爲俞灸三壯鍼二分留三呼主胸痺逆氣噦嘔飲水咳嗽煩悶不得眠肺脹臂內廉痛目生白翳眼痛赤乍寒乍熱缺盆中引痛掌中熱數欠肩背痛寒喘不得息噯氣上逆心痛脈濇咳血嘔血咽乾狂言口噼振寒遺溺無度

魚際　在大指本節後內側散脉中白肉際陷中手太陰脈之所流爲滎穴針二分留二呼禁灸主酒病惡風寒虛熱舌上黃身熱頭痛欬嗽噦嘔汗不出痺走胸背痛不得息目眩心煩少氣腹痛食不下肘攣胸滿喉中乾燥寒慄鼓頷欬引尻痛溺出嘔血心痺悲恐乳癰

少商　在大指端內側去爪甲如韭葉肺脈所出爲井穴宜以三稜針刺之微出血洩諸臟熱湊不宜灸主頷腫喉閉煩心善噦心下滿汗出而寒欬逆痎瘧振寒腹滿唾沫脣

乾引飲不下膨膨而脹手攣指痛掌熱喉中鳴小兒乳鵝唐刺史成君綽忽頷腫大之如升喉中塞水粒不下三日甄權以三稜針刺之微出血立愈明堂云可灸三壯其實此穴灸則引火入臟大不宜也

手陰明大腸經起於商陽終於迎香左右共四十穴

商陽　一名絕陽在手大指之次指內側去爪甲如韭葉手陽明大腸脈所出爲井穴灸三壯針一分留一呼主胸中氣滿欬喘支腫熱病汗不出耳鳴耳聾寒熱痎瘧口乾頤頷腫齒痛惡寒肩背急相引缺盆中痛目青盲左取右右取左如食頃立已

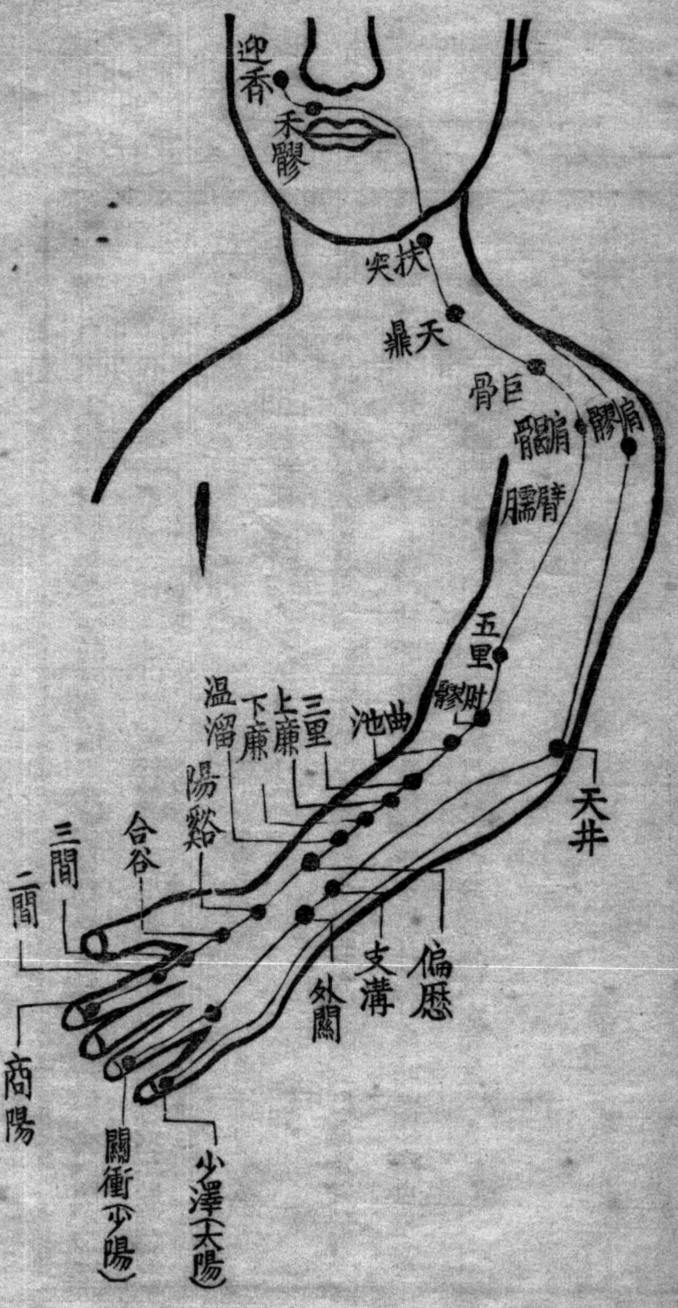
迎香
禾髎
扶突
天鼎
巨骨
肩髃
肩髎
臂臑
五里
肘髎
曲池
三里
上廉
下廉
温溜
陽谿
合谷
三間
二間
商陽
天井
偏歷
支溝
外關
關衝(少陽)
少澤(太陽)

二間　一名間谷在食指第三節後紋頭陷中手陽脈之所溜爲滎針三分留六呼灸三壯主喉痺頷腫肩背痛振寒鼻鼽衄血多驚齒痛目黃口乾口喎食不通傷寒水結

三間　一名少谷在食指本節內側後陷中去二間一寸手陽明脈之所注爲俞穴針三分留三呼灸三壯主喉痺咽中如梗下齒齲痛嗜臥胸腹滿腸鳴洞泄寒熱瘧脣焦口乾氣喘目眥急痛吐舌戾頸喜驚多唾急食不通傷寒氣熱身寒結水東垣曰氣在於臂取之先去血脈後深取手陽明之二間三間

合谷　鍼灸大成云合谷一名虎口非也虎口穴在合谷前寸許合谷在大指食指歧骨間陷中手陽明大腸脈所過爲原針三分留六呼灸三壯主傷寒大渴脈浮在表發熱惡寒頭痛脊强無汗寒熱瘧鼻衄不止熱病汗不出目不明生白翳頭痛下齒齲耳聾喉痺面腫脣吻不收瘖噤偏正頭痛偏風風疹腰脊內引痛小兒單乳鵝

陽谿　一名中魁在腕中上側兩筋間陷中手陽明大腸脈所行爲經針三分留七呼灸三壯主狂言見鬼喜笑熱病煩心目風赤爛有翳厥逆頭痛胸滿不得息寒嗽嘔沫喉

痺耳聾耳鳴驚掣臂不舉寒熱瘧疾痂疥

偏歷　在腕中後三寸手陽明之絡別走太陰針三分留七呼灸三壯主寒熱瘧風汗不出目視䀮䀮癲疾多言耳鳴口喎齒齲喉痺嗌乾鼻鼽衄血肩膊肘腕痠痛利小便實則齲聾瀉之虛則痺膈補之

溫溜　一名逆注又名蛇頭在腕後大士五寸小士六寸手陽明之郄針三分灸三壯主腸鳴腹痛口喎傷寒身熱頭痛噦逆肩不得舉癲疾吐涎狂言見鬼喉痺面虛腫

下廉　在輔骨下去上廉一寸在曲池前四寸兌肉分外斜針五分留五呼可灸三壯治頭風臂肘痛小腹滿溺黃便血狂言小腸氣不足面無顏色痃癖腹痛若刀刺不可忍飧泄俠臍痛喘息不能行脣乾涎出乳癰

上廉　在三里下一寸其分獨抵陽明之會外斜針五分灸五壯主小便難赤黃腸鳴胸痛偏風半身不遂骨髓冷手足不仁喘息腦風頭痛

三里　一名手三里在曲池下二寸按之肉起銳肉之端針二分灸三壯主手臂不仁肘攣

不伸齒痛頰腫瘰癧霍亂失音中風口噼

曲池 在肘外輔骨屈肘橫紋頭盡處陷中以手拱胸取之手陽明脈之所入爲合針入七分得氣先瀉後補灸三壯素問註云針五分留七呼明堂云日灸七壯積至二百壯且停十餘日再灸一二百壯 主繞踝風手臂紅腫肘中痛偏風癮疹喉痺不能言胸中煩滿筋緩提物不得風痺肘細無力傷寒餘熱不盡皮膚痂疥乾燥婦人經脈不通

肘髎 在肘大骨外廉陷中灸三壯針三分主風勞嗜臥肘節風痹臂痛不可舉屈伸攣急麻木不仁

五里 在肘上三寸行向裏大脈中央灸十壯禁不可針治風勞驚恐吐血咳嗽肘臂痛嗜臥寒熱瘰癧咳瘧心下脹滿目視䀮

臂臑 在肘上七寸膕肉端肩髃下一寸兩骨兩筋罅陷中平手取之不得拏手令急其穴卽閉手陽明之上絡也手足太陽陽維之會針三分灸三壯明堂云宜灸不宜針日

灸七壯可積至二百壯若針不過三五分主寒熱臂痛不得舉瘰癧頸項拘急

肩髃　一名中肩井一名偏骨在肩端兩骨罅間陷中舉臂有空取之手陽明陽蹻之會灸七壯至二七壯以差爲度若灸偏風灸七七壯不宜多恐手臂細刺卽泄肩臂熱氣明堂云針八分留三呼瀉五吸灸不及針素問註針一寸灸五壯以平手取穴主中風手足不隨偏風風痺肩中熱頭不可回顧風熱癮疹傷寒熱不已諸癭氣唐魯州刺史庫狄欽若患風痺不能挽弓甄權針肩髃一穴後令將箭向垜射之如故

巨骨　在肩尖端上行兩叉骨間陷中手陽明陽蹻之會灸五壯針一寸素問註禁針針則倒懸一食頃乃得下針針四分瀉之勿補針出始得正臥主驚癇破心吐血臂膊痛胸中有瘀血

天鼎　在頸缺盆上直扶突後一寸氣舍後一寸五分肩井內一寸四分頸筋下針三分灸三壯主喉痺咽腫不得食暴瘖氣哽喉中鳴

扶突　一名水穴在人迎後一寸五分天鼎上前一寸氣舍上一寸五分當曲頰下一寸結

喉旁三寸仰而取之針三分灸三壯主咳嗽多唾上氣咽引喘息喉水如水鷄聲暴瘖氣哽

禾髎　一名長頻直鼻孔下挾水溝旁五分手陽明脈氣所發針二分禁灸主尸厥及口不可開鼻瘡瘜肉鼻塞不聞香臭鼽衄不止

迎香　一名衝陽在禾髎上一寸鼻孔旁五分手足陽明之會針三分留三呼禁灸主鼻塞不聞香臭口喎面痒浮腫脣腫痛喘息不利鼻有瘜肉鼽衄

三・足陽明經共四十五穴起於頭維終於厲兌左右計九十穴

頭維　在額角入髮際神庭旁四寸五分本神旁一寸五分足陽明少陽之會針三分沿皮下針禁灸主頭痛如破目痛如脫目瞤目風淚出偏風視物不明

下關　在客主人上一寸耳前動脈下廉合口有空開口則閉側臥閉口取之足陽明少陽之會針三分得氣卽瀉禁灸主聤耳有濃汁出偏風口目喎邪牙車脫臼牙齦腫處張口以三稜針出膿血多含鹽湯卽不畏風刺下關不得久留針留針則令人牙關

急欵而不得欠也

頰車　一名機關一名牙曲在耳下八分曲頰端近前陷中側臥開口有空取之足陽明脈氣所發針四分得氣卽瀉日灸七壯止七七壯炷如麥大主中風牙關不開失音牙車疼痛頷頰腫不可嚼物頸强不可回顧口眼喎

承泣　在目下七分直瞳子陷中足陽明陽蹻任脈之會灸三壯禁針針之令人目烏色明堂云針四分半不宜灸灸後令人目下大如拳息肉日加如桃三十日定不見物資生經云當不針不灸主冷淚出瞳子癢遠視䀮䀮口眼喎斜目瞤赤痛耳鳴耳聾

四白　在目下一寸直瞳子令病人正視取之針三分灸七壯凡用針穩當方可下針取太深令人目烏主頭痛目眩赤翳流淚眼弦癢口眼喎不能言

巨髎　俠鼻孔旁八分直瞳子平水溝手足陽明陽蹻之會針三分得氣卽瀉灸七壯主瘈瘲脣頰腫痛口喎白翳青盲脚氣膝腫

地倉　一名胃維挾口吻旁四分外如近下有脈微動者是手足陽明陽蹻之會針三分得

氣即瀉日可灸二七壯重者七七壯炷宜小若大口轉喎却灸承漿七七壯即愈主偏風口喎目不得閉脚腫失音不語飲水不收眼瞤痛瞳子痒遠視䀮䀮病左治右病右治左宜頻針灸取盡風氣以瘥爲度

大迎 在曲頰前一寸二分骨陷中又以口下當兩肩是穴針三分留七呼灸三壯主風痓口瘖口噤牙痛舌强目痛不能閉口喎寒熱瘰癧

人迎 一名五會有頸大動脈應手俠結喉兩旁一寸五分仰而取之針二三分過深則殺人禁灸主吐逆霍亂胸滿喘呼不得息咽喉癰腫

水突 一名水門頸大筋前直人迎下氣舍上針三分灸三壯主欬逆上氣咽喉癰腫喘息不得臥

氣舍 在頸直人迎下俠天突旁陷中針三分灸三壯主欬逆上氣頸項强不得囘顧喉痺哽噎咽腫不消癭瘤

缺盆 一名天蓋在肩前橫骨陷中下直乳中針三分灸三壯針太深使人逆息喘欬孕婦

禁針主喘急息賁欬嗽水腫瘰癧寒熱胸中熱滿喉痺汗出寒熱缺盆中腫

氣戶 在鎖骨下一寸去中行璇璣四寸在俞府旁二寸陷中仰而取之針三分灸五壯主欬逆上氣胸背痛喘急不得息不知味呃不住

庫房 在氣戶下一寸六分陷中灸五壯針三分仰而取之主胸脅滿欬逆上氣唾膿血濁沫

屋翳 在庫房下一寸六分第三肋間陷中仰而取之針三分灸五壯主皮膚痛不可近衣欬逆上氣唾膿血濁痰徧身風癢

膺窗 在屋翳下一寸六分第四肋骨間陷中仰而取之針三分灸五壯主胸滿短氣不得臥腸鳴注泄乳癰寒熱臥不安

乳中 在乳頭中央微刺二三分禁灸素問云刺乳上中乳房爲腫根蝕故後世皆禁刺

乳根 乳中下一寸六分陷中第六肋間針三分灸五寸仰而取之主欬逆噎膈食不下乳癰霍亂轉筋肢厥胸滿

不容　在巨闕旁二寸幽門旁一寸五分挺身取之針五分灸五寸素問註針八分主腹滿痃癖吐血心痛口乾疝瘕喘欬嘔吐腹虛鳴

承滿　在不容下一寸對上脘針三分至八分灸五壯主腹脹腸鳴脅下堅痛上氣喘息食飲不下唾血下痢

梁門　在承滿下一寸對中脘針三分至八分灸五壯孕婦禁灸主脅下積氣食飲不思大腸滑泄完穀不化

關門　在梁門下一寸對建里針五分至八分灸五壯主積氣脹滿腸鳴切痛泄痢痰瘧遺溺

太乙　在關門下一寸對下脘針五分至八分灸五壯主心煩癲狂吐舌

滑肉門　在太乙下一寸對水分針五分至八分灸三壯主癲疾狂走嘔逆吐血重舌舌强

天樞　一名長谿一名穀門在臍旁二寸陷中大腸之募也針五分灸五壯至百壯孕不可針千金云魂魄之舍不可針素問註針五分留一呼主奔豚泄瀉赤白痢水腫腹脹

癥瘕月水不調淋濁帶下腸鳴上氣冲胸不能久立久積冷氣繞臍切痛嘔吐霍亂

外陵　在天樞下一寸針三分至八分灸五壯主腹痛心下如懸下引臍痛

大巨　在外陵下一寸針五分至八分灸五壯主小腹脹滿煩渴小便難㿗疝偏枯四肢不收驚悸不眠

水道　在大巨下三寸針三分半至六分半主腰背强急膀胱有寒三焦結熱婦人小腹脹滿痛引陰中胞中瘕子門寒男子疝急偏墜大小便不利

歸來　在水道下二寸針五分灸五壯素問註針八分主小腹奔豚卵上入腹引莖中痛七疝婦人血臟積冷

氣衝　一名氣街在歸來下一寸去中行二寸鼠蹊上一寸動脈應手衝脈所起銅人灸七壯炷如大麥禁不可針素問云刺氣街中脈血不出爲腫鼠僕明堂針三分留七呼得氣卽瀉灸三壯主心腹滿脹逆氣上攻不得正臥奔豚㿗疝大腸中熱兩丸牽痛陰腫莖痛月水不利小腹痛無子子上冲心產難胞衣不下東垣曰脾胃虛弱感濕成痿汗大泄妨食三里氣街以三稜針出血又曰吐血多不愈以三稜針刺氣街出血立愈

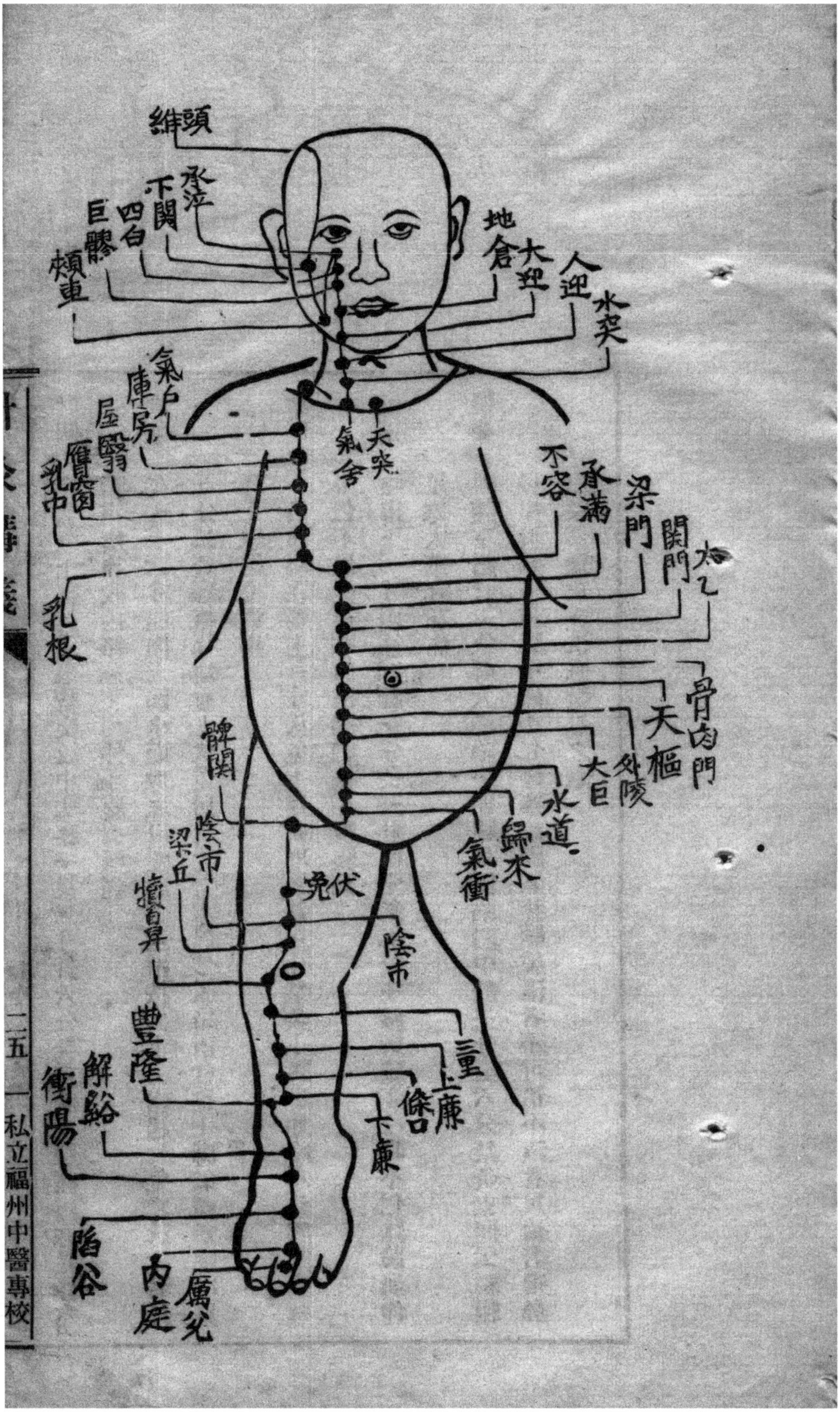
頭維
承泣
下關
四白
巨髎
頰車
地倉
大迎
人迎
水突
氣戶
庫房
屋翳
膺窗
乳中
乳根
氣舍
天突
不容
承滿
梁門
關門
太乙
骨肉門
天樞
外陵
大巨
水道
歸來
氣衝
髀關
陰市
梁丘
犢鼻
伏兔
陰市
三里
上廉
條口
下廉
豐隆
解谿
衝陽
陷谷
內庭
厲兌
二五
私立福州中醫專校

髀關　在伏兔上斜行向裏些交紋中去膝一尺二寸針六分灸三壯主腰痛膝寒足麻木黃疸痿痺股內絡急不屈伸小腹引喉痛

伏兔　在膝上六寸起肉正跪坐而取之以左右各三指按其上有肉起如兔之狀故名針五分禁灸癰疽死地有九伏兔居(見此事難知)脈絡所會也主脚氣頭重膝冷風痺手攣縮身癮疹

陰市　一名陰鼎在膝上三寸伏兔下拜而取之針三分禁灸主腰脚如冷水注膝寒痿痺不仁不屈伸卒寒疝消渴脚氣小腹脹滿

梁丘　陰市下一寸兩筋間針三分灸三壯明堂針五分主膝脚腰痛冷痺不仁難跪屈伸足寒大驚乳腫痛

犢鼻　膝臏下胻骨上俠解大筋陷中卽膝外側陷凹中針三分至六分禁灸素問云刺犢鼻出液爲跛主膝中痛不仁難跪起脚氣膝臏腫潰者不可治不潰者可治若犢鼻堅硬勿便攻先洗慰微刺之愈

三里　膝下三寸骱骨外廉兩筋內分肉間以手約按膝中取中指盡處是穴重按本穴則跗上動脈不應足陽明脈之所入爲合針五分灸三壯至百數十壯低跗取之素問註刺一寸明堂針八分留十呼主胃中寒心腹脹滿腸鳴臟氣虛憊腹痛食不下大便不通心悶不已卒心痛腹有逆氣上攻小腸氣水氣痃癖四肢滿目不明產婦血暈秦承祖云諸病皆治華陀云主勞瘦虛乏胸中痰血乳癰千金云治胸腹瘀血小腹堅傷寒熱不已熱病汗不出喜嘔口苦身反折口噤喉痹不能言泄痢霍亂遺溺小便不利陽厥悽悽惡寒頭痃喜噦脚氣外臺秘要云人年三十已上若不灸三里令人氣上冲目東垣曰六淫客邪及上熱下寒筋骨皮肉血脈之病錯取於胃之谷三里大危又曰人年少氣弱常於三里氣海灸之至老熱厥頭痛雖大寒猶喜風皆灸之過也

上廉　一名上巨虛在三里下三寸兩筋兩骨罅陷中蹲地舉足取之針三分灸三壯明堂針八分得氣卽瀉灸隨年壯主臟氣不足偏風脚氣腰腿手足不仁風水膝腫飧泄

臍腹兩脅痛腹中雷鳴氣上衝胸喘息不能行傷寒胃中熱東垣曰脾胃虛弱濕熱汗泄妨食三里氣街出血不愈於上廉出血

條口 在上廉下二寸舉足取之針五分明堂針八分灸五壯舉足取之主足麻木風氣足下熱不能久立膝痛脛寒足緩不收胕腫轉筋

下廉 一名下巨虛在上廉下二寸兩筋兩骨罅中蹲地舉足取之針八分灸三壯素問註三分明堂針六分得氣即瀉甲乙灸曰七七壯主小腸氣不足面無顏色偏風腿痿脚氣喉痺脣乾涎出不覺不得汗出傷寒胃熱不嗜食泄膿血胸脅小腹控睪而痛暴驚狂言乳癰

豐隆 在外踝上八寸下廉旁微下些足陽明之絡針三分灸三壯主厥逆大小便難頭痛面腫喉痺不能言癲狂腹痛肢腫見鬼好笑心痛哮喘不得寢

解谿 在衝陽後一寸半足腕上陷中繫草鞋帶處去內庭六寸半足陽明脈之所行爲經胃虛補之灸三壯針五分留三呼主風氣面腫頭痛目眩生翳厥氣上冲腹脹癲疾

衝陽　在內庭上五寸動脈中去陷谷二寸骨間足陽明所過爲原胃虛實皆拔之素問云刺跗上動脈血出不止死針三分灸三壯主偏風口眼喎跗腫齒齲寒熱腹堅大不嗜食久狂足緩不收身前痛

霍亂轉筋痎瘧發噎灸之效

陷谷　足大指次指外間本節後陷中去內庭二寸足陽明脈所注爲俞針三分灸三壯主面目浮腫及水病善噫腸鳴熱病汗不出瘧疾氣在於足者取之

內庭　足大趾之次趾外間陷中足陽明脈所溜爲滎針三分灸三壯主四肢厥逆腹脹滿不得息惡聞人聲振寒咽痛齒齲口喎鼻衄癮疹赤白痢

厲兌　足次趾之端外側去爪甲如韭葉許足陽明所出爲井針一分灸一壯主尸厥口噤氣絕心腹脹滿水腫熱病汗不出寒瘧不嗜食面腫足胻寒喉痺上齒齲惡寒鼻不利多驚好臥發狂黃疸鼽衄消穀善飢溺黃口喎脣裂

四・足太陽脾共二十一穴起於隱白終於大包左右共計四十二穴

隱白　足大趾端內側去爪甲如韭葉脾脈所出爲井針一分禁灸銅人云針三分無灸法而針灸大成云銅人針三分灸三壯誤也金鑑據大成亦云灸三壯其實此穴與少商同不宜灸也主腹脹喘滿不得安臥心脾痛嘔吐食不下暴泄衄血尸厥不識人足寒不能溫婦人月事過時不止刺之立愈又治小兒客忤慢驚風

大都　在足大趾內側本節前第二節後陷中當骨縫白肉際脾脈所溜爲滎脾虛補之滎屬火火爲土之母虛則補其母也針三分灸三壯治熱病汗不出手足逆冷腹滿善嘔煩熱悶亂吐逆目眩腰痛不可俯仰胃心痛小兒客忤

太白　在足大指內側後核骨下陷中（卽足大趾本節後之孤拐骨小如梅核者）足太陰脈之所注爲腧針入三分留七呼灸三壯治身熱煩滿腹脹食不化嘔吐洩膿血腰痛大便難氣逆霍亂腸中切痛胃心痛痔漏

公孫　在太白後一寸卽足大趾本節後一寸陷中足太陰之絡針四分灸三壯治寒瘧不嗜食病至喜嘔嘔已乃衰卒面腫煩心狂言腹瘴脹如鼓補之實則腸中切痛瀉之

商丘　在足內踝下微前陷中前有中封後有照海其穴居中脾脈所行爲經經屬金脾實瀉之金爲土子實則瀉子也十三經皆如此針三分灸三壯主腹脹腸鳴不便脾虛令人不樂身寒善太息心悲氣逆痔疾骨疽狐疝走上下引小腹痛痞氣黃疸體重節痛婦人絕子小兒慢驚

三陰交　在內踝上三寸骨下陷中入門云在骨後筋前足三陰之會灸三壯針三分治痃癖腹中寒膝股內痛氣逆小便不利脾病身重四肢不舉腹脹腸鳴溏泄食不化女子漏下不止姙娠胎動橫生產後惡露不行去血過多血暈不省人事經閉瀉之立通經虛不行者補之則行昔有宋太子善醫術出苑逢一婦人有娠太子診曰是一女也徐文伯亦診之曰此一男一女也太子性急欲剖視之文伯寫三陰交補合谷胎應針而落果如文伯之言故姙娠以三陰交合谷爲禁

漏谷　一名太陰絡在內踝上六寸䯒骨下陷中針三分禁灸治痃癖冷氣心腹脹滿食飲不爲肌膚濕痹不能久立

痃癖心胸絞痛之症

地機　一名脾舍在膝下五寸內輔骨下陷中距漏谷約五寸伸足取之足太陰之郄自此斜上一寸骨際有空針三分灸三壯治女子血瘕按之如湯沃股內至膝丈夫溏泄腹脅氣脹水腫腹堅不嗜食小便不利

陰陵泉　在膝下內側輔骨下陷中屈膝横紋頭下四五分伸足取資生經云屈膝取之誤也與陽陵泉相對稍高一寸足太陰脾脈所入爲合針五分留七呼禁灸金鑑云灸三壯者誤也治腹中寒不嗜食脇下滿水脹腹堅喘逆不得臥腰痛不得俛仰霍亂疝瘕小便不利氣淋寒熱不節暴泄

血海　在膝臏上內廉白肉際三寸骨後筋前針五分灸三壯主氣逆腹脹女子漏下惡血月事不調東垣曰女子漏下惡血月事不調暴崩不止多下水漿之物皆由飲食不節或勞傷形體或素稟不足灸足太陰七壯蓋指此穴也

箕門　在血海上六寸魚腹上越兩筋間動脈應手不禁重按可灸三壯禁不可針主淋遺溺小便不通鼠鼷腫痛

衝門　一名慈宮上去大横五寸去府舍七分横骨兩端約文中動脈去中行三寸半資生云四寸半針七分灸五壯主腹寒氣滿積聚陰疝婦人難乳妊娠子衝心不得息

府舍　在腹結下三寸足太陰厥陰陰維之會此三脈上下入腹絡肝脾結心肺從脅上至肩此太陰郄也亦太陰陽明支別之交針七分灸五壯主疝瘕脾中急痛循脅上下搶心腹滿積聚厥氣霍亂

腹結　一名腸窟一名腹窟在大横下一寸三分足太陰陰維之會針入七分可灸五壯治繞臍痛上衝心腹寒洩泄欬逆

大横　直臍旁四寸金鑑云三寸半資生經云四寸半在腹哀下三寸五分足太陰陰維之會針七分灸五壯療大風逆氣四肢不舉多寒善悲

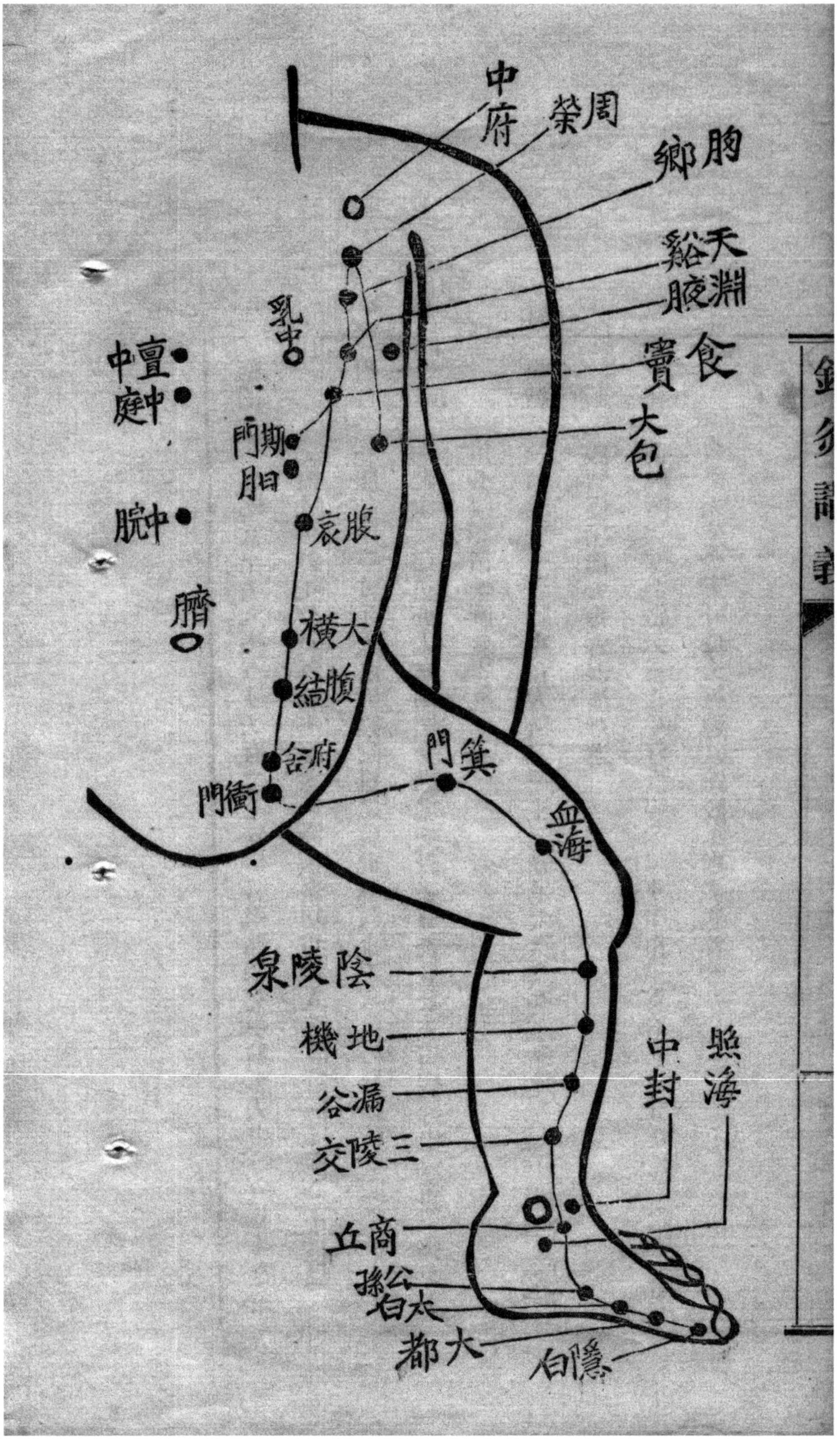
中府
周榮
胸鄉
天谿
淵腋
食竇
大包
乳中
膻中
中庭
期門
日月
中脘
腹哀
臍
大橫
腹結
府舍
衝門
箕門
血海
陰陵泉
地機
漏谷
三陰交
中封
照海
商丘
公孫
太白
大都
隱白

食竇據諸書皆去中行六寸而承澹安所輯針灸講義則云去中行五寸應有所本

資生經云雲門中府周榮胸鄉天谿食竇六穴去中行皆六寸六

腹哀 在中脘旁四寸微下些(大橫上三寸半日月下一寸五分期門下二寸足太陰陰維之會針三分禁灸主寒中食不化腹中痛大便膿血

食竇 在天谿下一寸六分中庭旁六寸第五肋間陷中舉臂取之針四分灸五壯主胸脅支滿膈間雷鳴常有水聲

天谿 在胸鄉下一寸六分陷中去膻中六寸在乳頭旁二寸第四肋間仰而取之針四分灸五壯主胸中滿痛喘逆喉中作聲婦人乳腫

胸鄉 在周榮下一寸六分陷中去中行六寸仰而取之針四分灸五壯主胸脅支滿引背痛不得臥轉側

周榮 在中府下一寸六分陷中第二肋間仰而取之針四分禁灸(承澹安云灸五壯)主胸脅支滿不得俯仰欬逆飲食不下

大包 在腋窩下六寸淵液下三寸出九肋間橫直日月針三分灸三壯此脾之大絡統周身陰陽諸絡由脾灌溉五臟主胸脅中痛喘腹有大氣不得息實則身盡痛虛則百

分銅入則只
六寸

針法以放血爲主以久病者爲尤爲盖放血則經脈通而氣得以流利也
大約業灸大皆業針但業針之穴灸之亦宜慎最多勿過四五壯其殊其烟用也

針灸講義

節皆縱

五・手少陰心經共九穴起於極泉終於中衝左右計十八穴

極泉　在臂內腋下兩筋間動脈入胸處針三分灸七壯主心脅滿痛臂肘厥寒不收乾嘔煩渴目黃

青靈　在肘上三寸伸肘舉臂取灸三壯禁針主頭痛目黃振寒脅痛肩臂不舉

少海　一名曲節在肘內廉橫紋頭盡處去肘端五分陷中屈肘向頭取之針三分灸三壯甄權云不宜灸素問註灸五壯資生云數說不同要之非大急不宜灸主寒熱齒齲痛目眩發狂癲癇羊鳴嘔吐涎沫項不得回顧頭風疼痛氣逆心痛肘臂腋脅痛攣四肢不舉

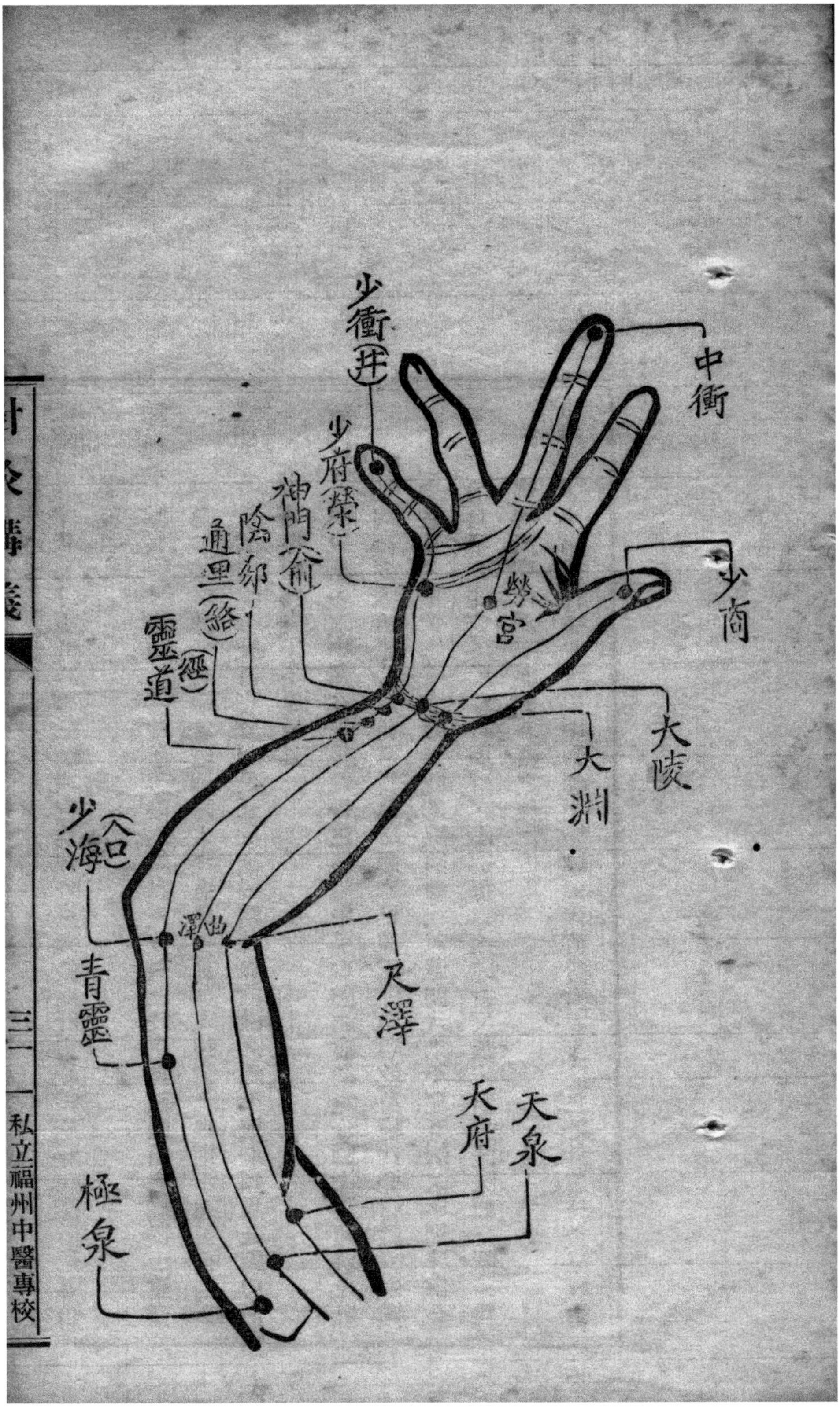
針灸講義
三二
私立福州中醫專校
少衝（井）
少府（滎）
神門（俞）
陰郄
通里（絡）
靈道（經）
少海（合）
青靈
極泉
中衝
少商
勞宮
大陵
大淵
曲澤
尺澤
天府
天泉

靈道 在掌後一寸五分手少陰脈所行爲經針三分灸三壯主心痛乾嘔瘈瘲肘攣暴瘖不能言

通里 在掌後一寸靈道下半寸手少陰之絡針三分灸三壯主目眩頭痛熱病無汗懊憹暴瘖心痿喉痺嘔苦少氣遺溺婦人經血過多實則支腫瀉之虛則不能言補之

陰郄 在掌後去腕五分針三分灸三壯主鼻衄吐血洒淅惡寒厥逆心痛霍亂胸中滿失音不能言盜汗小兒骨蒸

神門 一名銳衝一名中都在掌後銳骨之端陷中手少陰之俞鍼三分留七呼可灸七壯灶如小麥大治瘧心煩甚欲得飲冷惡寒則欲處溫中咽乾不嗜食心痛數噫恐悸少氣不足手臂寒喘逆身熱狂悲哭嘔血上氣遺溺伏梁小兒五癇（羊癇猝倒仆地口喎吐沫作羊鳴移時即醒・馬癇張口搖頭背反張・豬癇吐沫如尸厥・鷄癇善驚反折手掣亦云五臟之癇）

少府 手小指本節後骨縫陷中當掌上橫紋頭內直勞宮手少陰之滎針二分灸三壯治

痃瘧久不愈煩滿少氣胸中痛肘臂攣急陰痒陰痛遺尿偏墜小便不利

少衝　在小指端內側去爪甲如韭葉手少陰之井穴針一分灸三壯主熱病煩滿痰氣眼赤嘔血沫凡中風跌倒牙關緊閉不省人事以三稜針鍼少商商陽中衝關衝少澤使氣血流通乃起死妙穴

六・手太陽小腸經共十九穴起於少澤終於聽宮左右計三十八穴。

少澤　一名小吉手小指端外側去爪甲角下一分陷中手太陽之井針一分灸一壯主瘧寒熱汗不出喉痺舌强口乾心煩咳嗽目翳頭痛臂痛瘈瘲

前谷　手小指外側本節前陷中手太陽之滎針一分灸一壯主熱病汗不出癲疾耳鳴頸項腫喉痺鼻塞欬嗽衄血目中白翳臂不得舉婦人無乳

後谿　手小指外側本節後陷中握拳横紋尖盡取之值少府手太陽之俞針一分灸一寸主瘧寒熱目赤生翳鼻衄耳聾胸滿頸强不得回顧癲疾臂肘攣急痂疥

腕骨　在手外側腕前起骨下陷中握拳向內取之手太陽之原針二分灸三壯治熱病汗

不出脅下痛不息頸頷腫寒熱耳鳴目冷淚生瞖狂惕偏枯臂肘不得屈伸頭痛驚風瘈瘲

陽谷　在手外側腕中銳骨下陷中手太陽脈之經針二分灸三壯治癲疾狂走熱病汗不出脅痛頸頷腫寒熱耳聾耳鳴齒齲痛臂外側痛不舉小兒瘈瘲目眩吐舌戾頸不吮乳

養老　在手踝骨上一空腕骨後一寸手太陽之郄針三分灸三壯主肩欲折臂如拔手不能上下目視不明

支正　在腕後五寸手太陽之絡別走手少陰針三分灸三壯治癲狂五勞四肢虛弱臂難屈伸手不握十指盡痛風虛驚恐寒熱頷腫熱病喜溫先腰頸痠項强疣疥

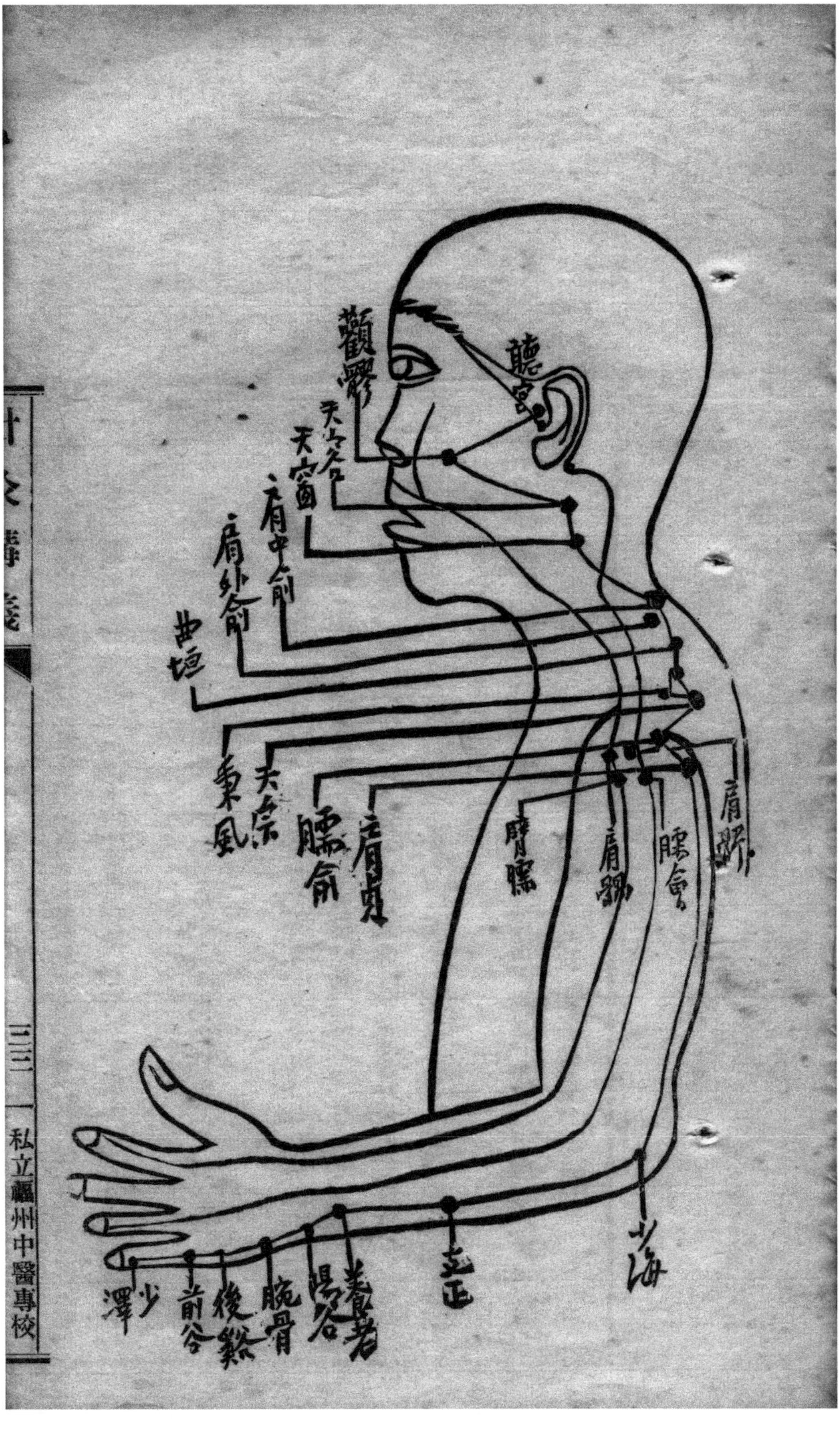
聽宮
顴髎
天容
天窗
肩中俞
肩外俞
曲垣
秉風
天宗
臑俞
肩貞
臂臑
臑會
肩髎
小海
支正
養老
陽谷
腕骨
後谿
前谷
少澤
三二
私立瀛州中醫專校

周痺者其痛只能隨脈上下不能左右各當其所此邪居分肉之間眞氣不能周也

小海　在肘內大骨外去肘端五分陷中屈手向頭取之手太陽之合針二分灸三壯主頸頷肩臑肘臂後廉痛寒熱齒齦痛瘍腫振寒小腹痛癎發羊鳴戾頸瘈瘲耳聾目黃

肩貞　在曲胛下兩骨解間肩髃後陷中針五分禁灸主傷寒寒熱耳鳴耳聾風痺育熱腫痛

臑俞　在手少陽肩髎穴後大骨下胛骨上廉陷中舉臂取之手太陽陽維陽蹻之會針八分灸三壯主臂痠無力寒熱氣腫頸痛肩痛引背

天宗　在東風後大骨下陷中灸三壯針五分留六呼主肩臂痠疼肘外後廉痛頰頷腫

秉風　在臑俞直上一寸五分金鑑云在髃骨上舉臂有空手太陽陽明手足少陽四脈之會灸五壯針五分治肩痛不能舉

曲垣　在肩中央曲胛陷中按之痛灸三壯針五分主肩痛周痺氣注肩胛拘急痛悶

肩外俞　在肩胛上廉去脊三寸陷中針六分灸三壯主肩胛痛周痺寒至肘

肩中俞　肩胛內廉去脊二寸陷中針三分留七呼灸十壯主欬嗽上氣唾血寒熱目不明

天窗　一名窻籠在頭大筋前曲頰下扶突後動脈應手陷中灸三壯針三分主頸肩痛不得回顧耳聾頰腫喉中痛暴瘖齒噤中風痔瘻

天容　在耳下曲頰後陷中針一寸灸三壯主喉痺寒熱咽中如梗頸癭項癰不可回顧不能言胸痛胸滿不得息嘔逆吐沫齒噤耳聾耳鳴

顴髎　面頄骨下廉銳骨端陷中手少陽太陽之會針二分禁灸主口喎面赤目黃眼瞤動不止䪼腫齒痛

聽宮　一名多所聞在耳中珠子大如赤小豆手足少陽手太陽三脈之會針三分灸三壯主失音癲疾心腹滿聤耳耳聾如物塡塞耳中蟬鳴

七、足太陽膀胱共六十七穴起絡於睛明於至陰左右共一百三十四穴

睛明　一名淚孔在目內眥頭外一分入門云在目內眥紅肉內陷中銅人云針一寸五分留三呼禁不可灸明堂云針入一分半手足太陽足陽明蹻脈之會留三呼雀目者

可久留針然後速出針主目遠視不明惡風淚出憎寒頭痛目肉背赤痛白翳努肉攀睛東垣云刺睛明攢竹以宣泄太陽之熱今人刺攢竹臥針直抵睛明不瀉不補又久留針不知何意

攢竹　一名始光一名圓柱一名光明在兩眉頭陷中針一分禁灸宜以細三稜針刺之出血宣泄熱氣三度目大明主目不明淚出目眩瞳子癢眼赤痛頰腫面痛尸厥嚏癲狂鬼邪

眉冲　直眉頭上髮際在神庭曲差之間針三分禁灸主五癎頭痛鼻塞

五癎即猪癎羊癎雞癎牛癎馬癎

曲差　在神庭旁一寸五分入髮際針二分灸三壯主目不明鼽衄鼻塞鼻瘡心煩滿汗不出頭項痛腫身熱

五處　曲差後五分上星旁一寸五分針二分灸三壯主脊强反折瘈瘲頭痛癲疾戴眼眩暈目不明

承光　五處後一寸五分針三分禁灸主頭風嘔吐心煩鼻塞目翳口喎

通天　承光後一寸五分針三分灸三壯主頭旋項痛鼻塞偏風口喎衄血耳鳴狂走瘈瘲恍惚青盲內障癭氣可灸五十壯

絡郄　一名强陽一名腦蓋在通天後一寸五分灸三壯禁針素問註針三分誤也蓋此處下針痛不可奈主頭痃耳鳴狂走瘈瘲青盲內障

玉枕　在絡郄後一寸五分俠腦戶旁一寸五分枕骨上入髮際二寸灸三壯禁針治目痛不能視腦風痛不可忍鼻窒不開

天柱　俠髮際大筋外廉陷中針五分可灸三壯素問註明堂經皆云針二分主足不任身肩背痛欲折目瞑視鼻塞頸項筋急不得囘顧頭旋腦痛針入五分得氣即瀉立愈

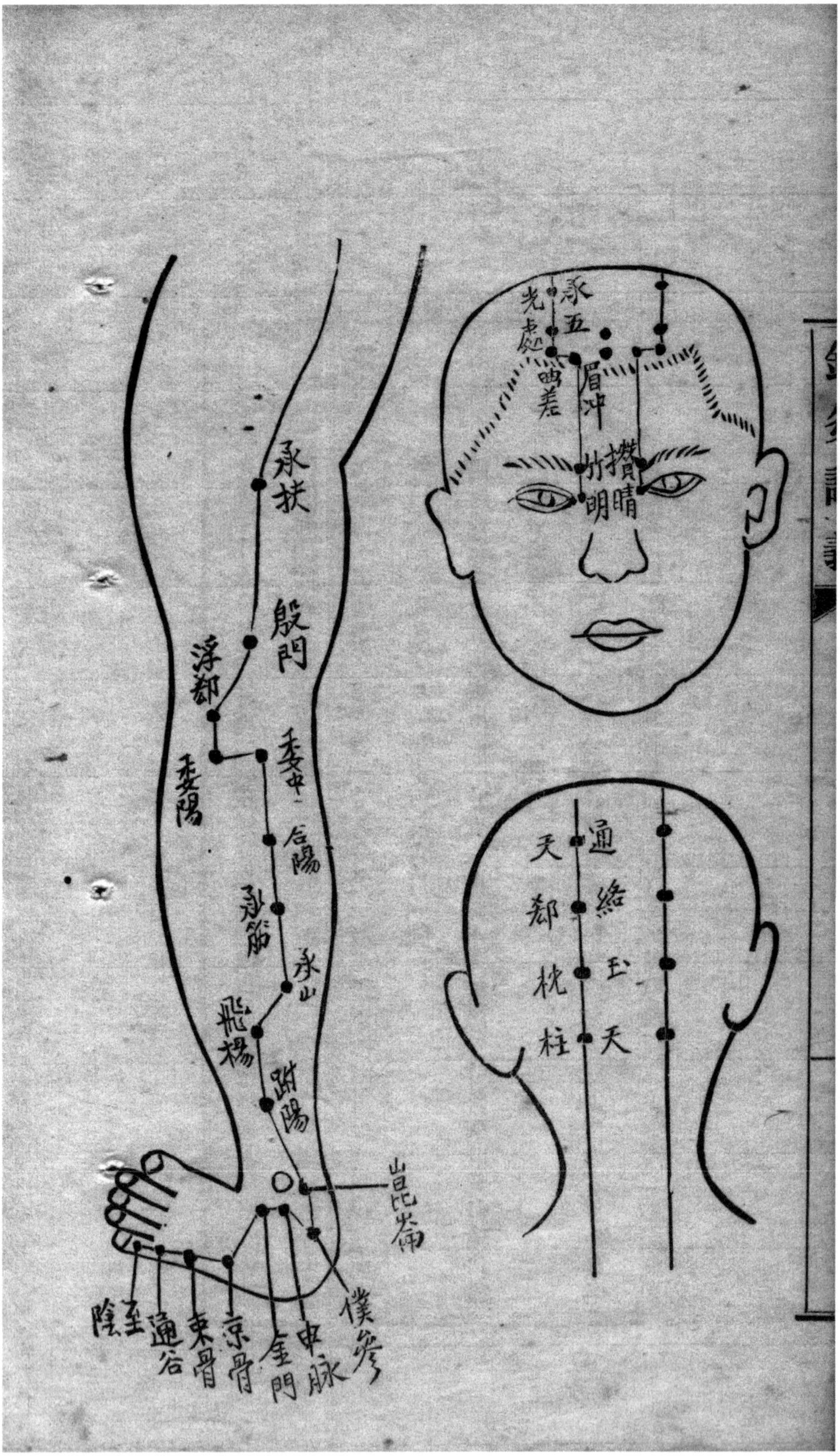
承扶
殷門
浮郄
委陽
委中
合陽
承筋
承山
飛揚
跗陽
崑崙
僕參
申脈
金門
京骨
束骨
通谷
至陰
承光
五處
曲差
眉冲
攢竹
睛明
通天
絡郄
玉枕
天柱

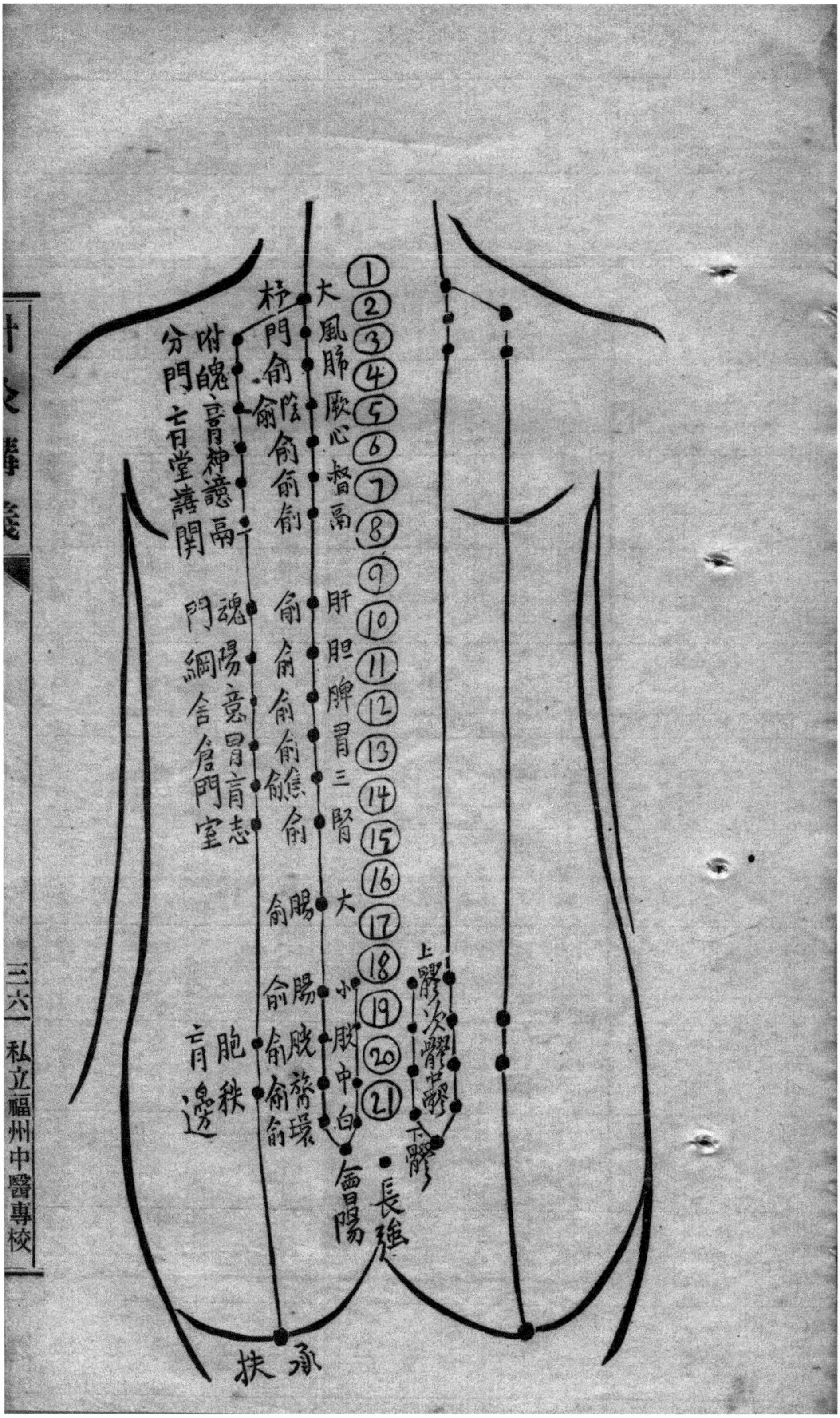
針灸講義
三六一 私立福州中醫專校
大杼
風門
肺俞
厥陰俞
心俞
督俞
膈俞
肝俞
胆俞
脾俞
胃俞
三焦俞
腎俞
大腸俞
小腸俞
膀胱俞
中膂俞
白環俞
會陽
長強
附分
魄戶
膏肓
神堂
譩譆
膈關
魂門
陽綱
意舍
胃倉
肓門
志室
胞肓
秩邊
承扶
上髎
次髎
中髎
下髎
1
2
3
4
5
6
7
8
9
10
11
12
13
14
15
16
17
18
19
20
21

大杼　在第一椎下骨兩傍相去各一寸五分陷中正坐取之督脈別絡手足太陽少陽之會難經曰骨會大杼骨病治此銅人針五分灸七壯明堂云禁灸資生云非大急不可灸主傷寒汗不出腰脊項背強痛不得臥喉痺煩滿痎瘧咳嗽身熱目眩癲疾瘈瘲膝痛不可屈伸凡瘧疾脈滿大者針此並譩譆(在第六椎旁三寸)穴出血不止針委中風門立已

風門　一名熱府在二椎下兩旁相去脊各一寸五分督脈太陽之會正坐取之針五分留七呼灸五壯若頻刺泄諸陽熱氣背永不發癰疽治傷寒頸項強目瞑多嚏鼻出淸涕風勞嘔逆上氣胸背痛喘氣臥不安

肺俞　在第三椎下兩傍各一寸五分與乳相對可引繩度之甄權云以搭手左取右右取左當中指末正坐取之針五分留七呼可灸百壯素問云刺中肺三日死其動爲欬主癭氣黃疸勞瘵口舌乾勞熱上氣腰脊強痛寒熱喘滿傳尸骨蒸肺痿咳嗽肉痛皮癢嘔吐支滿不嗜食狂走欲自殺背僂肺中風偃臥胸滿短氣汗出百毒病食後

吐水小兒龜背厥陰俞（即心包俞）一名厥俞四椎下兩傍去脊各寸半正坐取之針三分留七呼可灸七壯主欬逆嘔吐心痛留結煩悶

心俞　五椎下兩旁各寸半正坐取之針三分留七呼得氣卽瀉不可灸資生經云刺中心一日死其動爲噫豈可妄針而明堂云可灸三壯千金言中風心急灸心俞百壯當權其緩急而用不可拘泥也主偏風半身不遂心中風偃臥不得傾側汗出脣赤狂走發癇心胸悶亂欬吐血鼻衄黃疸嘔吐不食目瞤健忘小兒心氣不足數歲不語

督俞　在六椎下兩旁去脊各寸半正坐取之主寒熱心腹痛雷鳴氣逆

鬲俞　在七椎下兩旁相去脊各一寸五分正坐取之難經曰血會鬲俞血病治此針三分留七呼灸三壯素問刺中鬲一歲死主心痛周痺吐食翻胃骨蒸四肢怠惰嗜臥痃癖欬逆寒痰熱病汗不出身重常溫不能食食則心痛身痛䐜脹脅腹滿自汗盜汗

肝俞　在九椎下兩旁去脊各寸半正坐取之針三分留六呼灸三壯素問刺中肝五日死其動爲欠主欬引兩脅急痛不得息背反折轉側難目上視目眩循眉頭痛驚狂衄

衄目生白翳寒疝少腹痛唾血短氣肝中風坐不得低頭繞兩目連額上色微青積
痞痛

膽俞　在十椎下兩旁各寸半正坐取之針五分留七呼灸三壯素問刺中膽一日半死其
動爲嘔主頭痛振寒汗不出腋下腫脹口苦舌乾咽痛骨蒸目黃食不下

脾俞　十一椎下兩旁去脊寸寸半正坐取之針三分留七呼灸三壯素問刺中脾十日死
其動爲呑主腹脹引胸背腸食飲倍多身漸羸瘦黃疸脅下滿洩利體重四肢不收
痃癖積聚腹痛不嗜食痰瘧寒熱

胃俞　在十二椎下兩傍去脊各寸半正坐取之針三分留七呼灸三壯一云灸隨年壯主
胃中寒腹脹不嗜食羸瘦腸鳴腹痛胸脅支滿脊痛筋攣霍亂嘔吐目不明

三焦俞　在十三椎下兩旁去脊各寸半治腸鳴腹脹水穀不化腹痛洩注目眩頭痛吐逆
飲食不下肩背拘急腰脊强不得俛仰

腎俞　在十四椎下兩旁去脊各一寸五分前與臍平正坐取之針三分留七呼灸隨年壯

素問云刺中腎六日死其動爲嚏主虛勞羸瘦腎虛耳聾心腹脹滿脅滿引小腹痛小便淋濁溺血腎中風踞坐而腰痛目視𥆧𥆧消渴脚膝拘急腰寒如冰頭重身熱振慄食多羸瘦洞泄食不化腸鳴身腫如水女人積冷成勞乘經交接寒熱往來

氣海俞　在十五椎下兩旁去脊各寸半主腰痛痔漏針三分灸五壯

大腸俞　在十六椎下兩旁去脊各寸半伏而取之針三分留六呼灸三壯慎猪肉魚麪生冷等物主腰痛腸鳴腹脹繞臍切痛大小便不利洞洩不化脊强不得俛仰

關元俞　在十七椎下兩旁相去脊各一寸五分伏而取之主風勞腰痛泄痢虛脹小便難婦人瘕聚諸疾

小腸俞　在十八椎下兩傍去脊各寸半伏而取之針三分留六呼灸三壯治小便赤澁淋瀝少腹痛脚腫短氣不嗜食大便膿血出泄利痔瘡頭痛消渴口乾婦人帶下

膀胱俞　在十九椎下兩旁相去一寸五分足太陽脉氣所發針三分留六呼灸三壯主風勞腰脊痛洩痢腹痛小便赤澀遺溺陰生瘡少氣足胻寒拘急不得屈伸女子瘕

聚脚膝無力

中膂俞　一名中膂內俞在第二十椎下兩旁去脊各一寸五分俠脊起肉針三分留十呼可灸三壯治腸冷赤白痢腎虛消渴汗不出腰脊不得俛仰腹脹脅痛明堂云腰痛俠脊裏痛上下按之應從項至此穴痛皆宜灸

白環俞　在二十一椎下兩旁去脊各寸半甲乙經云針如腰戶同法挺腹伏地端身兩手相重支額縱息令皮膚俱緩乃取其穴針八分得氣先瀉後補不宜灸治腰髖疼脚膝不遂溫瘧腰脊冷疼不得安臥勞損風虛明堂云灸三壯針後須慎房勞不得舉重物

上髎　在腰髁骨下一寸第一空挾脊陷中自此以下共四空上闊下狹足太陽少陽之絡針入三分灸七壯主大小便不利嘔逆膝冷痛鼻衄寒熱瘧婦人絕嗣陰挺出大理趙卿患偏風不能起跪甄權針上髎環跳陽陵泉下巨虛卽能起跪八髎總治腰痛

次髎　在腰部下俠脊第二空陷中針三分灸七壯治疝氣下墜腰脊痛不得轉搖急引陰

器痛不可忍腰已下至足不仁背膝寒小便赤淋心下堅脹足軟偏風婦人赤白帶

中髎 在第三空俠脊陷中足厥陰少陽所結針二分留十呼灸三壯治五勞七傷六極大便小便淋瀝飱泄婦人絕子帶下月事不調

下髎 在第四空挾脊陷中足太陽厥陰所結針二分留十呼灸三壯主大小便不利腰痛不得轉側女子下蒼汁不禁中痛引少腹急疼大便下血寒濕內傷

會陽 一名利機在陰尾骶骨外各開寸半針八分灸五壯治腹中冷氣洩利不止久痔陽氣虛乏

附分 在第二椎下兩旁挾脊各三寸手足太陽之會正坐取之針三分灸五壯治肩背拘急項强不得回顧風勞臂肘不仁

魄戶 在三椎下兩旁挾脊各三寸正坐取之針五分得氣即瀉又宜久留針日可灸七壯至百壯忌猪肉魚酒麪生冷等物治肩膊痛虛勞肺痿項强不得回顧喘欬嘔吐煩滿

膏肓俞　在四椎兩傍去脊各三寸令病人正坐曲背伸兩手以臂著膝前令正直手大指與膝頭齊以物支肘勿令動搖從胛骨上角摸至骨下頭其間有四肋三間灸中間去胛骨容側指按之自覺牽引於肩中灸兩胛中一處自百壯至三百壯當覺礱礱然似流水之狀亦當有所下若得痰下疾無不愈如病人已困不能正坐當令側臥挽上臂令取前穴灸之最要者要使兩胛開張方不至覆其穴也灸後陽氣康盛當消息自補養又當灸臍下氣海關元中極之一又灸足三里以引火實下此穴無所不療而所主者爲羸瘦勞損傳尸骨蒸失精上氣欬逆發狂健忘痰疾孫思邈曰特人拙不能得此穴所以宿疴難遣若用心求得灸之疾無不愈矣

脊强

神堂　在五椎下兩旁挾脊各三寸正坐取之針三分灸五壯治肩痛胸滿氣逆時噎寒熱

譩譆　在六椎下兩傍挾脊各三寸肩髆內廉正坐取之以手重按其穴使病人言譩譆譩譆應手針六分留三呼灸五壯至百壯忌莧菜白酒等主大風勞損寒瘧胸悶氣痛

引腰背腋拘脅痛目眩痛鼻衄喘逆腹脹肩膊內廉痛不得俛仰小兒食時頭痛五心熱

膈關　在七椎下兩旁去脊各三寸陷中正坐取之針五分五壯灸主背痛惡寒脊强俯仰難食飲不下嘔噦多涎唾胸中噎悶

魂門　在九椎下兩旁去脊三寸陷中正坐取之針五分灸三壯主尸厥胸背連心痛食飲不下腹中雷鳴大便不節小便黃

陽綱　在十椎下兩旁挾脊各三寸正坐取之針五分灸三壯治腹滿洩利小便赤澀身熱一目黃

意舍　在十一椎下兩傍去脊各三寸正坐取之針五分可灸五十壯至百壯主腹滿虛脹大便滑澀小便赤黃背痛惡風寒食飲不下嘔吐消渴身熱目黃

胃倉　在十二椎下兩傍去脊各三寸正坐取之針五分可灸五十壯主腹滿虛脹水腫食飲不下惡寒脊痛不得俯仰

肓門　在十三椎下兩傍去脊各三寸叉肋間陷中正坐取之針五分灸三壯治心下痛大便堅婦人乳疾

志室　在十四椎下兩傍去脊各三寸陷中正坐取之針五分灸三壯治腰脊强痛不得俯仰飲食不消腹中堅急陰痛陰腫夢遺淋瀝霍亂

胞肓　在十九椎下兩傍去脊各三壯伏而取之針五分灸七壯主腰脊急痛食不消腹堅急淋瀝下腫

秩邊　在二十椎下兩旁去脊各三寸伏而取之針入五分灸三壯主腰痛不能俯仰小便赤澁痔腫

承扶　一名肉郄一名陰關一名皮部在臀下紋中針七分禁灸主腰脊相引如解久痔尻臀腫大便難陰胞有寒小便不利

殷門　在承扶下六寸針七分禁灸主腰脊不可俯仰舉重惡血注之股外腫

浮郄　在委陽上一寸展膝取之針五分灸三壯主霍亂轉筋小腸熱大腸熱脛外筋急髀

樞不仁

委陽 在足太陽之前少陽之後承扶下一尺二寸委中外二寸膝腕横紋尖外廉兩筋間屈伸取之足太陽之别絡三焦之下俞針七分灸三壯主腋下腫痛胸滿膨膨筋急身熱痿厥不仁小便淋瀝飛尸遁疰

委中 一名血郄在膕中央約紋動脈陷中令病人面挺伏臥取之足太陽之合穴針八分禁灸素問刺委中大脈令人仆脫色治腰脊沉沉不能舉遺溺風痺髀樞痛小腹堅滿傷寒四肢熱熱病汗不出逆滿膝不得屈伸大風髮眉墜落於其四畔紫脈上去血一切痼疾皆愈惟中如藤塊者不可出血出血令人夭

合陽 在委中下二寸亦云一寸或云三寸針六分灸五壯治腰脊强引腹痛陰股熱胻痠重步履難寒疝偏墜女子崩中帶下

承山 一名腨腸一名直腸在腨腸中央陷中灸三壯禁針治寒痺轉筋支腫大便難腨痠重引少腹痛腰背拘急鼻衄霍亂

四一一 私立福州中醫專校

承筋　一名魚腹一名肉柱一名腸山在腨腸銳端分肉開陷中令病者兩手上托按壁上足趾點地取之針七分灸五壯得氣卽瀉速出針灸不及針主大便不通轉筋痔腫戰慄不能立脚氣脛痠跟痛霍亂急食不通傷寒水結

飛揚　一名厥陽足太陽別絡在外踝上七寸針三分灸三壯治痔腫體重不能步履歷節風足趾不得屈伸頭目眩逆氣鼽衄癲疾寒瘧實則鼽窒頭背痛瀉之虛則鼽衄補之

附陽　在足外踝上三寸太陽經前少陽經後與絕骨相並筋骨之間陽蹻之郄鍼五分留七呼灸三壯治痿厥風痺不仁頭重頗痛髀樞股胻痛時有寒熱四肢不舉

崐崙　在足外踝後五分跟骨上陷中細脈動應手足太陽之經穴針三分灸三壯孕婦刺之落胎主腰尻痛足腨腫不得履地鼽衄頭痛肩背拘急欬喘暴滿陰腫痛小兒發癇瘈瘲婦人孕難胞衣不下炷宜如小麥大

僕參　一名安邪足跟骨下陷中拱足取之針五分留七呼可灸三壯治足跟痛不得履地

脚痿轉筋尸蹶霍亂吐逆癲癇狂言見鬼脚氣膝腫

申脈　在外踝下五分容爪甲許白肉際陽蹻脈之所生鍼三分禁灸治腰痛不能舉體足骱寒不能久立坐如在舟中膝脚屈伸難婦人血氣痛潔古曰癇病晝發灸陽蹻明堂亦云可灸三壯

金門　一名梁關在外踝下申脈前一寸邱墟之後陽維別屬治霍亂轉筋膝骱瘈身戰不能久立癲癇尸蹶暴疝小兒馬癇張口搖頭反折可灸三壯炷如小麥大針一分

京骨　足小趾外側本節後大骨之下按而取之足太陽之原虛實皆拔之針三分灸七壯主頭痛如破腰痛不可屈伸目內眥赤爛白翳目眩發瘧寒熱善驚不欲飲食筋攣足骱痠髀樞痛頸項強鼽衄不止心痛

束骨　在足小趾外側本節後赤白肉際陷中足太陽脈所注爲俞穴針三分灸三壯主腰痛如折髀不可曲膕如結腨如裂耳聾惡風寒目眩項不可回顧目內眥赤爛腸澼泄痔發背背疔癰癲狂

通谷　在足小指外側本節前陷中足太陽脈所溜爲滎針二分留三呼灸三壯治頭重目眩善驚引鼽衄項痛目䀮䀮結積留飲胸滿食不化失矢東垣曰胃氣不留五腸氣亂在於頭取天柱大杼不足深取通谷束骨

至陰　足小趾外側去爪甲如韭葉足太陽脈所出爲井針一分灸三壯治目生翳鼻塞頭重風寒從足小趾起脈痺上下帶胸脅痛無常處轉筋寒瘧汗不出煩心足下熱小便不利失精

八・足少陰腎共二十七穴起於湧泉終於俞府左右共五十四穴

湧泉　一名地衝在足心陷中屈足捲趾宛宛中跪取之足少陰所出爲井穴針五分無令出血灸三壯明堂云灸不及針資生經云禁灸灸則廢人行動治腰痛大便難心中結熱風疹風癇心痛不嗜食婦人無子轉胞不得尿欬嗽身熱喉痺胸脅滿目眩男子如蠱女子如妊娠五指端盡痛足不得踐地尸厥面黑如炭色霍亂轉筋賁豚漢濟北王阿母病患熱厥足熱淳于意刺足心立愈

然谷 一名龍淵在足內踝前起大骨下陷中足少陰脈所溜爲滎針三分不宜見血灸三壯治咽內腫心恐懼如人將捕之涎出喘呼少氣足跗腫不得履地寒疝少腹脹上搶胸脅欬唾血喉痺淋瀝女子月事不調不孕男子精溢胻痠不能久立足一寒一熱舌縱煩滿消渴初生小兒臍風口噤痿厥洞泄

太谿 一名呂細在足內踝後五分跟骨上動脈陷中足少陰所注爲俞穴針三分三壯治久瘧欬逆心痛如錐刺心脈沉手足寒至節喘息者死嘔吐痰實口中如膠善噫寒疝熱病汗不出默默嗜臥溺黃消癉大便難咽腫唾血痃癖寒熱咳嗽不嗜食腹滿脅痛瘦瘠手足厥冷牙齒痛東垣云成痿者以導濕熱引胃氣出行陽道不令濕土尅腎水其穴在太谿

大鐘 在太谿下五分足跟骨中兩筋間足少陰之絡別走太陽針二分留七呼灸三壯主嘔吐胸脹喘息腹滿便難淋瀝腰脊痛嗜臥口中熱虛則多寒欲閉戶而處舌乾咽中食噎不得下喉中鳴欬唾血驚恐不樂實則閉癃瀉之虛則腰痛補之

水泉 在太谿下一寸內踝下少陰之郄針四分灸五壯治月事不來來卽多心下悶痛目䀮䀮不能遠視陰挺出小便淋瀝腹中痛

照海 在足內踝下容爪甲許約四分前後有筋上有踝骨下有軟骨其穴居中陰蹻所生針三分灸七壯治嗌乾四肢懈惰善悲不樂久瘧卒疝少腹痛嘔吐嗜臥大風偏身不遂女子淋瀝陰挺出月水不調痫病夜發可灸照海

復溜 一名昌陽一名伏白在足內踝後上二寸筋骨間陷中與交信隔一條筋足少陰脈所行爲經針三分留三呼灸五壯腰治脊內引痛不得俯仰起坐目視䀮䀮善怒多言舌乾胃熱虫動涎出足痿不收胻寒不溫腹中雷鳴腹脹如鼓四肢腫五種水病溺青赤黃白黑青取井赤取滎黃取俞白取經黑取合血痔五淋骨寒熱盜汗齒齲脈微細不見

交信 在復溜前三陰交下後筋骨間陷中陰蹻之郄治氣淋㿉疝陰急引股腨內廉骨痛瀉痢赤白女子漏血不止陰挺出月水不來小腹偏痛盜汗出

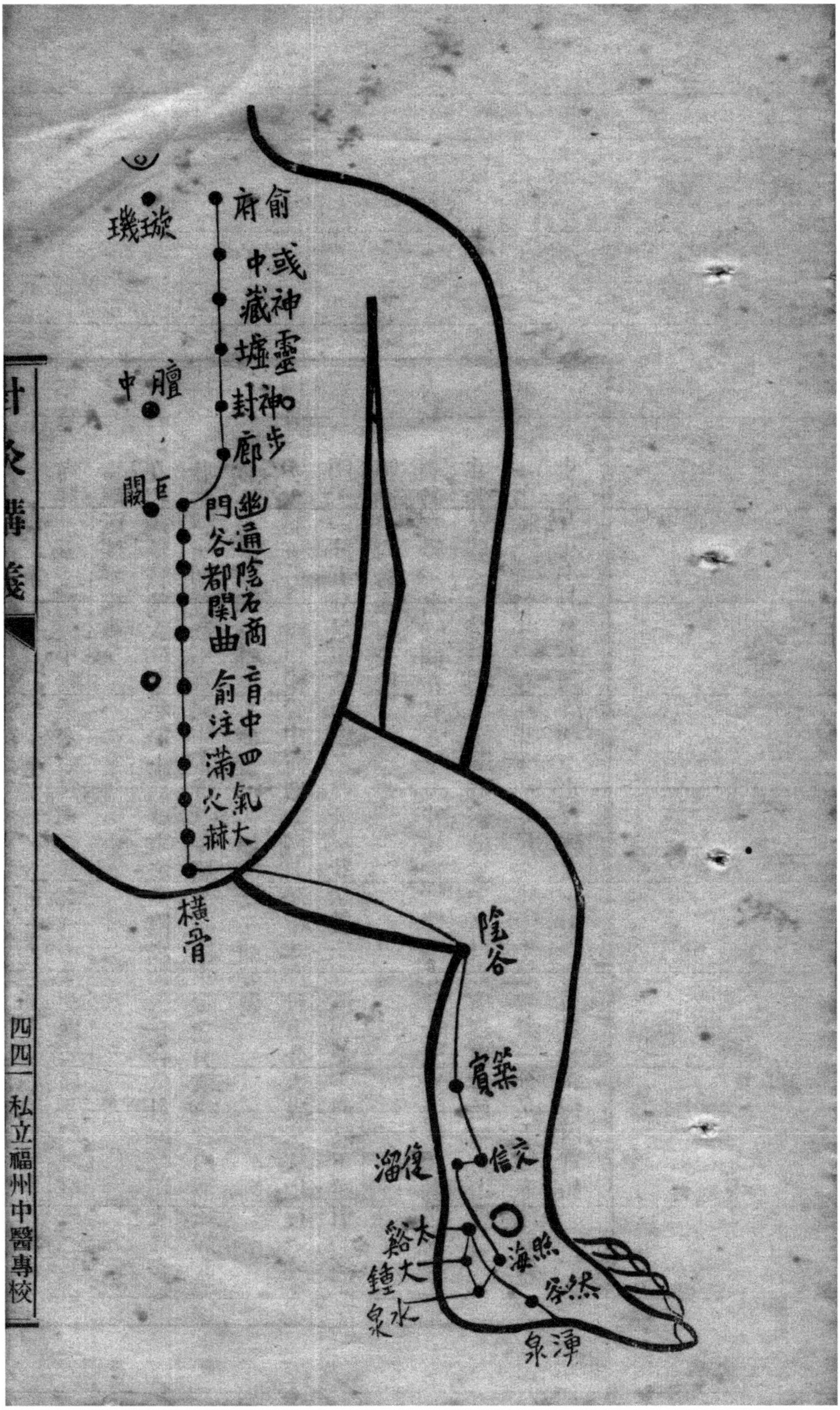
璇璣
膻中
巨闕
俞府
彧中
神藏
靈墟
神封
步廊
幽門
通谷
陰都
石關
商曲
肓俞
中注
四滿
氣穴
大赫
橫骨
陰谷
築賓
交信
復溜
太谿
大鍾
水泉
照海
然谷
湧泉
针灸講義
四四一
私立福州中醫專校

築賓　內踝上五寸腨分中陰維之郄針三分灸五壯治小兒胎疝痛不得乳癲疾狂言吐舌嘔涎沫足腨痛

陰谷　在膝內輔骨後大筋下小筋上屈膝取之少陰之所入爲合穴針四分留七呼灸三壯治膝痛如錐刺不得屈伸舌縱涎下煩逆溺難小腹急引陰痛股內廉痛婦人漏血不止腹脹滿不得息小便黃男子如蠱女子如妊娠

橫骨　在大赫下一寸陰上橫骨中宛曲如仰月陷中去中行五分大成云去中行一寸入門云一寸五分足少陰衝脈之會灸三壯禁針主五淋小便不通陰下縱引卵痛少腹滿目內眥赤痛失精

大赫　一名陰維一名陰關在氣穴下一寸足少陰衝脈之會針三分灸五壯素問註針一寸灸三壯主虛勞失精男子陰器縮結莖中痛目赤痛從內眥始婦人赤帶

氣穴　一名胞門一名子戶在四滿下一寸足少陰衝脈之會針三分灸五壯素問註針一寸灸五壯主月事不調泄利不止賁豚上下引腰脊痛目赤痛從內眥始

四滿　一名髓府在中注下一寸衝脈足少陰之會針三分灸三壯治臍下積聚疝瘕腸澼大腸有水振寒目內眥赤痛婦人月事不調惡血疞痛奔豚上下無子

中注　在肓俞下一寸衝脈少陰之會針一寸灸五壯主小腹有熱大便堅燥不利目內眥赤痛月事不調

肓俞　在商曲下一寸臍旁五分衝脈少陰之會治腹中切痛寒疝大便燥目赤痛從內眥始針一寸灸五壯

商曲　在石關下一寸去中行五分大成據資生經從商曲以上去中行皆作一寸半足少陰衝脈之會針一寸灸五壯治腹中積聚腸中切痛不嗜食目痛從內眥始

石關　在陰都下一寸衝脈少陰之會針一寸灸三壯主噦噫嘔逆腹痛氣淋小便黃大便不通心下堅滿脊强目內眥赤痛多唾婦人無子藏有惡血上衝腹中疞痛不可忍

陰都　一名食宮在通谷下一寸少陰衝脈之會針三分灸三壯治瘧疾心下煩滿氣逆肺脹脅下熱痛目痛從內眥始

通谷 在幽門下一寸衝脈少陰之會針五分灸五壯主失欠口喎食飲善嘔暴瘂不能言結積留飲胸滿痃癖心恍惚目內眥赤痛

幽門 一名上門俠巨闕兩旁各五分陷中足少陰衝脈之會針五分灸五壯主小腹脹滿嘔吐涎沫心下煩悶胸中引痛支滿不嗜食數欬健忘洩利膿血女子心痛逆氣善吐食不不

步廊 在神封下一寸六分陷中在中庭外二寸仰而取之治胸脅支滿鼻塞不通喘息不得舉臂針三分灸五壯

神封 在靈墟下一寸六分陷中仰而取之針三分灸五寸主胸滿不得息咳逆乳癰嘔吐灑淅惡寒不嗜食

靈墟 在神藏下一寸六分陷中仰而取之針三分灸五壯治胸脅支滿痛引胸不得息欬逆嘔吐不嗜食

神藏 在彧中下一寸六分陷中仰而取之針三分灸五壯治胸脅支滿欬逆喘不得息嘔

吐不嗜食

彧中　在俞府下一寸六寸陷中仰而取之針四分灸五壯治胸脅支滿欬逆喘不能飲食

俞府　在巨骨下璇璣傍各二寸陷中仰而取之針三分灸五壯治欬逆上喘嘔吐胸滿不得飲食胸中痛久喘灸七壯效

九·手厥陰心包絡經共九穴起於天池終於中衝左右計十八穴

天池　一名天會在腋下三寸乳後一寸側肋間手厥陰足少陽之會治寒熱胸膈煩滿頭痛四肢不舉腋下腫上氣胸中有聲喉中鳴針三分灸三壯

天泉　一名天濕在曲腋下臂二寸舉臂取之針六分灸三壯治心病胸脅支滿欬逆膺背胛間臂內廉痛

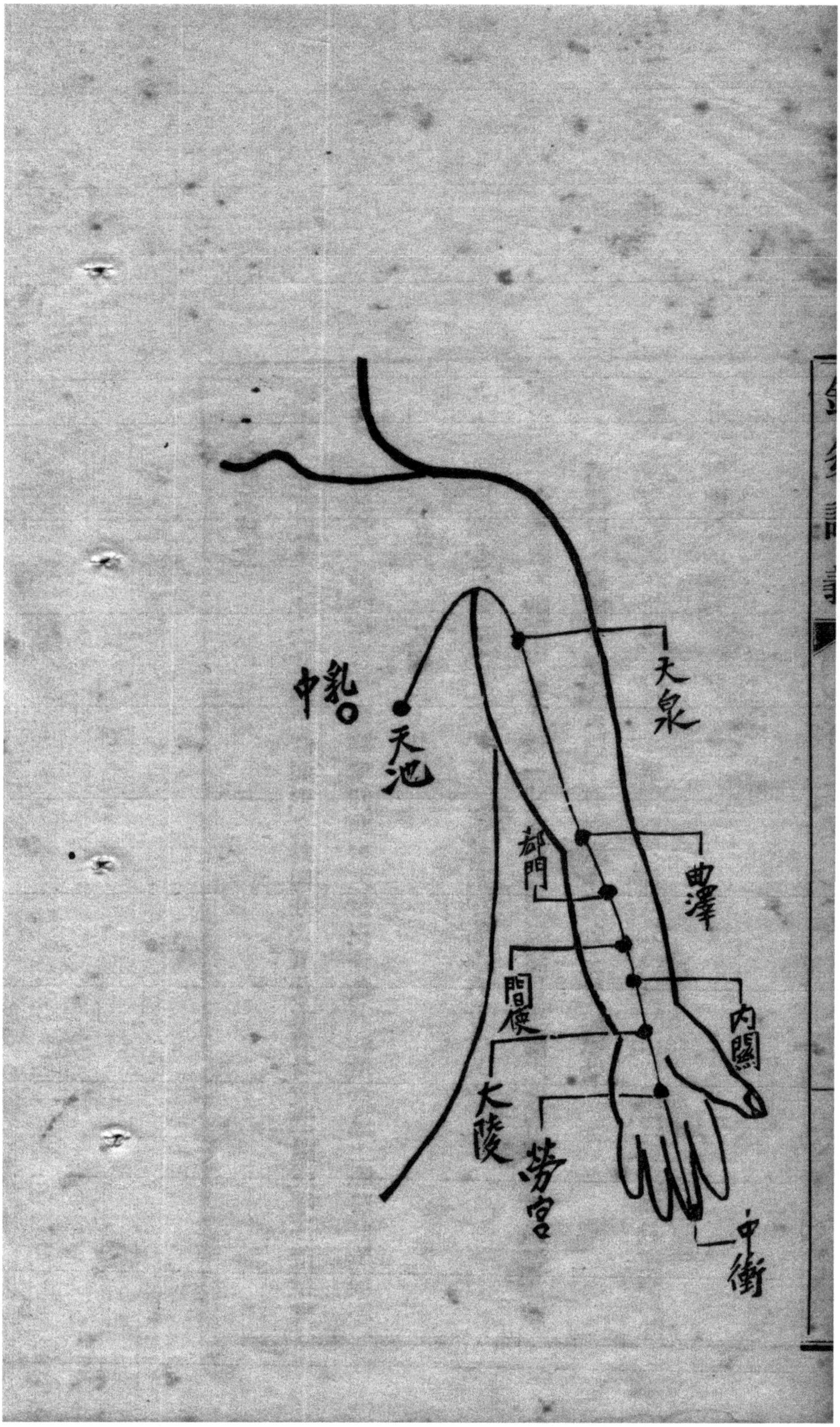
天泉
乳中
天池
郄門
曲澤
間使
內關
大陵
勞宮
中衝

大陵亦稱鬼心

曲澤　在肘內廉下陷中大筋內側橫紋中與尺澤只隔一筋心包絡脈之所入爲合穴針三分灸三壯治身痛善驚心熱煩渴口乾逆氣嘔血風疹臂肘手腕善動搖頭汗出不過肩傷寒逆氣嘔吐

郄門　去腕五寸心包脈之郄針三分灸五壯治心痛衄血嘔噦驚恐畏人神氣不足

間使　在掌後三寸兩筋間陷中心包脈之所行爲經針三分灸五壯治心懸如飢卒狂胸中澹澹惡風寒嘔吐怵惕寒中少氣掌中熱腋腫肘攣卒心痛多驚瘖不得語咽中如鯁月經不調小兒客忤岐伯云可灸鬼邪千金治卒死針此穴百餘息又灸鼻下人中扁鵲曰百邪所病鍼有十三鬼穴凡針之體先從鬼宮（人中穴）次鬼信（少商）次鬼壘（隱白）次鬼心（大淵）次鬼路（申脈）次鬼枕（風府）次鬼床（頰車）次鬼市（承漿）次鬼路（間使）次鬼堂（上星）次鬼藏（男子勢頭女子玉門頭）次鬼臣（曲池）次鬼封（舌下縫去舌尖一寸）凡此十三穴有兩穴則兩針之但平常止針五六穴卽可使邪精言說其由來彼求去與之不必盡其命男從左起女從右

起

內關 在掌後去腕二寸兩筋間陷中手心主之絡穴別走少陽與外關相抵針五分灸三壯主目赤支滿中風肘攣實則心痛瀉之虛則心煩惕惕補之

大陵 在掌後橫紋中兩筋間陷中手厥陰之俞針五分灸三壯主熱病汗不出手心熱肘臂攣痛腋腫善笑不休心懸若飢喜悲泣驚恐目赤小便如血嘔逆喉痺口乾身熱頭痛短氣胸脅痛疥癬

勞宮 一名五里一名掌中在掌中央動脈處屈無名指取之資生云屈中指取之滑氏云穴在中指無名指兩筋之間手厥陰之滎穴銅人祇云灸三壯素問註針三分明堂云針二分得氣即瀉只一度針過兩度令人虛禁灸灸則息肉日加主中風善怒悲笑不休手痺熱病三日汗不出怵惕胸脅痛不可轉側大小便血衄血不止氣逆嘔噦煩渴食飲不下大小人口中腥臭口瘡黃疸目黃小兒齦爛

中衝 在手中指端去爪甲如韭葉陷中手厥陰之井針一分留三呼治熱病煩悶汗不出

掌中熱心如火心痛煩滿舌强

十・手少陽三焦經共二十三穴起於關衝終於耳門左右共四十六穴

關衝　在手小指次指外側去爪甲如韭葉許手少陽脈之所出爲井針一分灸一壯主喉痺喉閉舌捲口乾頭痛霍亂胸中氣噎不嗜食臂肘痛不可舉目生翳膜視物不明

液門　在手小指次指歧骨間陷中握拳取之手少陽所溜爲滎針二分灸三壯主驚悸妄言咽外腫寒厥手臂不能自上下痎瘧寒熱目眩頭痛暴聾目赤澀齒齲痛

中渚　在液門後一寸手少陽所注爲俞針二分灸三壯治熱病汗不出目眩頭痛耳聾目生翳膜久瘧咽腫肘臂痛五指不得屈伸

陽池　一名別陽在手表腕上中心陷中手少陰陽所過爲原針二分留六呼不可灸此穴針可透大陵穴惟不可破皮不可搖手恐傷針轉曲主消渴口乾煩悶寒熱瘧或因折傷手腕持物不得肩臂痛不得舉針後慎生冷等物

外關　在腕後二寸兩骨間與內關相對手少陽之絡針三分灸二壯主肘臂不得屈伸五

指盡痛不能握物耳聾無所聞八法於頭項眉稜骨痛四肢不遂一切外部之病以此穴爲主

支溝　一名飛虎在陽池後三寸兩骨間陷中手少陽脈之所行爲經針二分灸二七壯愼酒麪生冷猪魚等物主熱病汗不出肩臂痠重脅腋痛四肢不舉霍亂嘔吐口噤不開暴啞不能言

會宗　在支溝外旁一寸空中針三分灸三壯治肌膚痛耳聾風癇

三陽絡　在支溝上一寸臂上交脈中可灸七壯禁不可針治嗜臥不欲動耳卒聾齒暴齲啞不能言

四瀆　在肘前五寸外廉陷中針六分灸三壯主暴氣耳聾齒齲痛

天井　在肘後一寸兩筋間陷中叉手按膝取之手少陽所入爲合治胸痛欬嗽上氣唾膿不嗜食驚悸瘈瘲風痺臂肘痛捉物不得脚氣上攻癲疾五癇

淸冷淵　在肘上二寸伸肘舉臂取之針二分灸三壯主肩臂痛不能舉不能帶衣

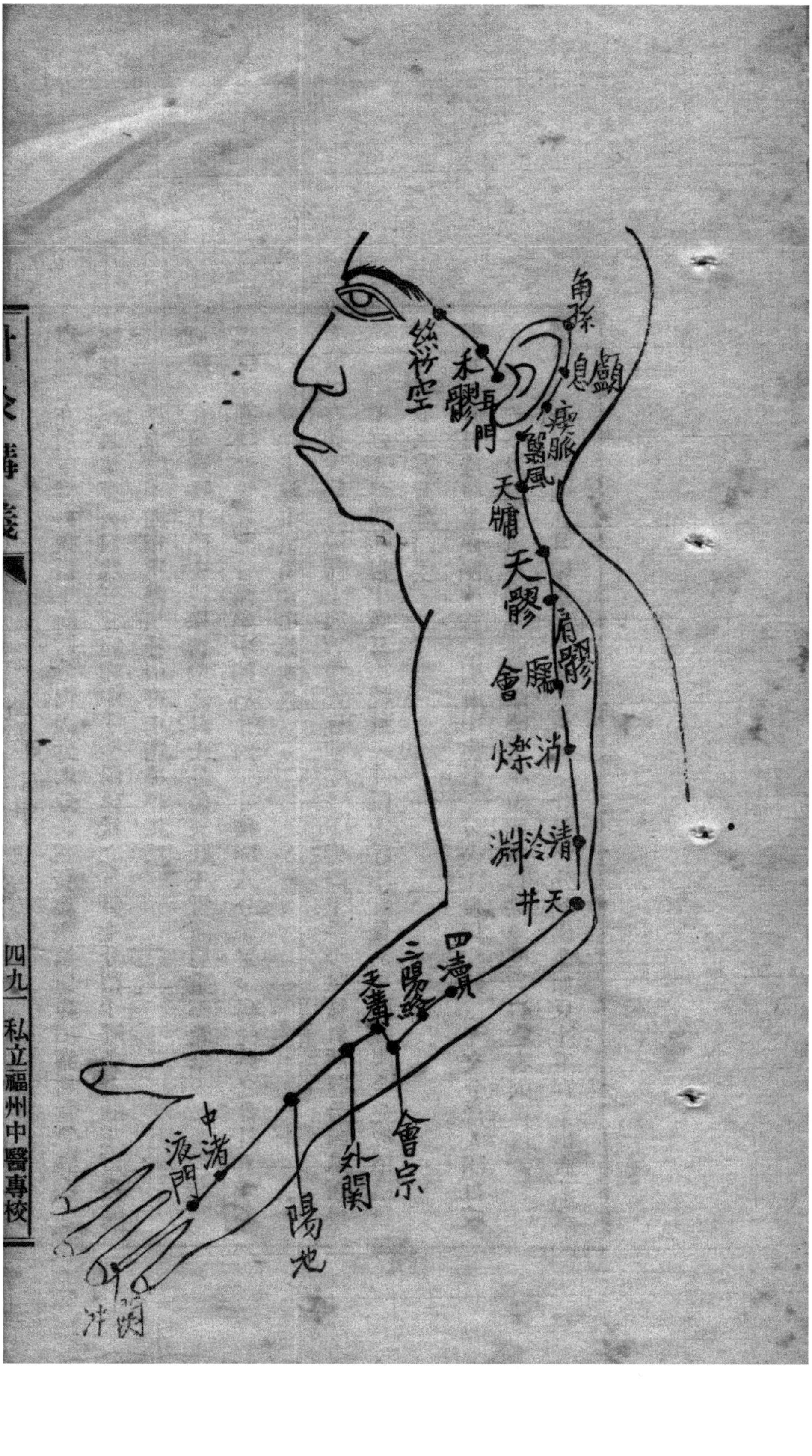

絲竹空
禾髎
耳門
角孫
顱息
瘈脈
翳風
天牖
天髎
肩髎
臑會
消濼
清冷淵
天井
四瀆
三陽絡
支溝
會宗
外關
陽池
中渚
液門
關衝
四九一
私立福州中醫專校

消爍　在肩下臂外腋斜下向肘分肉間針六分灸三壯治寒熱風痺項痛肩背急癲疾

臑會　一名臑交去肩端三寸宛宛中手少陽陽維之會針七分留十呼灸七壯主臂痠痛無力痛不能舉寒熱肩腫引胛中痛項癭氣瘤

肩髎　在肩端臑上陷中斜舉臂取之針七分灸三壯主臂痛肩重不能舉

天髎　在缺盆後起肉骨際陷中卽肩井內一寸後開八分手足少陽陽維之會針八分灸五壯主胸中煩悶頸項急寒熱

天牖　在頸大筋外缺盆上天容後天柱前完骨下髮際上手少陽脉氣所發治頭風面後項强不得回顧目中痛耳不聰針一寸留七呼不宜灸灸則面腫眼合先取譩譆後取天容天池卽差

翳風　在耳珠後尖角陷中按之引耳中痛針七分灸七壯以銅錢二十文令患人開口咬之然後取穴主耳鳴耳聾口眼喎斜脫頷頰腫口噤不能言口吃喜欠

瘈脈　二名資脈在耳根雞足青絡脈中灸三壯針一分刺出血如豆汁不宜多出血治頭

風耳鳴小兒驚癇瘈瘲嘔吐洩痢無時目睛不明

顱息　在耳後青絡脉中灸七壯禁針明堂云灸三壯針一分不得多出血多出血殺人主身熱頭重脅痛不得轉側瘈瘲小兒驚癇嘔吐涎沫耳腫及膿汁目不明

角孫　在耳廓上髮際下開口有空手太陽少陽之會可灸三壯禁針主目翳齲齒痛齒齦腫不能嚼物脣吻頭項强

絲竹空　一名目髎在眉後陷中針三分留三呼禁灸灸之不幸使人目小及盲主目眩頭痛風癇戴眼不識人倒睫發狂吐涎沫發作無時

和髎　在耳前銳髮下橫動脈陷中手足少陽手太陽之會針三分禁灸亦云針七分可灸三壯主頭重痛牙車引急耳中嘈嘈頷頰腫

耳門　耳前起肉當耳缺者陷中針三分灸三壯主耳中蟬鳴耳出膿汁耳生瘡重聽齒齲脣吻强

十一·足少陽膽經共四十四穴起於童子髎終於竅陰左右計八十八穴

瞳子髎　一名太陽一名前關去目外眥五分手太陽手足少陽之會針三分不宜灸或云可灸三壯治青盲目翳頭痛目外眥赤痛

聽會　一名後關一名聽呵在耳珠微前陷中開口有空側臥張口取之針七分留三呼得氣卽瀉不須補灸亦良日可灸五壯至二七壯十日後依前數報灸之灸後忌食動風生冷猪魚等治耳鳴耳聾牙車脫臼相離一二寸牙車急不得嚼物齒痛惡寒物中風口喎斜手足不遂狂走瘈瘲

客主人　一名上關在耳前起骨上廉開口有空動脈宛宛中足陽明少陽之會灸七壯禁針明堂云針一分得氣卽瀉艾炷宜小如筋頭大若針亦宜側臥張口取之不得深刺深刺弭交脈破爲內漏耳聾欠不得欬主脣吻強耳聾耳鳴瘈瘲口沫出目眩牙車不開偏風口眼喎斜青盲

頷厭　在曲角下顳顬上廉額角外橫直耳上角手足少陽陽明之會針五分留七呼灸三治頭風目眩無所見偏頭引目外眥急耳鳴多嚏頸項痛

懸顱　在曲角下顳顬中廉手足少陽陽明之會灸三壯針三分留七呼刺深令人耳無所聞主頭偏痛牙齒痛面膚赤痛熱病煩滿汗不出鼻洞濁涕不止

懸釐　在曲角上顳顬下廉針三分灸三壯治熱病汗不出偏頭痛煩心不欲食目銳眥赤痛

曲鬢　一名曲髮在耳上髮際曲隅陷中鼓頷有空將耳掩前當尖處是穴足少陽太陽之會針三分灸七壯主頷頰腫引牙車不得開口噤不能言頸不得回顧腦兩角痛巔風目眇

率谷　在耳上入髮際寸半陷中嚼而取之足少陽太陽之會針三分灸三壯主膈胃寒痰傷酒風發腦兩角强痛不能飲食煩滿嘔吐不止

天衝　在耳上率谷後三分許耳後髮際上二寸針三分灸七壯主癲疾風痙牙齦腫善驚恐頭痛

浮白　在耳後入髮際一寸天衝下針三分灸七壯主足不能行耳聾耳鳴齒痛頸項癭癰

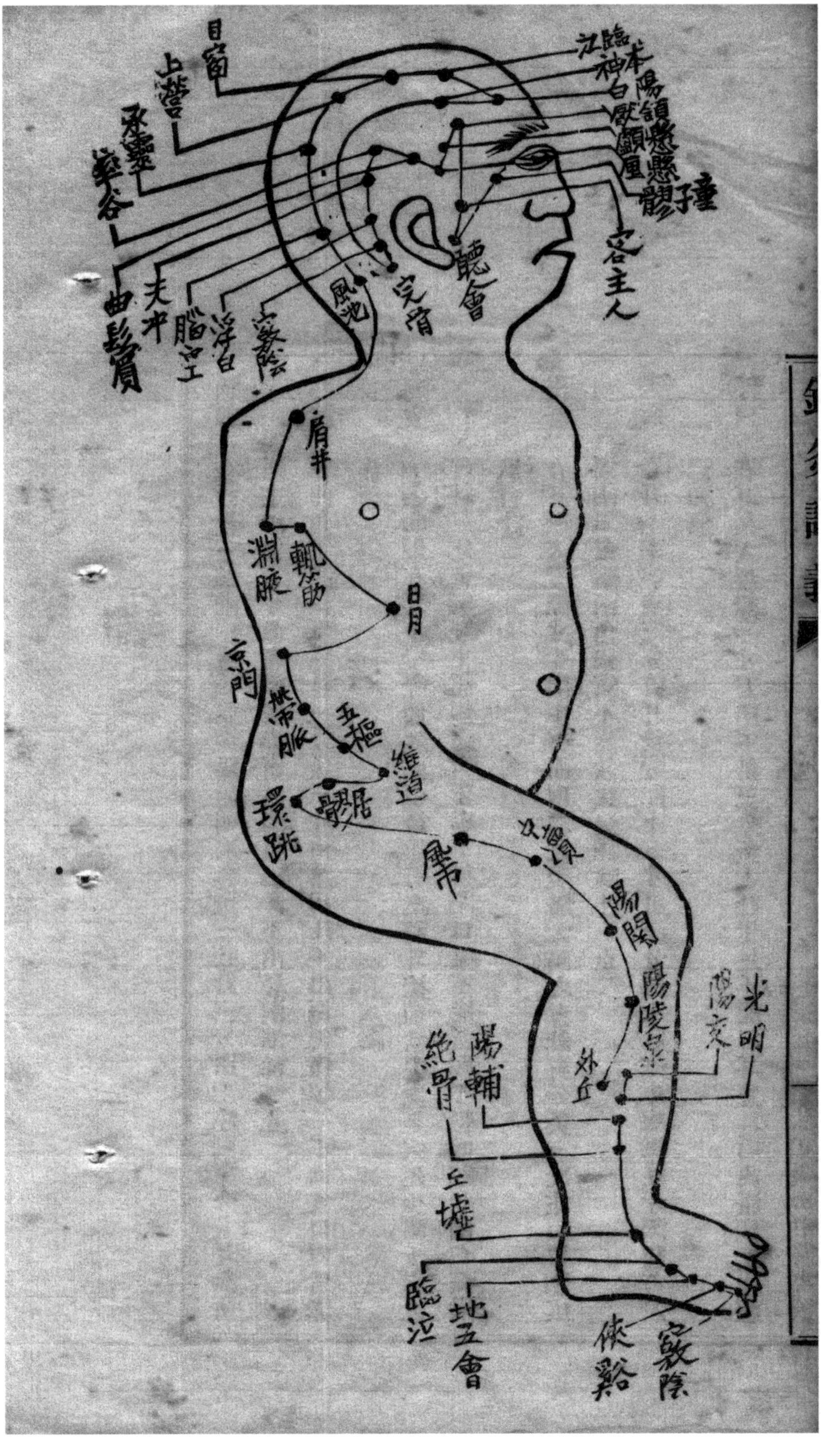
目窗
正營
承靈
率谷
曲鬢
天衝
腦空
浮白
竅陰
風池
完骨
聽會
客主人
臨泣
本神
陽白
頷厭
懸顱
懸釐
瞳子髎
肩井
淵腋
輒筋
日月
京門
帶脉
五樞
維道
居髎
環跳
風市
中瀆
陽關
陽陵泉
陽交
光明
外丘
陽輔
絕骨
丘墟
臨泣
地五會
俠谿
竅陰

腫肩背不舉寒熱喉痺欬逆痰沫胸滿不得息

竅陰 一名枕骨在完骨上枕骨下動搖有空針三分灸七壯治四肢轉筋頭頸頷痛引耳嘈嘈目痛舌本出血營疽發厲手足煩熱汗不出喉痺脅痛口苦

完骨 在耳後入髮際四分針入三分可灸七壯治頭痛面腫齒齲心煩癲疾偏風口眼喎斜頸痛不得回顧小便赤黃喉痺頰腫

本神 在曲差旁一寸五分臨泣旁五分直耳上足少陽陽維之會針三分灸七壯主驚癇吐涎沫目眩頸强引胸不得轉側癲疾偏風

陽白 在眉上一寸直瞳子手足陽明少陽陽維五脈之會針二分灸三壯主瞳子癢痛目上視昏夜無見背膝寒慄重衣不溫

臨泣 在目上直入髮際五分陷中針三分得氣卽瀉禁灸治卒中風不識人目眩鼻塞目生白翳多淚

目窗 在臨泣後一寸針三分灸五壯刺三度令人目大明治頭面浮腫引痛目外眥赤痛

忽頭旋遠視不明寒熱汗不出

正營　在目窗後一寸針三分灸五壯治目眩頭項偏痛牙齒脣吻急齒齲痛

承靈　在正營後一寸五分灸三壯禁針治腦風頭痛惡風寒鼽衄鼻塞不利

腦空　一名顳顬在承靈後一寸五分俠玉枕骨下陷中搖耳得空取之針五分得氣卽瀉可灸五壯腦風頭痛不可忍目瞑心悸發卽爲癲風引目眇勞疾羸瘦項强不得囘顧昔魏公苦頭風發卽心悶亂目眩華陀針此穴立愈

風池　在腦空下髮際陷中按之引於耳中針七留七呼灸七壯治洒淅寒熱濕病汗不出目眩頭痛頸强痎瘧目淚出多欠鼻鼽衄目內眥赤痛氣發耳塞目不明腰背俱痛傴僂引筋無力不收中風不語癭氣

肩井　一名膊井肩上陷鱄中缺盆上大骨前一寸以三指按取當中指下陷中手足少陽足陽明陽維之會連入五臟針五分灸五壯先補後瀉主中風氣塞涎上不語氣逆婦人難產五勞七傷臂痛兩手不得向頭頭項痛不得囘顧或以撲傷腰髖痛脚氣

上攻若深刺令人悶倒補足三里下氣須臾平復凡針肩井皆以三里下其氣若婦人墮胎後手足厥逆針肩井立愈若灸更勝針可灸七壯

淵腋 一名泉液在腋下三寸宛宛中舉臂取之針三分不宜灸灸之令人瘍腫內潰治寒熱馬刀瘍胸滿無力臂不舉

輒筋 在腋下三寸復前一寸三肋端橫直蔽骨旁七寸五分平直兩乳側臥屈上足取之足太陽少陽之會針六分灸三壯治胸中暴滿不得臥太息善悲小腹熱多唾言語不正四肢不收嘔宿汁呑酸

日月 膽之募也一名神光在期門下五分乳下三肋端足太陰少陽陽維之會針七分灸五壯主太息善悲小腹熱欲走多唾言語不正四肢不收

京門 一名氣俞一名氣府腎之募也在季肋俠脊處臍上五分橫開九寸針三分灸三壯治腰痛不得俯仰寒熱䐜脹引背不得息水道不利溺黃少腹急腫腸鳴洞洩髀樞引痛

帶脈　在季肋下一寸八分陷中足少少陽帶脈之會針六分灸五壯治婦人少腹堅痛月事不調赤白帶下裏急後重瘈瘲

五樞　在帶脈下三寸一云在水道傍一寸五分（水道在氣街上三寸）針一寸可灸五壯治痃癖男子寒疝陰卵上入小腹痛婦人赤白帶下裏裏瘈瘲

維道　一名外樞在章門下五寸三分針八分灸三壯治嘔逆不止三焦不調水腫不嗜食

居髎　在章門下八寸三監骨（卽髖骨）陷中足少陽陽蹻之會針八分灸三壯治腰引小腹痛肩引胸臂攣急臂不得舉

環跳　在髀樞中硯子骨後宛宛中側臥伸下足屈上足取之以右手摸穴左手搖撼動是穴足少陽太陽之會針一寸留十呼可灸五十壯已刺不可動搖恐傷針忌熱麪猪魚生冷等物治冷風濕痺風疹半身不遂腰胯痛不得轉側仁壽宮患脚氣偏風甄權奉勑針環跳陽陵泉陽輔巨虛下廉卽能起行環跳痛恐生附骨疽

風市　在膝上外廉兩筋間以手着腿中指盡處是針五分灸五壯主中風腿膝無力脚氣

渾身搔癢痲痺厲風

中瀆　在髀外膝上五寸分肉間陷中足少陽之絡針五分灸五壯治寒氣客於分肉之間痛攻上下筋痺不仁

陽關　一名陽陵在陽陵泉上三寸犢鼻外陷中針五分不可灸治膝痛不可屈伸風痺不仁

陽陵泉　在膝下一寸外廉兩骨間陷中足少陽之合針六分灸七壯積灸至七七壯即止治膝伸不得屈冷痺脚不仁偏風半身不遂脚冷無血色頭面腫蹲坐取之

陽交　一名別陽一名足髎在足外踝上七寸斜屬三陽分肉之間陽維之郄針六分灸三壯治寒厥驚狂喉痺胸滿面腫寒痺面腫膝骱不收

外邱　在足外踝直上七寸陽交之前骨陷中針三分可灸三壯主胸脹膚痛痿痺頸痛惡風寒猘犬所傷毒不出發寒熱灸所齧處立愈

光明　在足外踝上五寸足少陽之絡別走厥陰針六分灸五壯治風寒淫濼脛痠不能久

熱病汗不出卒狂虛則痿躄坐不能起實則骭熱膝痛身不仁善齧頰

陽輔 一名分肉足外踝上四寸絕骨之上微向前三分足少陽經穴針五分灸三壯治腰溶溶如坐水中膝下浮腫筋攣諸節盡痛痛無常處腋下腫瘻馬刀喉痺風痺不仁

懸鐘 一名絕骨在足外踝上三寸尋摸尖骨者是足三陽之大絡按之陽明脈絕乃取之難經曰髓會絕骨髓病治此針六分灸五壯治心腹脹滿胃中熱不嗜食膝骭痛筋攣足不收履坐不能起

丘墟 在足外踝下微前陷中去臨泣三寸足少陽之原針五分灸三壯治胸脅滿痛不得息久瘧振寒腋下腫痿厥坐不能起髀樞痛目翳腿胻轉筋卒疝少腹堅寒熱頸腫

臨泣 在足小指次指本節後陷中去俠谿寸半足少陽之俞針二分灸三壯治胸滿缺盆及腋下腫馬刀瘍瘻善齧頰天牖中腫目眩枕骨合顱痛洒淅振寒婦人月事不利季脅支滿乳癰周痹痛無常處厥逆氣喘不能行痎瘧日發

地五會 在足小指次指本節後陷中去俠谿一寸針二分禁灸灸則使人羸瘦三年死治

內傷唾血足外皮膚不澤乳腫

俠谿　在足小指次指歧骨間本節前陷中足少陽所流爲滎穴針三分灸三壯治胸脅支滿寒熱汗不出目外眥赤目眩頰頷腫耳聾胸中痛不可轉側痛無常處

竅陰　足小指次指之端外側去爪甲如韭葉足少陽所出爲井針一分灸三壯治脅痛欬逆不得息手足煩熱汗不出轉筋癰疽頭痛心煩喉痺舌强口乾肘不可舉卒聾

十二・足厥陰肝經起於大敦終於期門共十三穴左右計二十六穴

大敦　足大指端去爪甲如韭葉及三毛中足厥陰所出爲井針三分灸三壯治卒疝小便數遺溺陰頭中痛心痛汗出陰上入腹腹臍中痛悒悒不樂病左取右病右取左腹脹腫滿少腹痛中熱喜寐尸蹶如死婦人血崩不止

行間　在足大指次指歧骨間陷中動脈應手足厥陰之所流爲滎針三分灸三壯一云針六分治溺難白濁寒疝少腹腫欬逆嘔血腰痛不可俛仰腹中脹肝心痛色蒼蒼如死狀終日不得息口喎四肢冷嗌乾煩渴瞑不欲食目中淚出婦人崩中小兒急驚

風

太衝 在足大指本節後行間上二寸足厥陰脈所注爲俞有動脈應手素問云女子二七太衝脈盛月事以時下故能有子又診病人此處脈有無可以決死生針三分留十呼灸三壯主心痛脈弦瘟疫虛勞浮腫腰引小腹痛大小便不利㿉疝少腹腫溏泄遺溺陰痛面目蒼色胸脅支滿足寒嘔血女子漏血不止小兒卒疝嗌乾跗腫胻痠腋下腫馬刀瘍瘻脣腫

中封 一名懸泉足內踝前一寸筋裏宛宛中搖足而得之足厥陰脈之所行爲經針四分灸三壯治痎瘧振寒色蒼蒼少腹腫食怏怏繞臍痛足逆冷不嗜食身體不仁寒疝引腰中痛身微熱痿厥失精筋攣陰縮入腹引痛

蠡溝 一名交儀在內踝上五寸足厥陰之絡別走少陽針二分灸三壯治疝痛少腹脹滿時暴痛臍下積氣如石小便不利數噫恐悸少氣咽中悶如有瘜肉狀悒悒不樂背㽲急不可俯仰女子赤白帶下月事不調

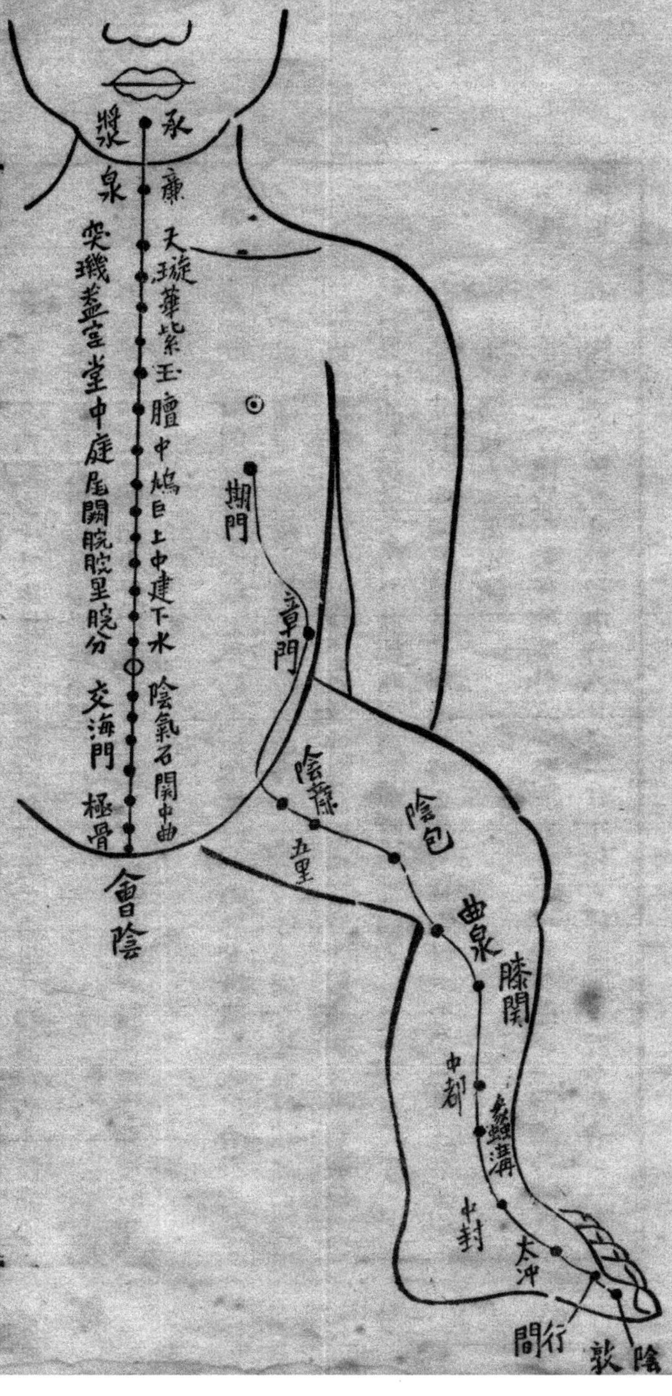

五六一 私立福州中醫專校

中都　一名中郄在內踝上七寸與足少陰脈相直針三分灸五壯主腸澼㿗疝小腹痛不能行立脛寒婦人崩中產後惡露不絕

膝關　在內犢鼻下二寸旁陷中針四分灸五壯主風痹膝內廉痛引臏不可屈伸咽喉中痛

曲泉　在膝股上內側輔骨下大筋上小筋下屈膝橫紋頭取之足厥陰所入為合針六分灸三壯主㿗疝　股痛小便難腹脅支滿癃閉少氣四肢不舉女子血瘕按之如湯沃股內少腹腫膝關節痛筋攣不可屈伸發狂衄血喘呼少腹痛引喉咽目䀮䀮身熱目眩汗不出房勞失精身體極痛下痢膿血陰腫胻痛

陰包　在膝上四寸股內廉兩筋間踡足取之膝看內側有槽中針六分灸三壯主腰尻引少腹痛遺溺婦人月事不調

五里　在氣衝上三寸陰股中動脈應手針六分灸五壯主腸中滿熱閉不得溺風勞嗜臥

陰廉　在羊矢下去氣衝二寸動脈中針八分灸三壯主婦人絕產若未經生產者灸三壯

郎有子（羊矢在氣衝外一寸）

章門　一名長平　一名脅髎脾之募也在季肋之端橫直臍肘尖盡處是穴側臥屈上足伸下足舉臂取之足少陽厥陰之會臟會章門臟病治此針六分灸可百壯主腸鳴盈盈然食不化脅痛不得臥煩熱口乾不嗜食喘息心痛身黃羸瘦賁豚腹腫脊强四肢懈善恐少氣厥逆肩臂不舉溺多白濁東垣曰氣在腸胃者取之太陰陽明不下取三里章門中脘魏士珪妻徐氏病疝自臍下上至於心皆脹滿嘔吐煩悶飲食不進滑伯仁曰此寒在下焦也爲灸章門氣海而愈

期門　肝之募也直乳下二肋端傍寸半資生經云直乳下一寸半足太陰厥陰陰維之會針入四分可灸五壯主胸中煩熱賁豚上下目青而嘔霍亂洩利腹堅硬大喘不得安臥脅下積氣傷寒心切痛喜嘔酸飲食不下胸脅支滿血結胸滿面赤口燥婦人中風傷寒經水適斷適來熱入血室及產後餘疾一婦人患熱入血室許學士云小柴胡已遲當刺期門針之如言而愈若傷寒過經不解當刺期門使經不傳傷寒論

婦人傷寒論云婦人中風七八日續得寒熱發作有時經水適斷者此爲熱入血室其血必結故使如瘧狀發作有時

小柴胡湯主之

云太陽與少陽併病頭項强痛或眩冒時如結胸心下痞硬者當刺大椎第一間肺俞肝俞愼不可發汗發汗則譫語脈弦五日譫語不止當刺期門

十三• 任脈爲諸陰之海起於會陰終於承漿共二十四穴

會陰 一名屏翳在前後陰間任衝督三脈所起灸三壯禁針主陰中痛前後相引不得大小便穀道瘙久痔女子月經不通陰門腫痛產後昏迷卒死者針一寸補之溺死者倒拖出水針之尿出則活餘不可針

曲骨 一名屈骨在橫骨中央中極下一寸毛際陷中動脈應手足厥陰任脈之會針二寸可灸七壯至七七壯治少腹脹滿小便淋瀝不通㿗疝少腹痛婦人赤白帶下失精五臟虛弱

中極 一名玉泉一名氣原在關元下一寸膀胱之募足三陰任脈之會針八分留十呼得氣卽瀉可灸百壯至三百壯治五淋失精臍下結如覆杯陽氣虛憊疝瘕水腫賁豚搶心甚則不得息恍惚尸厥寒熱轉脬(音拋卽膀胱)不得尿因產惡露不止月事

不調血結成塊胎衣不下婦人不育針四度卽有子

關元　在臍下三寸小腸之募足三陰任脈之會爲人身之下紀針八分灸可百壯至三百壯孕婦禁針若針則胎墜而不得出急針外崐崙立出臍下絞痛小便赤澀不覺遺溺小便處熱痛如火燒溺血暴疝痛臍下結血狀如覆杯轉胞不得尿婦人帶下瘕聚因產惡露不止月事斷絕積冷虛乏

石門　一名利機一名精露一名丹田一名命門在臍下二寸三焦之募也針五分可灸二七壯至百壯婦人不可針針之絕子治腹脹堅硬水腫婦人因產惡露不止遂結成塊崩中漏下

氣海　一名脖胦一名下肓在臍下一寸五分男子生氣之海一切疾久不瘥皆灸之針八分得氣卽瀉瀉後宜補之治臍下冷氣上衝心下氣結成塊如覆杯小便赤澁婦人月事不調帶下崩中因產惡露不止繞臍絞痛陰症卵縮四肢厥冷浦江鄭義忠患滯下昏仆目上視溲注汗泄脈大此陰虛陽暴絕得之病後酒色丹溪爲之灸氣海

服人參膏數斤愈

陰交　一名橫戶在臍下一寸當膀胱上際三焦之募衝任少陰之會針八分可灸百壯主臍下絞痛寒疝引少腹痛腰膝拘攣腹滿婦人血崩月事不絕帶下惡露不止繞臍冷痛絕子賁豚小兒陷顖

神闕　一名氣合在臍中禁不可針可灸百壯針之使人臍中惡瘍潰屎出則死主中風不省人事腹中虛冷泄利不止水腫鼓脹繞臍痛小兒奶痢不絕脫肛風癇角弓反張徐平仲中風不甦桃源簿爲灸臍中百壯始甦不起再灸百壯始起

水分　一名分水在下脘下一寸當小腸下口至是分別清濁針八分可灸七壯至百壯水水病可灸七七壯至四百壯若針之水盡卽死治腹堅如鼓水腫腸鳴胃虛脹不嗜食繞臍痛衝胸不得息鼻血小兒陷顖

下脘　在建里下一寸當胃下口足太陰任脈之會針八分灸可二七壯至二百壯主臍上厥氣動日漸羸瘦腹堅硬癖塊六府寒穀不化不嗜食翻胃小便赤

建里　在中脘下一寸針五分灸五壯主腹脹身腫心下痛不欲食嘔逆上氣

中脘　一名太倉上脘下寸居蔽骨與臍之中手太陽少陽足陽明任脈之會爲人身之上紀胃募府之會也針入八分可灸二七壯至百壯治心下脹滿食不化霍亂瀉出不知心痛溫瘧傷寒飲水過多腹脹氣喘因讀書得奔豚氣上攻伏梁心下狀如覆杯翻胃寒癖赤白痢

上脘　一名胃脘巨闕下一寸針八分日可灸三七壯至百壯主心中熱煩賁豚氣脹不能食霍亂身熱汗不出痰多吐涎心風驚悸心痛不可忍伏梁氣狀如覆杯針入八分先瀉後補神驗如風癇熱病先瀉後補其疾立愈

巨闕　鳩尾下一寸心之募針六分留六呼得氣卽瀉灸七壯至七七壯治心煩滿熱病痰飲腹脹痛恍惚不知人息賁時唾血蚘蟲痛蠱毒霍亂發狂不識人驚悸少氣急疫尸厥妊娠子上衝心昏悶刺巨闕下針立甦

鳩尾　一名尾翳一名髑骬在胸前歧骨下一寸蔽骨下五分針三分不可灸灸卽令人少

心力且大好手方可下針不然取氣多令人夭治心風驚癎發癲不喜聞人語心腹胸中脹滿欬逆喘息喉痹咽壅水漿不下

中庭 在鳩尾上一寸膻中下一寸六分陷中針三分灸五壯主胸脅支滿噎塞飲食不下嘔吐宿食小兒吐奶

膻中 一名元兒在玉堂下一寸六分直兩乳間陷中仰而取之禁針可灸二七壯主欬嗽上喘唾膿食不下胸中如塞婦人乳汁少

玉堂 一名玉英在紫宮下一寸六分陷中針三分灸五壯治胸滿喘息胸滿喘息胸膺骨痛嘔吐寒痰上氣煩心

紫宮 在華蓋下一寸六分陷中仰而取之針三分灸五壯治胸脅支滿胸膺骨痛飲食不下嘔逆上氣煩心吐血唾如白膠

華蓋 在璇璣下一寸陷中仰而取之針三分灸五壯治胸脅支滿引痛欬逆氣喘喉痺咽腫水漿不下

璇璣　在天突下一寸陷中仰而取之針三分灸主五壯胸脅滿痛喉痺咽腫水漿不下

天突　一名天瞿一名五戶在結喉下三寸宛宛中針三分留三呼灸三壯其針宜直橫下不得低手恐傷五臟之氣治欬嗽上氣胸中氣梗喉中如水雞聲肺癰唾膿血喉中生瘡食不下舌下急咽乾瘖不能言寒熱頸腫癭瘤

廉泉　一名舌本在頷下結喉上中央仰頭取之針三分灸三壯低針取之主咳嗽上氣喘急嘔沫舌下腫口噤難言舌根急縮食不下

承漿　一名懸漿脣下中央宛宛中開口取之針三分留五呼灸日可七壯至七七壯止療偏風口喎面腫消渴口齒疳蝕生瘡暴瘖不能言灸炷如小竹筋頭大當脈上灸之

凡灸臍下久冷疝瘕痃癖艾炷宜大故方書云腹背宜灸五百壯四肢但去風邪不宜多灸七壯至七七壯止不得過隨年數如巨闕鳩尾雖是腹胸之穴灸不過七七壯艾炷如竹筋頭大當脈上灸之若灸胸部艾炷大灸多令人永無心力頭部灸多令人失神臂脚灸多令人血脈枯竭

十四・督脈爲諸陽之海起於長强終於齗交共二十七穴

長强　一名氣之陰郄一名厥骨在脊尾骶骨端伏地取之督脈之絡別走任脈針三分抽針以大痛爲度灸日三十壯至二百壯止此痔根也主痔瘻腸風下血下部疳蝕腰脊痛大小便難狂痛洞泄小兒顖陷驚癇嘔血失精瞻視不正愼冷食房勞

腰俞　一名背解一名髓孔一名腰柱一名腰戶在二十一椎下節宛宛中挺身伏地舒身兩手相重支額縱四體乃取之針八分灸七壯至七七壯愼房勞舉重强力主腰髖脊骨痛不得俯仰溫瘧汗不出痺足不仁四肢熱婦人月閉

陽關　在十六椎節下間伏而取之針五分灸三壯主膝外不可屈伸風痺不仁筋攣不行

命門　一名屬累在十四椎節下間伏而取之針五分灸三壯治頭痛不可忍身熱如火汗不出瘈瘲裏急腰腹引痛小兒骨蒸發癇

・懸樞　在十三椎下間伏而取之針三分灸三壯主腰脊强不得屈伸積氣上下行水穀不化腹中留積

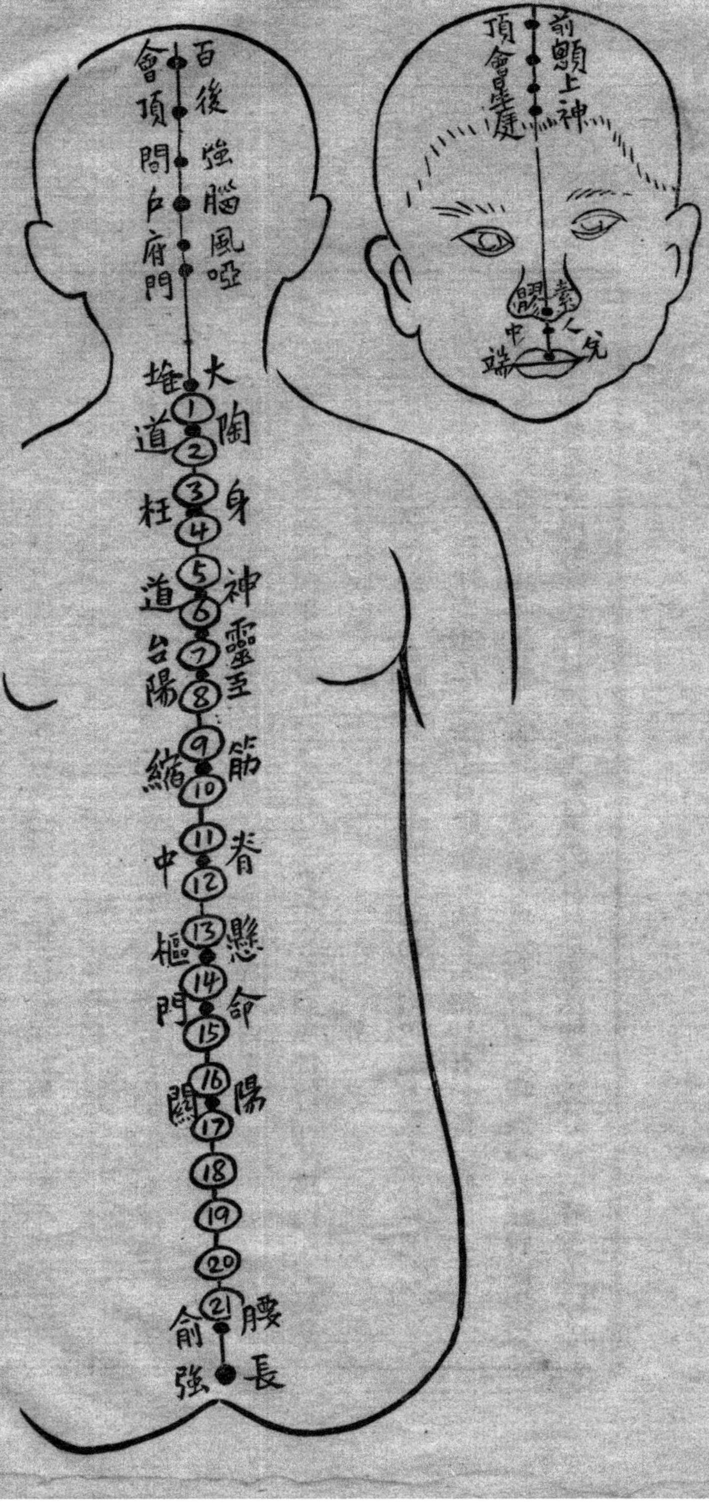
百會
後頂
強間
腦戶
風府
啞門
大椎
陶道
身柱
神道
靈台
至陽
筋縮
中樞
脊中
懸樞
命門
陽關
腰俞
長強
前頂
顖會
上星
神庭
素髎
人中
兌端

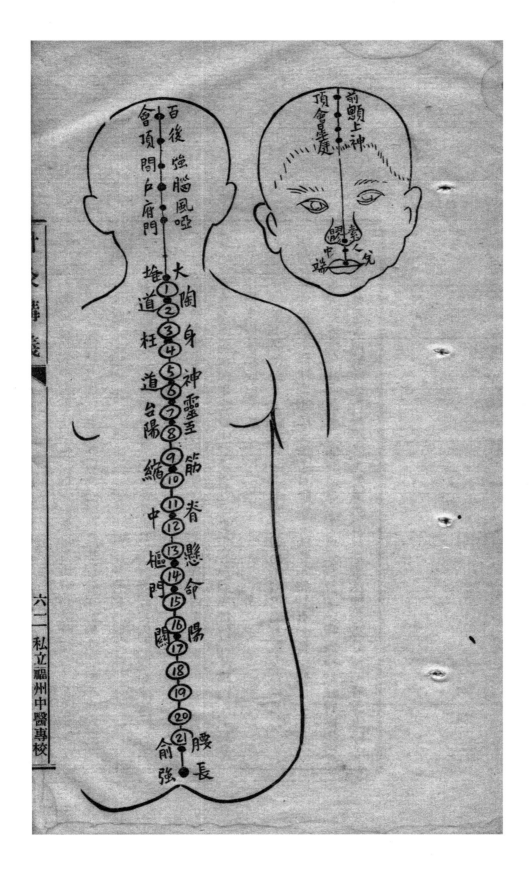

脊中　一名神宗一名脊俞在十一椎下間俯而取之針五分得氣卽瀉禁不可灸灸則令人腰背傴僂治風癎癲邪黃疸腹滿不嗜食痔疾便血溫病積聚下痢小兒脫肛

筋縮　在九椎下間俯而取之針五分灸三壯治驚癎癲狂脊强戴眼心痛

至陽　在七椎下俯而取之針五分灸三壯治寒熱解㑊淫濼脛痠四肢腫痛少氣難言腰脊痛背中氣上下行胸脅支滿胃寒不能食

靈台　在六椎下間俯而取之禁針灸之可治氣喘不能臥火到便愈

神道　在五椎下間俯而取之針七壯至百壯禁針治寒熱頭痛恍惚悲愁驚悸小兒風癎瘈瘲失欠牙車脫臼

身柱　在三椎下間俯而取之針五分灸七七壯治癲狂瘈瘲驚癎身熱妄言見鬼

陶道　在大椎節下間俯而取之主頭重目瞑瘈瘲恍惚不樂針五分灸五壯

大椎　在第一椎上陷中手足三陽督脈之會療五勞七傷乏力痎瘧溫瘧氣注背髆拘急頸强不得囘顧肺脹脅滿嘔吐上氣風勞骨熱前板齒燥針五分留三呼瀉五吸若

灸以年爲壯仲景云太陽與少陷併病頸項强痛或眩冒時如結胸心下痞硬者當刺大椎肺俞肝俞慎勿下之蓋恐經邪乘虛入裏成結胸也

啞門　一名舌壓一名舌横一名瘖門項後中央入髮際五分宛宛中仰而取之督脈陽維之會入繫舌本針二分禁灸灸之令人啞治頸强舌緩不能言諸陽熱氣盛鼻衄不止頭痛風寒汗不出寒熱風啞脊强反折瘈瘲癲疾頭重

風府　一名舌本在項髮際上一寸大筋內宛宛中疾言其肉立起督脈陽維之會禁不可灸灸之使人瘖針三分治頭痛項强不得回顧目眩鼻衄喉痛狂走中風舌緩不語頭中百病

腦戶　一名合顱一名匝風在枕骨上强間後一寸五分禁不可針針之中腦立死亦不可妄灸灸之不幸令人瘖

强間　一名太明在後項後一寸五分針二分灸七壯治腦旋目運頭痛不可忍煩心嘔吐涎沫發作無時頸項强不得回顧狂走不休

後項　一名交衝在百會後一寸五分針二分灸五壯治目晾晾頸項强惡風寒頭偏痛狂癇

百會　一名三陽五會一名天滿一名巔上在前項後一寸五分項中央旋毛中可容豆許直兩耳尖上手足三陽督脈之會針二分灸七壯凡灸頭項不得過七七壯緣皮薄也治小兒脫肛風癇中風角弓反張或多哭言語不擇發作無時心煩驚悸健忘咳瘧耳鳴耳聾鼻塞百病皆治虢太子尸厥扁鵲即取此穴唐高宗頭痛秦鳴鶴刺之微出血立愈

前項　在顖會後寸半陷中針一分灸三壯至七七壯主頭風目眩面赤腫小兒驚癇瘈瘲發即無時鼻多清涕項腫痛

顖會　在上星後一寸陷中可容豆治目眩面腫鼻塞驚癇戴眼不識人可灸二七壯至七七壯初灸不痛病去即痛痛即罷灸若鼻塞灸至四日漸退七日頓愈針二分留三呼得氣即瀉頭風生白屑多睡針之彌佳針訖以末鹽生麻油相和揩髮根下頭風

永除若八歲以下卽不得針緣顖門未合也又主腦虛冷或飲食過多頭疼如破

上星　一名神堂在神庭後入髮際一寸陷中治頭風面虛腫鼻塞目眩痰瘧熱病汗不出目睛痛不能遠視口鼻出血不止以三稜針刺之宣洩熱氣無令上衝頭目可灸七壯若多灸卽拔氣上沖卽人目不明

神庭　在鼻直上入髮際五分禁針針之卽發狂治癲疾風癇戴眼不識人頭風目眩鼻出清涕驚悸不得安寢可灸二七壯至七七壯止岐伯曰凡欲療風勿令多灸緣風性輕多灸卽傷惟宜灸七壯至三七壯止張子和云目腫目翳針神庭上星顖會前頂可使立愈

素髎　一名面王在鼻端外臺云不宜灸千金治鼻塞瘜肉不消多涕生瘡針入一分

水溝　一名人中在鼻柱下溝中央近鼻孔陷中直脣取之針三分留五呼灸可三壯至七壯炷如雀糞大然不及針治消渴飲水無度失笑無時癲癇狂言乍喜乍哭牙關不開面腫脣狀如蟲行卒中惡風水面腫針動此一穴出水盡卽頓愈

兌端　在上唇中央尖上針二分可灸三壯炷如大麥治癲疾吐沫小便黃舌乾消渴衄血不止唇吻强齒齦痛

齗交　在唇內上齒縫中央針三分灸三壯治面赤心項煩急小兒面瘡癬久不除鼻塞目內眥赤痒痛生白翳牙疳黃疸

別穴（凡不出於銅人而散見於諸書者謂之別穴）

（神聰）在百會前後左右各一寸主頭風目眩風癇狂亂針入三分（當陽）二穴在瞳子直上入髮際一寸血絡主風眩不識人鼻塞針三分蝦蟆瘟針當陽及太陽多出血繼以綢緊肩下臑上針尺澤大小血絡棄血如糞土日飲水神效（太陽）二穴在兩額角眉後青絡治偏頭痛針出血（明堂）即上星穴在鼻直上入髮際一寸主頭風鼻塞多涕針二分（眉衝）一名小竹當兩眉頭直上髮際或云在目外眥上銳髮動脈主五癇頭痛鼻塞針二分（鼻準）即素髎針出血治酒糟鼻（耳尖）二穴在耳尖捲耳取之治目生翳灸七壯不宜多（聚泉）在舌中直縫陷中咳嗽

久不愈以生薑片搭舌中灸之熱喘用雄黃末少許和艾炷灸之冷喘用款冬末和艾炷灸灸後以生薑清茶微呷下若舌强少刺出血（海泉）在舌下中央脈上消渴用三稜針刺出血（阿是穴）又名天應穴卽當病痛處（百勞）二穴在大椎向髮際二寸左右各橫量一寸瘰癧灸七壯（精宮）二穴在十四椎下左右各開三寸半或云三寸治夢遺（胛縫）在肩胛端直腋縫尖針三分主肩背痛連胛（環岡）在小腸俞下二寸橫紋間主大小便不通灸七壯（腰眼）二穴病人正立腰上脊骨兩旁有微陷處是由癸亥日夜半子時使病人伏床以小艾炷灸七壯九壯至十一壯瘵蟲吐出或瀉下焚之卽安此法名遇仙灸（下腰）一穴在八髎正中央脊骨上名三宗治洩痢下膿血灸五十壯（回氣）在脊窮骨上灸百壯主五痔便血失屎（囊底）在陰囊下十字紋主冶風瘡小腸疝氣一切腎病灸七壯（闌門）二穴在玉莖傍各二寸治疝氣衝心欲絕針二分灸二七壯（腸繞）二穴挾中極傍左右各二寸主大便閉塞灸隨年壯（肩柱）在肩端起骨尖治瘰癧及

手不舉灸可百壯（肘尖）治瘰癧灸腸癰膿自下灸百壯（龍玄）列缺後青絡中一云在側腕上交叉脈中治下牙痛灸七壯（中泉）在手腕陽谿陽池間治心痛腹中氣塊灸七壯（二白）四穴在掌橫紋後四寸手厥陰經兩穴相並一在兩筋中一在大筋外主痔漏下血痒針三分灸三壯（中魁）中指第二節尖主五噎吞酸嘔吐（五虎）食指無名指第二節尖屈拳取之主五指攣灸五壯（大都）虎口赤白肉際屈掌取之主頭風牙疼針一分灸七壯（上都）在食指中指歧骨間主手臂紅腫針一分灸七壯（中都）在中指無名指歧骨中治同上都針一分灸三壯（下都）在小指無名指歧骨間針一分灸三壯治大熱眼痛睛欲出以上四穴名八邪又名八關（四縫）八穴在手四指中節橫紋紫脈是針出血治小兒猢猻勞等症（十宣）手十指端去爪甲一分針一分治乳蛾（大小骨）四穴手大小指第二節尖治眼疾爛弦風灸九壯口吹火滅（旁廷）二穴在腋下直乳後二寸亦名注市舉臂取之主中惡飛尸遁注胸脅支滿針五分灸五壯（通關）二穴在中

脘傍各五分主五噎左撚進飲食右撚和脾胃針八分（直骨）在乳下離一指頭陷中主遠年咳嗽炷如小豆大灸三壯男左女右（氣門）關元傍三寸針五分主崩漏（胞門）關元左傍二寸治婦人無子灸五十壯（子戶）在關元右傍二寸主婦人無子灸五十壯（子宮）在中極兩旁各三寸針二寸灸二七壯治婦人無子（鶴頂）膝蓋骨尖主兩足癱瘓無力灸七壯（膝眼）在膝蓋下兩傍陷中主臂風痛及膝臏痠痛針五分灸二七壯又云禁灸（營池）在足內踝前後兩池中主赤帶白小便不通針三分灸二七壯（漏陰）足內踝下五分有脈微動主赤白帶下針一分灸三七壯（陰陽）足𧿹指下屈裏紋頭白肉際灸三壯主赤白帶（陰獨）八穴在足四指間治月經不調足背紅腫針三分灸五壯（足內踝尖）治下牙痛又治足內廉轉筋灸七壯（足外踝尖）治脚外廉轉筋又治寒熱（獨陰）在足次指內中節横紋當中主腹痛及疝痛欲死男左女右灸五壯（內太衝）在太衝穴內傍隔大筋陷中舉足取之治疝氣上衝呼吸不通針一分灸三壯（甲根）足大指端爪

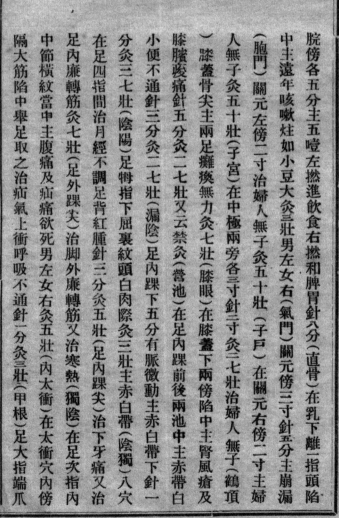

甲角隱皮爪根左右廉治疝針一分灸三壯（奪命）在曲澤上主目昏暈針三分禁灸（魚腰）一名印堂在兩眉中主眼疾針二分小兒急驚慢驚灸三壯艾炷如小麥大（通理）在足小指上二寸主崩中經血過多針二分灸二七壯（氣端）十穴在足十指端主脚氣灸日三壯（金津玉液）舌下兩傍脈主舌腫喉痺三稜針刺出血（長谷）二穴在臍旁相去各五寸一名循元主泄痢不嗜食灸三十壯（髮際）平眉上三寸主頭風眩暈疼痛久不愈灸三壯（陽維）在耳後引耳令前弦筋上主耳風聾雷鳴灸五十壯（耳上穴）在耳上髮際千金翼云治癭氣灸風池及耳上髮際各百壯（身交）在少腹下橫紋中當臍直下治白帶崩中灸一百壯治大小便不通及遺尿者可灸七（魂舍壯）俠膀兩傍相去一寸小主腸瀉痢膿血灸百壯（後腋下）腋下後紋頭灸隨年壯治頸漏（巨闕俞）在四椎主胸膈氣塞灸隨年壯（督俞）在在六椎下兩傍各二寸禁針可灸（氣海俞）在十五椎下兩傍各二寸針三分可灸（關元愈）在第十七椎下兩旁各二寸針三分可

灸以上三穴瀉治痢虛脹小便難婦人瘕聚諸疾（夾脊）治霍亂轉筋令病者合面臥仲兩手著身以繩橫牽兩肘當尖脊間繩下兩旁相去各一寸灸百壯無不差（機關）在耳下近前八分治中風口噤灸五壯（龍頷）在鳩尾上寸半主心痛冷氣上逆灸百壯禁針（乳上）以繩橫度口從乳中量上盡處主乳癰灸二七壯（拳尖）中指本節前骨尖上握拳取之主風眼翳膜疼痛患左尖右右患灸左炷如小麥大（痞根）在背十一椎旁各三寸五分左患治右灸十四壯（泉陰）橫骨旁三寸治㿗疝偏大灸三百壯（手大指甲根）治雙蛾排刺三針重者日再刺（手踝尖）治齒痛灸七壯左痛灸右神效（囊底）陰囊下十字紋治腎風疝氣一切腎病灸七壯（羊矢）股內橫紋中有核處針三分灸七壯治疝氣衝心（踝下）足內踝下白肉際治滿身卒腫面浮大灸三壯立效（內崐崙）足內踝後陷中主

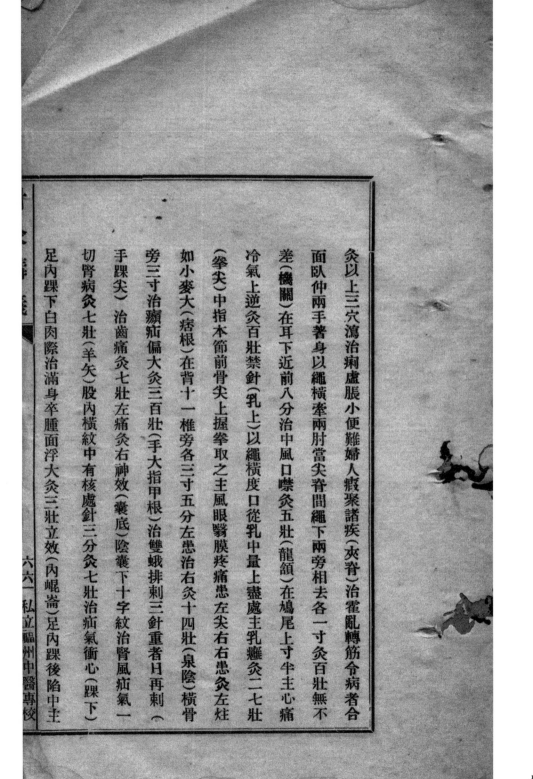

轉筋針六分至瀉之（足太陰太陽）婦人逆產足先出刺太陰入三分足入乃出針穴在內踝後白肉際骨陷中胞衣不出刺太陽入四分穴在外踝後一寸陷中（足大指横紋頭）在指足大內側去端一寸白肉際治癲疝灸隨年壯（足踵）治霍亂轉筋灸湧泉三七壯不止灸足踵聚筋上白肉際七壯立愈（承命穴）內踝後上行三穴動脈中治狂邪驚癇灸三十壯一日七壯

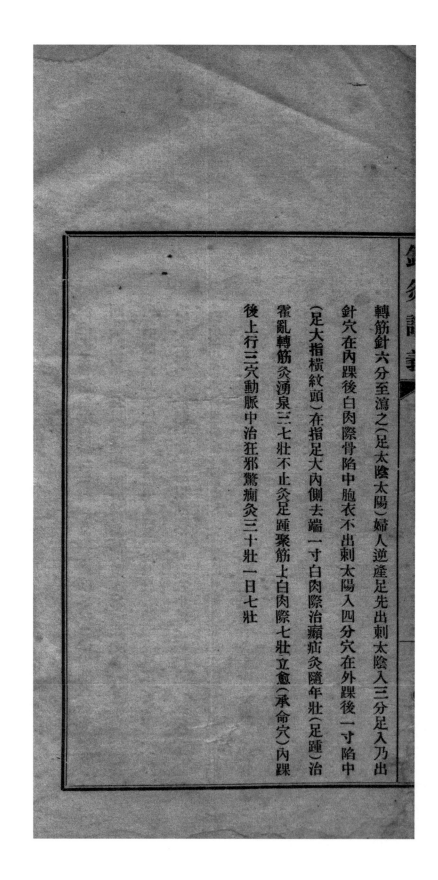